Dieser Band gehört zu einem auf 17 Bände angelegten Abriß der deutschen Literatur vom Mittelalter bis zur Gegenwart, dessen Charakteristikum auf dem Wechselspiel von Text, Darstellung und Kommentar beruht.

Die Reihe ist als Einführung vor allem für Schüler und Studenten konzipiert. Sie dient selbstverständlich auch allen anderen Interessierten als Kompendium zum Lernen, als Arbeitsbuch für einen ersten Überblick über literarische Epochen.

Das leitende Prinzip ist rasche Orientierung, Übersicht und Vermittlung der literaturgeschichtlichen Entwicklung durch Aufgliederung in Epochen und Gattungen. Die sich hieraus ergebende Problematik wird in der Einleitung angesprochen, die auch die Grundlinien jedes Bandes gibt. Jedem Kapitel steht eine kurze Einführung als Überblick über den Themen- oder Gattungsbereich voran. Die signifikanten Textbeispiele und ihre interpretatorische Aufschlüsselung werden ergänzt durch bio-bibliographische Daten, durch eine weiterführende Leseliste, ausgewählte Forschungsliteratur und eine synoptische Tabelle, die die Literatur zu den wichtigsten Ereignissen aus Politik, Wirtschaft, Kunst und Wissenschaft in Beziehung setzt.

# Die deutsche Literatur

*Ein Abriß in Text und Darstellung*

Herausgegeben von
Otto F. Best und Hans-Jürgen Schmitt

*Band 13*

Philipp Reclam jun. Stuttgart

# Impressionismus, Symbolismus und Jugendstil

Herausgegeben von
Ulrich Karthaus

Philipp Reclam jun. Stuttgart

Allgemeine Angaben zu Leben und Werk der Autoren finden sich an den im Inhaltsverzeichnis mit einem Sternchen versehenen Stellen

RECLAMS UNIVERSAL-BIBLIOTHEK Nr. 9649
Alle Rechte vorbehalten
© 1977 Philipp Reclam jun. GmbH & Co. KG, Stuttgart
Durchgesehene und bibliographisch ergänzte Ausgabe 1991
Gesamtherstellung: Reclam, Ditzingen. Printed in Germany 2011
RECLAM, UNIVERSAL-BIBLIOTHEK und
RECLAMS UNIVERSAL-BIBLIOTHEK sind eingetragene
Marken der Philipp Reclam jun. GmbH & Co. KG, Stuttgart
ISBN 978-3-15-009649-9

www.reclam.de

# Inhalt

# Einleitung

Impressionismus, Symbolismus und Jugendstil sind Begriffe, mit denen man die Literatur der Jahrhundertwende von 1890 bis etwa 1910/14 zu bezeichnen pflegt. Wie alle literarischen Stil- und Epochenbegriffe setzen sie Akzente, beantworten sie einige wenige Fragen und werfen zugleich mehrere neue auf. Zunächst bezeichnen sie nur einen Teil des literarischen Lebens der Zeit; sie verschweigen den Naturalismus, den es fast bis zum Ausbruch des Ersten Weltkrieges gab. Auch realistische Literatur entstand noch: Theodor Fontane starb 1898, Wilhelm Busch 1908, Wilhelm Raabe 1910. Sie erfassen nicht die Vorläufer der späteren völkischen und faschistischen Literatur, deren Wurzeln an die Jahrhundertwende zurückreichen, als der Lyriker und Dramatiker Friedrich Lienhard zusammen mit dem autodidaktischen Literaturprofessor Adolf Bartels und anderen die Heimatkunstbewegung gründete. Sie beziehen sich nicht auf die Arbeiterdichtung, die 1912 im literarischen Bund der »Werkleute auf Haus Nyland« mit Wilhelm Vershofen, Jakob Kneip und Josef Winkler ein Zentrum fand. Und endlich vernachlässigen diese Begriffe das, was wohl um die Jahrhundertwende der tatsächlich bevorzugte Lesestoff für die Mehrzahl des deutschen Bürgertums war: die Romane der Nataly von Eschstruth, Hedwig Courths-Mahler, Agnes Günther, Fedor von Zobeltitz, Rudolf Stratz und Ludwig Ganghofer, dessen *Gesammelte Werke* in 30bändiger Prachtausgabe, ein Geschenk des Dichters, zur Lieblingslektüre des deutschen Kaisers gehörten.

Die Liste der hier nicht vertretenen Autoren ist deshalb umfangreich, sie enthält Namen wie Lou Andreas-Salomé, Leopold von Andrian, Rudolf Borchardt, Max Dauthendey, Herbert Eulenberg, Hans Freiherr von Gumppenberg, Johannes von Guenther, Maximilian Harden, Ernst Hardt,

Peter Hille, Arthur Holitscher, Felix Huch, Friedrich
Huch, Ricarda Huch, Rudolf Kassner, Eduard von Keyser-
ling, Gerhard Ouckama Knoop, Otto zur Linde, Samuel
Lublinski, Kurt Martens, Alfred Mombert, Börries Freiherr
von Münchhausen, Georg Freiherr von Ompteda, Wilhelm
von Scholz, Ina Seidel, Carl Spitteler, Lulu von Strauß und
Torney, Eduard Stucken, Otto von Taube, Robert Walser,
Jakob Wassermann, Anton Wildgans und Karl Wolfskehl.
Freilich hängt das Fehlen dieser Autoren auch mit dem
Abrißcharakter der vorliegenden Reihe zusammen, bei dem
auf knappem Raum oft ein Autor ganze Gruppen und
»Schulen« vertreten muß.
Was also in diesem Band erscheint, ist nur ein Teil der
um 1900 entstandenen avantgardistischen Literatur. Ihre
Bezeichnung ist problematisch; die hier verwendeten Begriffe bezeichnen Teilaspekte von Stilen – Tendenzen, deren keine derart dominiert, daß sich aus ihr ein Epochenbegriff von ähnlicher Gültigkeit wie »Barock«, »Romantik«
oder »Bürgerlicher Realismus« ableiten ließe.
Unter Impressionismus versteht man eine Kunst des »Ein-
drucks«, dessen individuelle Nuance und Farbschattierung
gestaltet werden soll; der Impressionismus ist eine Kunst der
Stimmung, wie sie der vergängliche Augenblick hervorruft;
ihn will der Impressionist festhalten. Deshalb ist den französischen Malern, die zwischen 1860 und 1870 impressionistisch zu malen begannen, der Farbreiz wichtiger als die
Komposition ihrer Bilder: die reale Struktur der Dinge
schwindet vor ihrer Beleuchtung, sie lösen sich auf in Farb-
und Lichtreflexe. Ähnlich läßt sich literarischer Impressionismus als Kunst der persönlichen Augenblicksempfindung
bezeichnen: aus der Erfahrung, daß die Dinge, wie sie
»wirklich« sind, künstlerisch nicht reproduziert werden
können, greift der Impressionist subjektive Eindrücke von
Weltausschnitten auf und gestaltet sie – meist in lyrischen
Gedichten, wie Liliencron, Dehmel und George, Hofmannsthal und Rilke in ihren Anfängen. Neben der Lyrik ist

die Prosaskizze die Domäne des literarischen Impressionismus, wo er sich im Frühwerk Thomas Manns und in der Prosa Peter Altenbergs realisiert. Will man den Begriff weiter fassen und definiert man ihn als Gestaltung des Augenblicks, so ist in diesem Zusammenhang vor allem auf die lyrischen Einakter des jungen Hofmannsthal, auf Arthur Schnitzlers Szenenfolgen *Anatol* und *Reigen* sowie auf seine Verwendung des »inneren Monologs« in *Leutnant Gustl* zu verweisen. Die Bezeichnung Impressionismus ist kein literarischer Epochenbegriff: sie benennt in der Literatur weniger eine Tendenz als eine Technik, die insofern den Naturalismus fortsetzt, als sie Genauigkeit im Detail anstrebt, die sich im ganzen nicht realisieren läßt. Helmut Prang faßt den Begriff sogar derart weit, daß er impressionistische Stilelemente nicht nur in Romantik, Biedermeier, Naturalismus und Frühexpressionismus sieht, sondern auch im Spätbarock – also überall, »wo besondere Reizbarkeit des Auges und des Gefühls Voraussetzung der Dichtung ist«. Eine solche Verwendung des Terminus scheint nicht unbedenklich: man sollte ihn als Stilbegriff für die Epoche des ausgehenden 19. und beginnenden 20. Jahrhunderts verwenden. Sie hat einige poetische Werke hervorgebracht, die in ihrer Gesamterscheinung impressionistisch genannt werden dürfen.

Festere literaturhistorische Konturen zeigt der Begriff Symbolismus. Er stammt ebenfalls aus Frankreich, wo ihn Jean Moréas 1886 in seinem *Manifest des Symbolismus* verwendete. Der Symbolismus richtet sich gegen die vom naturwissenschaftlichen Positivismus des 19. Jahrhunderts inspirierten Bemühungen der Realisten und Naturalisten, die Welt in ihrer biologischen und sozialen Tatsächlichkeit darzustellen; er sucht das den Dingen zugrundeliegende Geheimnis und spricht es weniger aus, als daß er es vor allem durch ästhetisch-suggestive Darstellungsmittel beruft. Klangmalerei, Assonanzen, Metrum und Reime werden bewußt in die Aussagestruktur integriert; mit Vorliebe bedient sich symbolistische Poesie der Synästhesie, also der Vermischung von Eindrücken verschiedener Sinnesorgane, so daß die Sphäre des einen Sinnes zur Metapher für die des anderen wird: es entsteht eine magische Identität der Sphären. Hierin beruft sich der Symbolismus auf die Romantik; auch Edgar Allan Poe wird zu seinen Ahnherren gezählt. Der französische Symbolismus geht auf Charles Baudelaire zurück, der, 1821 – im selben Jahr wie Gustave Flaubert – geboren, 1857 die *Fleurs du Mal* veröffentlichte: erstes Manifest und Dokument des europäischen Symbolismus, gleichzeitig mit dem Erscheinen von *Madame Bovary*. Aber die Symbolisten – Baudelaire, Verlaine, Rimbaud, Mallarmé, auch Valéry und Claudel – thematisieren nicht die gesellschaftliche Wirklichkeit wie Flaubert, sie wollen keine wirksame »littérature engagée« schaffen, und auch nicht wie die Impressionisten ihre subjektiven Empfindungsgehalte artikulieren: ihr Ziel ist die »poésie pure«. Man schreibt ihnen deshalb die Erfindung des Prinzips »l'art pour l'art« zu, das indes meines Wissens erstmals von Heinrich Heine im Jahre 1838 formuliert wurde.[1]

Im Gegensatz zum Impressionismus, der zur Auflösung traditioneller Formen tendiert, erstrebt der Symbolismus eine in sich geschlossene, nach eigenen Prinzipien konsequent strukturierte Formensprache. Am deutlichsten wird dies in der Dichtung Stefan Georges, von dessen »rigorosem Stilisierungswillen« man gesprochen hat. Er war es, der 1889 in Paris Umgang mit Stéphane Mallarmé hatte und dessen ästhetische Ansichten der deutschsprachigen Literatur – vor allem Hofmannsthal – vermittelte. In Georges und Rilkes Werk überdauerten symbolistische Tendenzen noch den Ersten Weltkrieg.

Der gegenwärtig populärste Stilbegriff, mit dem man die

---

1. *»Mein Wahlspruch bleibt: Kunst ist der Zweck der Kunst, wie Liebe der Zweck der Liebe, und gar das Leben selbst der Zweck des Lebens ist«* (an Karl Gutzkow am 23. August 1838; in: Briefe. Hrsg. von Friedrich Hirth. Mainz 1950. Bd. 2. S. 278).

Literatur der Jahrhundertwende benennt, dürfte die Vokabel »Jugendstil« sein, die inzwischen – nicht zuletzt aufgrund der Wiederentdeckung des Jugendstils seit etwa 1950 – derartige Verbreitung und Vieldeutigkeit gewonnen hat, daß sie als literaturhistorischer Terminus manchem nahezu unbrauchbar geworden zu sein scheint. Das Wort leitet sich von der Münchener Zeitschrift *Jugend* her, die seit dem 1. Januar von Georg Hirth als *Münchener illustrierte Wochenschrift für Kunst und Leben* herausgegeben wurde und bis 1940 bestand. Wie sich der Symbolismus gegen Realismus und Naturalismus wendet, so der Jugendstil gegen die in Architektur und Innenarchitektur, offiziell akademischer Malerei und Skulptur herrschende Anlehnung an historische Stile: ursprünglich realisierte er sich in Kunsthandwerk, Innenarchitektur und Malerei. Charakteristisch sind Pflanzen- und Blumenornamente, eine Stilisierung der menschlichen Gestalt, die sie jenen annähert: Peter Behrens' *Der Kuß* (1897), Thomas Theodor Heines *Serpentinentänzerin* (1900), Ludwig von Hofmanns *Badende Frauen* (um 1900) sind Beispiele für solche Ornamentalisierung. Hinter ihr steht der Anspruch, das ganze Leben in all seinen Äußerungen zu reformieren; Dominik Jost spricht von einem »totale[n] Stil«.

Der Rückgriff auf die *Kunstformen der Natur* – so der Titel eines Prachtwerkes, das der Zoologe und Monist Ernst Haeckel 1899 bis 1904 erscheinen ließ – signalisiert eine Orientierung des Lebens an seiner natürlichen Basis, die sich nicht auf die Kunst allein erstreckte: es ist die Zeit der Reformkleidung und der Reformhäuser. Insofern steht der Jugendstil in Verbindung mit einer Neoromantik, die sich angesichts der Technisierung, Industrialisierung und Verwissenschaftlichung des Lebens, die das neunzehnte Jahrhundert gezeitigt hatte, auf die Ursprünge des Lebens zu besinnen sucht. So intensiv es aber gefeiert wird: es ist steril. Walter Benjamin hat in seinen Aufzeichnungen *Zentralpark* darauf hingewiesen: »Das Grundmotiv des Jugendstils ist

Discomedusae.  Scheibenquallen.

*Bildtafel aus:*
*Ernst Haeckel: »Kunstformen der Natur« (1899/1904)*

Thomas Theodor Heine:
»Serpentinentänzerin« aus: »Die Insel« (Berlin 1900)

die Verklärung der Unfruchtbarkeit. Der Leib wird vorzugsweise in den Formen gezeichnet, die der Geschlechts-
reife vorhergehen. Dieser Gedanke ist mit der regressiven
Auslegung der Technik zu verbinden.«[2]

Dem entspricht die Tendenz zur Isolierung von der Wirklichkeit; Jost definiert das Ornament als »apotropäische
Geste«; Georg Lukács nannte es schon 1914 tendenziellen
»Selbstzweck gegen das, was es ausdrücken soll als geform-
tes Schicksal«. Insofern ist der Jugendstil Ziel jenes Weges,
den das gebildete deutsche Bürgertum – mit einer anläßlich
Richard Wagners geprägten Formulierung Thomas Manns –
nach 1848 gegangen ist: »Von der Revolution zur Enttäuschung, zum Pessimismus und einer resignierten, machtge-
schützten Innerlichkeit.«

Schwierigkeiten bereitet die Übertragung des Begriffs
Jugendstil aus der bildenden Kunst in die Literatur, auch
wenn sich solche Übertragung durch den Hinweis auf den
Zusammenhang aller Lebensäußerungen einer Epoche recht-
fertigen läßt. Denn wo lassen sich Ornamentik und Stilisierung in poetischen Texten nachweisen? Um den Begriff also
für die Literaturgeschichte zu retten, muß man über seine in
den bildenden Künsten nachweisbaren Erscheinungsformen
hinaus nach den Wurzeln fragen. Sie deuten auf eine »aus-
greifende Ambivalenz« der Epoche (Jost), die sich einerseits
als Spätzeit empfindet und insofern als »fin de siècle« charakterisieren läßt, die sich zugleich aber ebenso als »früh-
lingshafter Neubeginn« versteht. Die Geburtsstunde des
Jugendstils ist eine Zeit voller rational ungelöster Gegen-
sätze, die Robert Musil im *Mann ohne Eigenschaften* beschreibt:

»Es wurde der Übermensch geliebt, und es wurde der
Untermensch geliebt; es wurde die Gesundheit und die
Sonne angebetet, und es wurde die Zärtlichkeit brustkranker
Mädchen angebetet; man begeisterte sich für das Helden-

---

2. *Benjamin: Illuminationen. Frankfurt a. M. 1961. S. 266.*

glaubensbekenntnis und für das soziale Allemannsglaubens-
bekenntnis; man war gläubig und skeptisch, naturalistisch
und preziös, robust und morbid; man träumte von alten
Schloßalleen, herbstlichen Gärten, gläsernen Weihern, Edel-
steinen, Haschisch, Krankheit, Dämonien, aber auch von
Prärien, gewaltigen Horizonten, von Schmiede- und Walz-
werken, nackten Kämpfern, Aufständen der Arbeitssklaven,
menschlichen Urpaaren und Zertrümmerung der Gesellschaft. Dies waren freilich Widersprüche und höchst verschiedene Schlachtrufe, aber sie hatten einen gemeinsamen
Atem; würde man jene Zeit zerlegt haben, so würde ein
Unsinn herausgekommen sein wie ein eckiger Kreis, der aus
hölzernem Eisen bestehen will, aber in Wirklichkeit war
alles zu einem schimmernden Sinn verschmolzen.«
Akzeptiert man diese Beschreibung, so ist der Begriff
Jugendstil zur Epochenbezeichnung geworden. Er benennt
eine die Jahre 1890 bis etwa 1910 umfassende Suche nach
Alternativen in Kunst und Gesellschaft gegenüber den vom
19. Jahrhundert überlieferten Gegebenheiten.
Dieser hat die Notwendigkeit betont, den Jugendstil nur als
»kleine Sparte innerhalb eines höchst differenzierten Stilplu-

*Fidus (Hugo Höppener): »Tempeltanz der Seele« (1909)*

ralismus« zu sehen. Er wäre – als literarischer Stilbegriff –
beschreibbar durch seine Gegenstände, die vorzugsweise
punktuell, in einem Gedicht, einer Metapher, faßbar sind.
Derartige Elemente beherrschen nicht die Struktur größerer
Werke, sondern sind nur als Einzelbestandteile greifbar.
Man hat auf Lieblingsfarben des Jugendstils hingewiesen,
wie den Kontrast Weiß–Rot, auf bevorzugte Personenty-
pen, wie die »femme fatale« oder die »femme enfant«, und
man hat charakteristische Metaphern gesehen: so signalisiert
beispielsweise der Springbrunnen die Ambivalenz von Aufstieg und Niedergang. Alle diese vor allem von Wolfdietrich
Rasch aufgespürten Befunde gestatten zwar, die Diagnose
»Jugendstil« interpretierend am Detail festzumachen; sie
führen aber in ihrer Konsequenz zur Auflösung des Stil- und
Epochenbegriffs: es gäbe dann keine Werke des Jugendstils,
sondern nur Jugendstilelemente in literarischen Werken der
Jahrhundertwende. Um dieser Schwierigkeit zu entgehen,
scheint es zweckmäßig, den literarischen Jugendstil von
seinen Gegenständen her zu definieren. Einen Katalog cha-
rakteristischer Themen hat Jost Hermand in seiner Anthologie *Lyrik des Jugendstils* mit den Überschriften der
Abschnitte aufgestellt: *Tanz und Taumel, Lebensrausch,
Der große Pan, Monistisches Verwobensein, Frühlingsge-
fühle, Blütenzauber, Weiher und Kahn, Schwäne, Traum
durch die Dämmerung, Schwüle Stunde, Das Wunder des
Leibes, Künstliche Paradiese.* Die Aufstellung ließe sich
ergänzen, etwa durch den um die Jahrhundertwende im
Gefolge Nietzsches aufkommenden Renaissance- und Über-
menschenkult oder durch die neuromantische Todessehn-
sucht.
Der Begriff Jugendstil präsentiert sich also als Terminus mit
verschwimmenden Konturen; die Probleme seiner exakteren
Definition veranlassen Jost zu dem Vorschlag, »ihn lediglich
zur Bezeichnung eines Zeitstils [zu verwenden], den viele
oder manche Zeitgenossen in unterschiedlicher Stärke ver-

wirklicht haben, der aber durchaus nicht das Zeitalter als ganzes beherrscht hat«.

Entsprechende Probleme wirft der Begriff »Decadence« auf. Erwin Koppen schlägt vor, von einem »dekadente[n] Syndrom« zu sprechen – eine Möglichkeit, die sich auch für den Jugendstil anböte. Koppen definiert die Decadence: »Als Komplementärbegriff zu dem des Fortschritts (in seinem bürgerlich-technokratischen Verständnis) bezeichnet der Terminus eine Literatur, die Verhaltensweisen, Ideale und Leitbilder aufzeigt, die denen des zeitgenössischen Bourgeois ins Gesicht schlagen.« Die Decadence tue das aber nicht, indem sie eine Subkultur propagiert, wie die Boheme, sondern indem sie »eine elitäre Supra-Literatur« schaffe, »die den bürgerlichen Habitus und das bürgerliche Wertsystem gleichsam ›von oben her‹ in Frage« stelle. Als Bestandteile dieses »Syndroms« ließen sich fast alle Stilmerkmale des Jugendstils benennen; die moribunde Lebensangst des kleinen Hanno in Thomas Manns *Buddenbrooks* gehörte – als biologisches, soziales und psychologisches Verfallssymptom – ebenso dazu wie stilisierte Schwäne in der Jugendstilmalerei und -lyrik oder die bis ins äußerste verfeinerte Sensibilität von Hofmannsthals Schwierigem.

Mit keinem der Begriffe Impressionismus, Symbolismus, Jugendstil, Decadence läßt sich also die komplexe Mannigfaltigkeit der literarischen Tendenzen um die Jahrhundertwende in ihrer Totalität beschreiben. Hermand schlägt daher vor, als »bewußt neutrale[n] Begriff« die Bezeichnung »Stilkunst um 1900« zu wählen. Er begründet diesen Vorschlag mit der kulturellen Situation der Epoche:

»So laufen neben der rein kunstgewerblichen Bewegung, die sich auf das Motto »Vom Sophakissen zum Städtebau‹ beruft, eine rassisch-völkische, eine national-religiöse, eine idealistisch-formalistische und eine romantisch-antikapitalistische Strömung einher, die zwar nicht alle auf einen Grundnenner zu bringen sind, sich jedoch häufig überschneiden. Simple Identifikationen wären hier ebenso unan-

gebracht wie ein ästhetenhaftes Leugnen der zeitbestimmen-
den Faktoren, die sich bis in die obersten Spitzen einer
Kultur verfolgen lassen.«

Angesichts dieser Probleme hat sich die Literaturgeschichts-
schreibung der DDR entschlossen, von der *Deutschen Literatur im Zeitalter des Imperialismus* zu sprechen – dies der
Titel einer Schrift von Georg Lukács, die 1946 erschien. So
fruchtbar der Begriff zur Beschreibung der Expansionsbe-
strebungen auch des Deutschen Reiches zwischen 1880 und
1914 sein mag: für die Analyse spezifisch literarischer Phänomene leistet er so gut wie nichts. Er hat das Charakteristikum, die in Frage stehenden Definitionsprobleme in einem
groß angelegten strategischen Manöver zu umgehen, indem
er die Literatur der Epoche, statt sie zu analysieren und zu
beschreiben, politisch erklärt.

So viel aber ist richtig: wie immer man die Literatur der
Jahrhundertwende terminologisch faßt – einleuchten wird
eine Darstellung nur, wenn sie ihren Gegenstand im Zusammenhang mit seiner geschichtlichen Fundierung sieht.
Einige Andeutungen müssen hier genügen.

Das Deutsche Reich und Österreich-Ungarn waren um 1900
politisch charakterisiert durch eine Erscheinung, die man als
Überfälligkeit der Herrschaftsverhältnisse bezeichnen kann.
Beide wurden von Monarchen regiert. Es gab zwar Parlamente, aber sie hatten bei weitem nicht die Befugnisse wie in
modernen Demokratien; man konnte als Herrscher auch
recht gut ohne sie auskommen und sie weitgehend ignorieren. Das bedeutete, daß breite Schichten der Bevölkerung
von der Macht ausgeschlossen waren und sich auf ihre Rolle
als Untertan – zu Manöverzeiten und Sedanstagen kleidsam
als Soldat kostümiert – beschränkten.

Man hat vom »persönlichen Regiment« Wilhelms II. gesprochen: in der Tat hat der Kaiser durch sein unbedachtes und
dilettantisches Verhalten viel zum Kriegsausbruch 1914 bei-
getragen, ihn vielleicht sogar willentlich herbeigeführt
haben. Seine Großsprecherei und die in seiner Person ver-

dichtete maßlose Selbstüberschätzung der Wilhelminischen Gesellschaft sind Symptome für politische Tendenzen.

Zunächst krankte die Verfassungswirklichkeit des Deutschen Reiches seit 1871 an einem ungelösten Problem: starke Kräfte standen in Opposition zu dem von Preußen regierten Reich. In erster Linie war das der katholische, im wesentlichen süddeutsche Bevölkerungsteil, der sein politisches Organ in der 1870 gegründeten Zentrumspartei hatte. Sie behauptete von 1874 bis 1914 etwa 90 bis 100 Reichstagsmandate, und ihre oppositionelle Haltung verstärkte sich im Kulturkampf, der erst 1887, unmittelbar vor der Thronbesteigung Wilhelms II., sein Ende fand. Die zweite oppositionelle Kraft war die Arbeiterschaft, die in der Sozialdemokratischen Partei Deutschlands organisiert war und sich von einer kleinen Gruppe mit 9 Mandaten im Jahre 1874 zur stärksten deutschen Partei entwickelte. Bismarcks Sozialistengesetz, das von 1878 bis 1890 in Kraft war, konnte ihre Entwicklung nicht ernstlich behindern. Diese Kräfte waren nicht an der Machtausübung beteiligt, die im wesentlichen in den Händen der feudalaristokratischen Junkerkaste lag: dieser Typ war gesellschaftlich tonangebend. Seine führende Rolle fand ihren Ausdruck im Militarismus. Man kann diese Erscheinung als die Übertragung militärischer Denk- und Verhaltensweisen auf zivile Lebensverhältnisse definieren. Der Militarismus realisierte sich im Volksheer der Kaiserzeit, in dem nahezu jeder Bürger neben seinem Beruf einen militärischen Rang als Reservist bekleidete, und nach diesem Rang – nicht nach seiner Stellung im bürgerlichen Leben – bemaß sich seine gesellschaftliche Geltung.

Dieser Militarismus war aber um 1900 eigentlich geschichtlich überholt: denn die durch ihn suggerierte gesellschaftliche Rangordnung, die dem Adel die führende Stellung einräumte, unterschlug die Tatsache, daß diese Schicht ihre auf dem Grundbesitz fußende ökonomische und politische Funktion längst verloren hatte – spätestens mit der Industrialisierung, die seit 1850 in Deutschland rapide Fort-

schritte machte. Die ökonomische Macht lag in den Händen
der Bourgeoisie, die aber – es sei denn durch persönliche
Beziehungen zum Kaiser, wie sie Albert Ballin und die
Familie Krupp unterhielten – an der politischen Herrschaft
nicht beteiligt war. Der sich von der schlechten Wirklichkeit
abwendende Jugendstil, der keineswegs zufällig einige seiner
bedeutendsten Leistungen gerade auf dem Gebiet der Innenarchitektur erzielte, ist Indiz für diese Situation des Bürgertums und insbesondere des bürgerlichen Intellektuellen.

Obsolet, ähnlich dem Militarismus, war der Nationalismus:
im Vormärz eine progressive Bewegung, sofern er die Eini-
gung Deutschland erstrebte, ja oppositionell, sofern er die
Autonomie der deutschen Kleinstaaten in Frage stellte, war
er seit 1871 von der geschichtlichen Wirklichkeit überholt:
die Reichseinigung, wenn sie sich auch nur als »kleindeut-
sche Lösung« realisiert hatte, machte nationalistische Politik
eigentlich gegenstandslos, denn sie hatte ihr Ziel erreicht. Es
mag dies einer der Gründe sein – neben sich anbahnenden
sozialen Umschichtungen, die vor allem die Existenz des
Kleinbürgertums in Frage stellten – daß sich in zunehmen-
dem Maße der Antisemitismus entwickelte. Er machte sich
zunächst vornehmlich in Wien bemerkbar, wo 1897 der
christlich-soziale Politiker Karl Lueger (1844–1910) wegen
seines demokratisch-antisemitischen Programms Bürger-
meister gegen den Willen Kaiser Franz Josephs wurde. Hier
fand Adolf Hitler als junger Mensch Gelegenheit, seine
sogenannte Weltanschauung auszubilden. Eine weitere
Folge war der Imperialismus, der die nationalistische Energie nach außen kehrte; er entwickelte sich indes nicht nur in
Deutschland und Österreich-Ungarn: das Wort, von den
Gegnern Disraelis erstmals 1880 verwendet, bezeichnet die
überseeische Macht- und Wirtschaftspolitik der Groß-
mächte, die die seit der Entdeckung Amerikas betriebene
Kolonialpolitik der seefahrenden Staaten fortsetzte. Der
Imperialismus entwickelte sich aufgrund der Absatz- und

Rohstoffbedürfnisse der Industrien vor allem Englands, dann aber auch Frankreichs, Rußlands, der USA und Japans. Er sollte zugleich für die wachsende Bevölkerung der Industriestaaten neuen Siedlungsraum gewinnen. Das Deutsche Reich beteiligte sich als letzte Macht an dieser Teilung der Erde – dann allerdings mit vehementer Energie. Der Reichskanzler von Bülow definierte die deutschen Ansprüche ebenso wirkungsvoll wie unklar als »Platz an der Sonne«. Deutsche »Schutzgebiete« in Afrika, Neuguinea, der Südsee, den Samoainseln und China gab es seit 1884. Und Österreich-Ungarn trieb eine imperialistische Balkanpolitik, die noch 1908 zur förmlichen Annektion Bosniens und der Herzegowina führte, die seit 1878 schon besetzt waren. Es ist klar, daß sich bei den von der Donaumonarchie beherrschten Völkern starke Autonomiebestrebungen entwickelten, die 1918 zum Zusammenbruch des Vielvölkerstaates führten. Und es ist ebenso klar, daß die großsprecherisch-säbelrasselnde Politik Wilhelms II., als Artikulation des deutschen Nationalismus verstanden, zu den Ursachen des Kriegsausbruchs gezählt werden muß.

Für das heutige Verständnis kaum nachvollziehbar ist der Umstand, daß die Intellektuellen und Poeten im deutschen Sprachgebiet von diesen Spannungen und Tendenzen mit wenigen Ausnahmen kaum Kenntnis nahmen. Zwei Zeugnisse sollen anstelle vieler anderer angeführt werden: Nachdem 1890 in Wien erstmals Arbeiterdemonstrationen zum 1. Mai stattgefunden hatten, dichtete Hofmannsthal auf die Rückseite einer Visitenkarte:

»Wien I. Mai 1890, Prater gegen 5 Uhr nachmitt.

Tobt der Pöbel in den Gassen, ei, mein Kind, so lass ihn
schrei'n.
Denn sein Lieben und sein Hassen ist verächtlich und
gemein!
Während sie uns Zeit noch lassen, wollen wir uns Schönerm
weih'n.

Will die kalte Angst dich fassen, spül sie fort in heissem
Wein!
Lass den Pöbel in den Gassen: Phrasen, Taumel, Lügen,
Schein,
Sie verschwinden, sie verblassen – Schöne Wahrheit lebt
allein.«

Und 1904 schrieb Thomas Mann seinem Bruder Heinrich:
»Aber für politische Freiheit habe ich gar kein Interesse.«
Es ist diese auch damals in Frankreich, Rußland oder Italien
kaum zu beobachtende Haltung offenbar eine Erscheinung,
die sich nicht nur aus der Epoche, sondern ebensosehr aus
typisch deutschen Traditionen erklärt; die gescheiterte
Märzrevolution bleibt in vielem die Ursache politischer
Abstinenz. Nicht unerwähnt darf in diesem Zusammenhang
die Romantik bleiben, deren Renaissance um die Jahrhundertwende sich nicht nur in der großen Darstellung Ricarda
Huchs dokumentiert (*Blütezeit der Romantik*, 1899; *Ausbreitung und Verfall der Romantik*, 1902).
Dieser Umstand sollte indes auch bei dem Interesse der
Literaturwissenschaft an sozialen Fragestellungen nicht von
der Beschäftigung mit der hier in Rede stehenden Literatur
abhalten – aus zwei Gründen vor allem. Es gibt in literarischen Texten einen Realismus wider Willen. Mag auch
beispielsweise Arthur Schnitzler der Meinung gewesen sein,
in *Leutnant Gustl* vorwiegend psychische Vorgänge beschrieben zu haben, so stellt sich diese Monolognovelle doch
als sehr scharfsichtige Zeitdiagnose dar. Ähnliches gilt von
*Buddenbrooks* oder *Königliche Hoheit*. Lukács bestimmt
diesen Realismus unter Berufung auf Friedrich Engels anläßlich Balzacs: daß »seine bewußte Absicht eine Verherrlichung der untergehenden Klasse des französischen ancien
régime gewesen ist, daß er aber ›gezwungen war, gegen seine
eigenen Klassensympathien und politischen Vorurteile‹ ein
richtiges und erschöpfendes Bild der Gesellschaft seiner Zeit
zu geben. Seine ›Tendenz‹ steht also in Widerspruch zu

seiner Gestaltung, seine Gestaltung ist trotz ihrer ›Tendenz‹,
nicht infolge ihrer ›Tendenz‹ bedeutend. (Ähnlich steht es
um Tolstoj und eine Reihe von bedeutenden Schriftstellern
des Bürgertums.)« Man muß nicht Marxist sein, um diese
Erkenntnis an zahlreichen Autoren bestätigt zu sehen.

Die Interpretation auch solcher Literatur, die in keinem Sinn
realistisch genannt werden kann, ist weiter notwendig, um
die geistes- und sozialgeschichtliche Wirklichkeit einer Epoche in ihrer Komplexität zu erkennen: denn auch die scheinbar so wirklichkeitsferne symbolistische Poesie ist rezipiert
worden, und sie ist bis in ihre sublimsten Details hinein
undenkbar ohne die Epoche, die sie hervorgebracht hat. Das
hat Walter Benjamin ebenso eindrucksvoll demonstriert wie
Theodor W. Adorno.

Die Literatur der Jahrhundertwende nähert sich mit dem
Heraufkommen des Expressionismus um 1910 ihrem Ende:
ein Vorgang, der 1914 im wesentlichen abgeschlossen ist, als
»so vieles begann, was zu beginnen wohl kaum schon aufgehört hat«, wie Thomas Mann 1924 schreibt. Der Erste
Weltkrieg ließ auch ihren Schöpfern die Literatur der ihm
voraufgehenden Zeit als vergangen erscheinen: ein Bewußtsein, das sich in Ernst Tollers Gedicht *Aufrüttelung* artikuliert:

»Wir schritten durch die Dämmerwelt der Wunder,
Verträumte pflückten Märchen wir mit weichen Händen,
Aus Sonnenstrahlen formte Glaube Kathedralen,
Von hochgewölbten Toren fielen Rosenspenden.
*Da! mordend krochen ekle Tiere*
*Flammenspritzend auf der Erde!*«[3]

3. Toller: *Prosa, Briefe, Dramen, Gedichte*. Mit einem Vorwort von Kurt Hiller. Reinbek 1961. S. 240.

# I. Kulturdokumente

FRIEDRICH NIETZSCHE

Geb. 15. Oktober 1844 in Röcken bei Lützen, gest. 25. August 1900 in
Weimar, Pfarrerssohn. 1850 Naumburg, 1858–64 Schulpforta. 1864/65
Studium der klassischen Philologie in Bonn, vermutlich Februar 1865
luetische Infektion bei einem Musikfest in Köln, geht mit seinem Lehrer Friedrich Wilhelm Ritschl 1865 nach Leipzig, wird auf dessen
Empfehlung 1869 noch vor seiner Promotion a. o. Professor in Basel,
1870 Ordinarius der klassischen Philologie. Umgang mit Jacob Burckhardt und Franz Overbeck. 1868 bis zur Entfremdung 1876 freund-
schaftlicher Umgang mit Richard Wagner. 1870/71 freiwilliger Kranken-
pfleger im deutsch-französischen Krieg. 1876 vorläufige, 1879 endgültige
Pensionierung aus Gesundheitsgründen. Bis 1889 an verschiedenen Orten
Italiens und der Schweiz, 1882 Begegnung mit Lou Andreas-Salomé in
Rom. 3. Januar 1889 paralytischer Anfall in Turin. Zunächst Heil-
anstalt Basel, dann in der Pflege seiner Mutter und Schwester Elisabeth
Förster-Nietzsche in Jena, Naumburg und Weimar bei zunehmender
geistiger Umnachtung.

## Warum ich ein Schicksal bin (Aus: Ecce Homo)

*»Ecce Homo. Wie man wird, was man ist« wurde zwischen
dem 15. Oktober und dem 4. November 1888 geschrieben.
1908 erschien eine limitierte Ausgabe im Insel-Verlag, erst
1911 eine »allgemein zugängliche Publikation« (Schlechta).
Obschon das Buch also nicht direkt auf die Leser um 1890
wirken konnte, steht der Textauszug – das letzte Kapitel –
hier, weil »Ecce Homo«, unmittelbar vor Nietzsches geisti-
gem Zusammenbruch entstanden, eine Art Summe seines
Werks zieht: dem Abschnitt »Warum ich ein Schicksal bin«
gehen zehn andere vorauf, in denen Nietzsche »Die Geburt
der Tragödie« (1872), die »Unzeitgemäßen Betrachtungen«
(1873/74), »Menschliches, Allzumenschliches« (1878), »Mor-
genröte. Gedanken über die moralischen Vorurteile« (1881),
»Die fröhliche Wissenschaft« (1882), »Also sprach Zara-*

thustra«, (1883–85), »Jenseits von Gut und Böse« (1886),
»Zur Genealogie der Moral« (1887), »Götzen-Dämmerung«
(1889) und »Der Fall Wagner« (1888) autobiographisch in
ihrer Entstehung erklärt und deutet. Das letzte Kapitel
»Warum ich ein Schicksal bin« ist nicht nur charakteristisch
für Nietzsches Stil, der seinen säkularen Anspruch artikuliert, sondern auch wichtig, weil er konzentriert einige der
wichtigsten Motive von Nietzsches Philosophie abhandelt.
Sie sind mit den Stichworten »Umwertung aller Werte«,
»Übermensch«, »Leben«, mit der Wendung gegen das Christentum und der Schlußformel »Dionysos gegen den Ge-
kreuzigten« angedeutet.
In einem Brief an Reinhard von Seydlitz vom 12. Februar
1888 bezeichnet Nietzsche seinen »unerbittlichen und unter-
irdischen Kampf gegen alles, was bisher von den Menschen
verehrt und geliebt worden ist«, als die »Umwertung aller
Werte«. Die Formel führt in das Zentrum von Nietzsches
Kulturkritik, indem sie die christlich geprägte, offiziell geltende Moral des bürgerlichen Zeitalters als Lüge entlarvt.
Nietzsche sieht, entgegen dieser herrschenden Ethik, »die
Tugenden und das Glück im Bunde«, er glaubt »an die Erkenntnis um der Erkenntnis willen« und an die »Erkenn-
barkeit der menschlichen Handlungen«, wie er in einer
Notiz aus dem Nachlaß der achtziger Jahre formuliert.
In diesem Kontext gehört das Wort »Übermensch«. In »Also
sprach Zarathustra« erscheint er als die Überwindung des
»letzte[n] Menschen«, des »Verächtlichsten« überhaupt. Es
ist der bereits in den »Unzeitgemäßen Betrachtungen« an-
gegriffene »Bildungsphilister«, »der altkluge und naseweise
Schwätzer über Staat, Kirche und Kunst, das Sensorium
für tausenderlei Anempfindung, der unersättliche Magen,
der noch nicht weiß, was ein rechtschaffner Hunger und
Durst ist«. Dieser Typus ist ein Resultat des Historismus,
der im 19. Jahrhundert die Wissenschaften beherrschte, indem er ihnen das Prinzip setzte, alle Erscheinungen aus
ihren spezifischen geschichtlichen Voraussetzungen zu ver-

stehen. Nietzsches Vorwurf gegen diese Prämissen, den er in der zweiten »Unzeitgemäßen Betrachtung« mit dem Titel »Vom Nutzen und Nachteil der Historie für das Leben« erhebt, lautet: »Das Übermaß von Historie hat die plastische Kraft des Lebens angegriffen, es versteht nicht mehr, sich der Vergangenheit wie einer kräftigen Nahrung zu bedienen.« Der Übermensch ist also nicht ohne weiteres identisch mit jener »prachtvolle[n] nach Beute und Sieg lüstern schweifende[n] blonde[n] Bestie«, obschon sie eine seiner möglichen Erscheinungsformen genannt werden darf; er ist überhaupt nicht als historischer oder rassischer Typus existent (»Niemals noch gab es einen Übermenschen«), sondern er muß als moralisches Postulat und Korrektiv verstanden werden, das Nietzsche seiner Zeitgenossenschaft entgegenhält. Denn Erkenntnis und Wissen ist ein Ergebnis des Willens zum Leben und, in letzter Instanz, des Willens zur Macht. Beide Begriffe gebraucht Nietzsche gelegentlich synonym, wenn er in »Jenseits von Gut und Böse. Vorspiel einer Philosophie der Zukunft« schreibt: »Leben selbst ist wesentlich *Aneignung, Verletzung, Überwältigung des Fremden und Schwächeren, Unterdrückung, Härte, Aufzwängung eigner Form, Einverleibung und mindestens, mildestens, Ausbeutung«* und wenn er argumentiert: »Weil Leben eben Wille zur Macht ist«. Mit solchen Wendungen zielt Nietzsche nicht so sehr gegen den zu seiner Zeit emporstrebenden Imperialismus und Kapitalismus, er verficht auch keinen einseitig biologischen Lebensbegriff, wie es nach Charles Darwins Schrift »Die Entstehung der Arten durch natürliche Zuchtwahl« (1859) einem vorwiegend naturwissenschaftlich interessierten Zeitalter nahelag. Man muß vielmehr das Wort immer als Prinzip auch geistiger Steigerung verstehen: Zum Leben gehört in gleichem Maße das Leiden.

Wiederkehrende Formel solchen Lebens ist für Nietzsche der Gott Dionysos. Nicht nur hatte er in seiner frühen Abhandlung »Die Geburt der Tragödie aus dem Geiste der

*Musik« das immer noch an Winckelmann und der Weima-
rer Klassik orientierte Bild der altgriechischen Kultur, in
dem das Element des »Apollinischen« dominierte, durch
das des »Dionysischen« ergänzt und damit den Widerspruch
vor allem seines gelehrten Zunftgenossen Ulrich von Wila-
mowitz-Möllendorff provoziert – er läßt vielmehr in seinen
späten Werken deutlich das Dionysische vorherrschen, das
er in enger Verwandtschaft mit dem »Leben« sieht: »Das
Jasagen zum Leben selbst noch in seinen fremdesten und
härtesten Problemen, der Wille zum Leben, im* Opfer *seiner
höchsten Typen der eignen Unerschöpflichkeit frohwer-
dend – das nannte ich dionysisch«. »Jenes wundervolle
Phänomen«,* als das er Dionysos versteht, *wird ihm endlich
auch zum Überwinder des Christentums. Nietzsches Geg-
nerschaft, die sich nicht gegen christliche Lebensformen
richtet, sondern das christliche Fundament der Kultur und
Moral in Frage stellt, sieht das Christentum als den zwei-
tausendjährigen Irrweg der europäischen Geschichte; aus
der Überzeugung, ihn diagnostiziert zu haben, schöpfte er
einen Teil seines Selbstbewußtseins. Er stellt dem Christentum Dionysos entgegen, der ihm nicht nur als Gott des
Rausches und der orgiastischen Kulte gilt, sondern auch als
Symbol des Lebens, der Erneuerung und der Verwandlung:
nach einem orphischen Mythos wurde Dionysos, der Sohn
des Zeus und der Persephone, als Knabe von Titanen überfallen. Sie zerrissen ihn in sieben Teile, kochten und brieten
ihn. Die gekochten Glieder kamen in die Erde, aus ihnen
entsproß der Weinstock. So ist Dionysos in Nietzsches Philosophie auch Repräsentant der ewigen Wiederkehr des
Gleichen, die vor allem im »Zarathustra« entwickelt wird.
Nietzsches Wirkung auf die Literatur um 1900 und weit
darüber hinaus ist nahezu unabsehbar. Eine zusammenfas-
sende Darstellung fehlt bisher, dafür gibt es eine Reihe von
Einzeluntersuchungen bis hin zu einer Studie über Nietzsche
und Karl May. Richard Dehmel, dessen Drama »Der Mit-
mensch« (1895) sich deutlich von der in den neunziger Jah-*

*ren grassierenden Mode des Übermenschen absetzt, Stefan*
*George und vor allem der sogenannte George-Kreis, dem*
*mehrere Nietzsche-Bücher ihre Entstehung verdanken, Ar-*
*thur Schnitzler, der in einem Brief an Hofmannsthal seine*
*Begeisterung über »Jenseits von Gut und Böse« äußert,*
*Hofmannsthal, dessen Nietzsche-Lektüre bezeugt ist, end-*
*lich Thomas Mann und Robert Musil, auch Gottfried Benn,*
*in deren Werken Nietzsches Philosophie mannigfache und*
*deutliche Spuren hinterlassen hat – all das sind nur Beispiele*
*für eine Einwirkung, die bis zur Nietzsche-Adaption und*
*Nietzsche-Pervertierung Hitlers und des Nationalsozialis-*
*mus reicht.*

Warum ich ein Schicksal bin

1

Ich kenne mein Los. Es wird sich einmal an meinen Namen
die Erinnerung an etwas Ungeheures anknüpfen – an eine
Krisis, wie es keine auf Erden gab, an die tiefste Gewissens-
Kollision, an eine Entscheidung, heraufbeschworen *gegen*
alles, was bis dahin geglaubt, gefordert, geheiligt worden
war. Ich bin kein Mensch, ich bin Dynamit. – Und mit alledem ist nichts in mir von einem Religionsstifter – Religio-
nen sind Pöbel-Affären, ich habe nötig, mir die Hände
nach der Berührung mit religiösen Menschen zu waschen ...
Ich *will* keine »Gläubigen«, ich denke, ich bin zu boshaft
dazu, um an mich selbst zu glauben, ich rede niemals zu
Massen ... Ich habe eine erschreckliche Angst davor, daß
man mich eines Tags *heilig* spricht: man wird erraten, wes-
halb ich dies Buch *vorher* herausgebe, es soll verhüten, daß
man Unfug mit mir treibt ... Ich will kein Heiliger sein,
lieber noch ein Hanswurst ... Vielleicht bin ich ein Hanswurst ... Und trotzdem oder vielmehr *nicht* trotzdem
– denn es gab nichts Verlogneres bisher als Heilige – redet

aus mir die Wahrheit. – Aber meine Wahrheit ist *furchtbar*: denn man hieß bisher die *Lüge* Wahrheit. – *Umwertung aller Werte*: das ist meine Formel für einen Akt höchster Selbstbesinnung der Menschheit, der in mir Fleisch und Genie geworden ist. Mein Los will, daß ich der erste *anständige* Mensch sein muß, daß ich mich gegen die Verlogenheit von Jahrtausenden im Gegensatz weiß ... Ich erst habe die Wahrheit *entdeckt*, dadurch daß ich zuerst die Lüge als Lüge empfand – *roch* ... Mein Genie ist in meinen Nüstern ... Ich widerspreche, wie nie widersprochen worden ist, und bin trotzdem der Gegensatz eines neinsagenden Geistes. Ich bin ein *froher Botschafter*, wie es keinen gab, ich kenne Aufgaben von einer Höhe, daß der Begriff dafür bisher gefehlt hat; erst von mir an gibt es wieder Hoffnungen. Mit alledem bin ich notwendig auch der Mensch des Verhängnisses. Denn wenn die Wahrheit mit der Lüge von Jahrtausenden in Kampf tritt, werden wir Erschütterungen haben, einen Krampf von Erdbeben, eine Versetzung von Berg und Tal, wie dergleichen nie geträumt worden ist. Der Begriff Politik ist dann gänzlich in einen Geisterkrieg aufgegangen, alle Machtgebilde der alten Gesellschaft sind in die Luft gesprengt – sie ruhen allesamt auf der Lüge: es wird Kriege geben, wie es noch keine auf Erden gegeben hat. Erst von mir an gibt es auf Erden *große Politik*. –

2

Will man eine Formel für ein solches Schicksal, *das Mensch wird?* – Sie steht in meinem Zarathustra.
– *und wer ein Schöpfer sein will im Guten und Bösen, der muß ein Vernichter erst sein und Werte zerbrechen.*
*Also gehört das höchste Böse zur höchsten Güte: diese aber ist die schöpferische.*
Ich bin bei weitem der furchtbarste Mensch, den es bisher gegeben hat; dies schließt nicht aus, daß ich der wohltätig-

ste sein werde. Ich kenne die Lust am *Vernichten* in einem Grade, die meiner *Kraft* zum Vernichten gemäß ist, – in beidem gehorche ich meiner dionysischen Natur, welche das Neintun nicht vom Jasagen zu trennen weiß. Ich bin der erste *Immoralist*: damit bin ich der *Vernichter par excellence.* –

3

Man hat mich nicht gefragt, man hätte mich fragen sollen, was gerade in meinem Munde, im Munde des ersten Immoralisten der Name *Zarathustra* bedeutet: denn was die ungeheure Einzigkeit jenes Persers in der Geschichte ausmacht, ist gerade dazu das Gegenteil. Zarathustra hat zuerst im Kampf des Guten und des Bösen das eigentliche Rad im Getriebe der Dinge gesehn – die Übersetzung der Moral ins Metaphysische, als Kraft, Ursache, Zweck an sich, ist *sein* Werk. Aber diese Frage wäre im Grunde bereits die Antwort. Zarathustra *schuf* diesen verhängnisvollsten Irrtum, die Moral: folglich muß er auch der erste sein, der ihn *erkennt.* Nicht nur, daß er hier länger und mehr Erfahrung hat als sonst ein Denker – die ganze Geschichte ist ja die Experimental-Widerlegung vom Satz der sogenannten »sittlichen Weltordnung« –: das Wichtigere ist, Zarathustra ist wahrhaftiger als sonst ein Denker. Seine Lehre, und sie allein, hat die Wahrhaftigkeit als oberste Tugend – das heißt den Gegensatz zur *Feigheit* des »Idealisten«, der vor der Realität die Flucht ergreift; Zarathustra hat mehr Tapferkeit im Leibe als alle Denker zusammengenommen. Wahrheit reden und *gut mit Pfeilen schießen,* das ist die persische Tugend. – Versteht man mich? ... Die Selbstüberwindung der Moral aus Wahrhaftigkeit, die Selbstüberwindung des Moralisten in seinen Gegensatz – *in mich* – das bedeutet in meinem Munde der Name Zarathustra.

4

Im Grunde sind es zwei Verneinungen, die mein Wort *Immoralist* in sich schließt. Ich verneine einmal einen Typus Mensch, der bisher als der höchste galt, die *Guten*, die *Wohlwollenden*, *Wohltätigen*; ich verneine andrerseits eine Art Moral, welche als Moral an sich in Geltung und Herrschaft gekommen ist – die *décadence*-Moral, handgreiflicher geredet, die *christliche* Moral. Es wäre erlaubt, den zweiten Widerspruch als den entscheidenderen anzusehn, da die Überschätzung der Güte und des Wohlwollens, ins große gerechnet, mir bereits als Folge der *décadence* gilt, als Schwäche-Symptom, als unverträglich mit einem aufsteigenden und jasagenden Leben: im Jasagen ist Verneinen *und Vernichten* Bedingung. – Ich bleibe zunächst bei der Psychologie des guten Menschen stehn. Um abzuschätzen, was ein Typus Mensch wert ist, muß man den Preis nachrechnen, den seine Erhaltung kostet – muß man seine Existenzbedingungen kennen. Die Existenz-Bedingung der Guten ist die *Lüge* –: anders ausgedrückt, das Nicht-sehn-*Wollen* um jeden Preis, wie im Grunde die Realität beschaffen ist, nämlich *nicht* derart, um jederzeit wohlwollende Instinkte herauszufordern, noch weniger derart, um sich ein Eingreifen von kurzsichtigen gutmütigen Händen jederzeit gefallen zu lassen. Die *Notstände* aller Art überhaupt als Einwand, als etwas, das man *abschaffen* muß, betrachten, ist die *niaiserie par excellence*, ins große gerechnet, ein wahres Unheil in seinen Folgen, ein Schicksal von Dummheit –, beinahe so dumm, als es der Wille wäre, das schlechte Wetter abzuschaffen – aus Mitleiden etwa mit den armen Leuten ... In der großen Ökonomie des Ganzen sind die Furchtbarkeiten der Realität (in den Affekten, in den Begierden, im Willen zur Macht) in einem unausrechenbaren Maße notwendiger als jene Form des kleinen Glücks, die sogenannte »Güte«; man muß sogar nachsichtig sein, um der letzteren, da sie in der Instinkt-Verlogenheit bedingt ist,

überhaupt einen Platz zu gönnen. Ich werde einen großen
Anlaß haben, die über die Maßen unheimlichen Folgen des
*Optimismus*, dieser Ausgeburt der *homines optimi*, für die
ganze Geschichte zu beweisen. Zarathustra, der erste, der
begriff, daß der Optimist ebenso *décadent* ist wie der Pes-
simist und vielleicht schädlicher, sagt: *gute Menschen reden
nie die Wahrheit. Falsche Küsten und Sicherheiten lehrten
euch die Guten; in Lügen der Guten wart ihr geboren und
geborgen. Alles ist in den Grund hinein verlogen und ver-
bogen durch die Guten.* Die Welt ist zum Glück nicht auf
Instinkte hin gebaut, daß gerade bloß gutmütiges Herden-
getier darin sein enges Glück fände; zu fordern, daß alles
»guter Mensch«, Herdentier, blauäugig, wohlwollend,
»schöne Seele« – oder, wie Herr Herbert Spencer es
wünscht, altruistisch werden solle, hieße dem Dasein seinen
*großen* Charakter nehmen, hieße die Menschheit kastrieren
und auf eine armselige Chinaserei herunterbringen. – *Und
dies hat man versucht!* ... *Dies eben hieß man Moral* ...
In diesem Sinne nennt Zarathustra die Guten bald »die
letzten Menschen«, bald den »Anfang vom Ende«; vor
allem empfindet er sie als die *schädlichste Art Mensch,*
weil sie ebenso auf Kosten der *Wahrheit* als auf Kosten der
*Zukunft* ihre Existenz durchsetzen.

Die Guten – die können nicht *schaffen*, die sind immer
der Anfang vom Ende –

– sie kreuzigen den, der *neue* Werte auf neue Tafeln
schreibt, sie opfern *sich* die Zukunft, sie kreuzigen alle
Menschen-Zukunft!

Die Guten – die waren immer der Anfang vom Ende ...
Und was auch für Schaden die Welt-Verleumder tun
mögen, *der Schaden der Guten ist der schädlichste Schaden.*

5

Zarathustra, der erste Psycholog der Guten, ist – folglich –
ein Freund der Bösen. Wenn eine *décadence*-Art Mensch

zum Rang der höchsten Art aufgestiegen ist, so konnte dies nur auf Kosten ihrer Gegensatz-Art geschehn, der starken und lebensgewissen Art Mensch. Wenn das Herdentier im Glanze der reinsten Tugend strahlt, so muß der Ausnahme-Mensch zum Bösen heruntergewertet sein. Wenn die Verlogenheit um jeden Preis das Wort »Wahrheit« für ihre Optik in Anspruch nimmt, so muß der eigentlich Wahrhaftige unter den schlimmsten Namen wiederzufinden sein. Zarathustra läßt hier keinen Zweifel: er sagt, die Erkenntnis der Guten, der »Besten« gerade sei es gewesen, was ihm Grausen vor dem Menschen überhaupt gemacht habe; aus *diesem* Widerwillen seien ihm die Flügel gewachsen, »fortzuschweben in ferne Zükünfte« – er verbirgt es nicht, daß *sein* Typus Mensch, ein relativ übermenschlicher Typus, gerade im Verhältnis zu den *Guten* übermenschlich ist, daß die Guten und Gerechten seinen Übermenschen *Teufel* nennen würden …

Ihr höchsten Menschen, denen mein Auge begegnete, das ist mein Zweifel an euch und mein heimliches Lachen: ich rate, ihr würdet meinen Übermenschen – Teufel heißen!

So fremd seid ihr dem Großen mit eurer Seele, daß euch der Übermensch *furchtbar* sein würde in seiner Güte …

An dieser Stelle und nirgendswo anders muß man den Ansatz machen, um zu begreifen, was Zarathustra will: diese Art Mensch, die er konzipiert, konzipiert die Realität, *wie sie ist*: sie ist stark genug dazu –, sie ist ihr nicht entfremdet, entrückt, sie ist *sie selbst*, sie hat all deren Furchtbares und Fragwürdiges auch noch in sich, *damit erst kann der Mensch Größe haben* …

6

Aber ich habe auch noch in einem andren Sinne das Wort *Immoralist* zum Abzeichen, zum Ehrenzeichen für mich gewählt; ich bin stolz darauf, dies Wort zu haben, das mich gegen die ganze Menschheit abhebt. Niemand noch hat die

*christliche* Moral als *unter* sich gefühlt: dazu gehörte eine
Höhe, ein Fernblick, eine bisher ganz unerhörte psychologische Tiefe und Abgründlichkeit. Die christliche Moral war
bisher die Circe aller Denker – sie standen in ihrem Dienst. –
Wer ist vor mir eingestiegen in die Höhlen, aus denen der
Gifthauch dieser Art von Ideal – *der Weltverleumdung!* –
emporquillt? Wer hat auch nur zu ahnen gewagt, *daß* es
Höhlen sind? Wer war überhaupt vor mir unter den Philosophen *Psycholog* und nicht vielmehr dessen Gegensatz
»höherer Schwindler«, »Idealist«? Es gab vor mir noch gar
keine Psychologie. – Hier der erste zu sein kann ein Fluch
sein, es ist jedenfalls ein Schicksal: *denn man verachtet auch
als der erste* ... Der *Ekel* am Menschen ist meine Gefahr ...

7

Hat man mich verstanden? – Was mich abgrenzt, was mich
beiseite stellt gegen den ganzen Rest der Menschheit, das ist,
die christliche Moral *entdeckt* zu haben. Deshalb war ich
eines Worts bedürftig, das den Sinn einer Herausforderung
an jedermann enthält. Hier nicht eher die Augen aufgemacht zu haben, gilt mir als die größte Unsauberkeit, die
die Menschheit auf dem Gewissen hat, als Instinkt geworde-
ner Selbstbetrug, als grundsätzlicher Wille, jedes Geschehen,
jede Ursächlichkeit, jede Wirklichkeit *nicht* zu sehen, als
Falschmünzerei *in psychologicis* bis zum Verbrechen. Die
Blindheit vor dem Christentum ist das *Verbrechen par excellence* – das Verbrechen *am Leben* ... Die Jahrtausende,
die Völker, die Ersten und die Letzten, die Philosophen und
die alten Weiber – fünf, sechs Augenblicke der Geschichte
abgerechnet, mich als siebenten – in diesem Punkte sind sie
alle einander würdig. Der Christ war bisher *das* »mora-
lische Wesen«, ein Kuriosum ohnegleichen – und, *als* »moralisches Wesen«, absurder, verlogner, eitler, leichtfertiger,
*sich selber nachteiliger* als auch der größte Verächter der
Menschheit es sich träumen lassen könnte. Die christliche

Moral – die bösartigste Form des Willens zur Lüge, die
eigentliche Circe der Menschheit: das, was sie *verdorben*
hat. Es ist *nicht* der Irrtum als Irrtum, was mich bei diesem
Anblick entsetzt, *nicht* der jahrtausendelange Mangel an
»gutem Willen«, an Zucht, an Anstand, an Tapferkeit im
Geistigen, der sich in seinem Sieg verrät – es ist der Mangel
an Natur, es ist der vollkommen schauerliche Tatbestand,
daß die *Widernatur* selbst als Moral die höchsten Ehren
empfing und als Gesetz, als kategorischer Imperativ, über
der Menschheit hängen blieb!... In diesem Maße sich vergreifen, *nicht* als einzelner, *nicht* als Volk, · sondern als
Menschheit!... Daß man die allerersten Instinkte des Lebens verachten lehrte; daß man eine »Seele«, einen »Geist«
*erlog*, um den Leib zuschanden zu machen; daß man in der
Voraussetzung des Lebens, in der Geschlechtlichkeit, etwas
Unreines empfinden lehrt; daß man in der tiefsten Notwendigkeit zum Gedeihen, in der *strengen* Selbstsucht (– das
Wort schon ist verleumderisch! –) das böse Prinzip sucht;
daß man umgekehrt in den typischen Abzeichen des Nie-
dergangs und der Instinkt-Widersprüchlichkeit, im »Selbstlosen«, im Verlust an Schwergewicht, in der »Entpersön-
lichung« und »Nächstenliebe« (– Nächsten*sucht*!) den *höheren* Wert, was sage ich! den *Wert an sich* sieht!... Wie!
wäre die Menschheit selber in *décadence*? war sie es immer? –
Was feststeht, ist, daß ihr nur Décadence-Werte als oberste
Werte *gelehrt* worden sind. Die Entselbstungs-Moral ist die
Niedergangs-Moral *par excellence*, die Tatsache, »ich gehe
zugrunde« in den Imperativ übersetzt: »ihr *sollt* alle zugrunde gehn« – und *nicht nur* in den Imperativ!... Diese
einzige Moral, die bisher gelehrt worden ist, die Entselbstungs-Moral, verrät einen Willen zum Ende, sie *verneint*
im untersten Grunde das Leben. – Hier bliebe die Möglichkeit offen, daß nicht die Menschheit in Entartung sei, sondern nur jene parasitische Art Mensch, die des *Priesters*, die
mit der Moral sich zu ihren Wert-Bestimmern emporgelogen
hat – die in der christlichen Moral ihr Mittel zur *Macht*

erriet ... Und in der Tat, das ist *meine* Einsicht: die Lehrer, die Führer der Menschheit, Theologen insgesamt, waren insgesamt auch *décadents*: *daher* die Umwertung aller Werte ins Lebensfeindliche, *daher* die Moral ... *Definition der Moral*: Moral – die Idiosynkrasie von *décadents*, mit der Hinterabsicht, *sich am Leben zu rächen* – *und* mit Erfolg. Ich lege Wert auf *diese* Definition. –

8

Hat man mich verstanden? – Ich habe eben kein Wort gesagt, das ich nicht schon vor fünf Jahren durch den Mund Zarathustras gesagt hätte. – Die *Entdeckung* der christlichen Moral ist ein Ereignis, das nicht seinesgleichen hat, eine wirkliche Katastrophe. Wer über sie aufklärt, ist eine *force majeure*, ein Schicksal – er bricht die Geschichte der Menschheit in zwei Stücke. Man lebt *vor* ihm, man lebt *nach* ihm ... Der Blitz der Wahrheit traf gerade das, was bisher am höchsten stand: wer begreift, *was* da vernichtet wurde, mag zusehn, ob er überhaupt noch etwas in den Händen hat. Alles, was bisher »Wahrheit« hieß, ist als die schädlichste, tückischste, unterirdischste Form der Lüge erkannt; der heilige Vorwand, die Menschheit zu »verbessern«, als die List, das Leben selbst *auszusaugen*, blutarm zu machen. Moral als *Vampyrismus* ... Wer die Moral entdeckt, hat den Unwert aller Werte mit entdeckt, an die man glaubt oder geglaubt hat; er sieht in den verehrtesten, in den selbst *heilig* gesprochnen Typen des Menschen nichts Ehrwürdiges mehr, er sieht die verhängnisvollste Art von Mißgeburten darin, verhängnisvoll, *weil sie faszinierten* ... Der Begriff »Gott« erfunden als Gegensatz-Begriff zum Leben – in ihm alles Schädliche, Vergiftende, Verleumderische, die ganze Todfeindschaft gegen das Leben in eine entsetzliche Einheit gebracht! Der Begriff »Jenseits«, »wahre Welt« erfunden, um die *einzige* Welt zu entwerten, die es gibt – um kein Ziel, keine Vernunft, keine Aufgabe

für unsre Erden-Realität übrigzubehalten? Der Begriff
»Seele«, »Geist«, zuletzt gar noch »unsterbliche Seele«, erfunden, um den Leib zu verachten, um ihn krank – »heilig« – zu machen, um allen Dingen, die Ernst im Leben verdienen, den Fragen von Nahrung, Wohnung, geistiger Diät,
Krankenbehandlung, Reinlichkeit, Wetter, einen schauer-
lichen Leichtsinn entgegenzubringen! Statt der Gesundheit
das »Heil der Seele« – will sagen eine *folie circulaire* zwischen Bußkrampf und Erlösungs-Hysterie! Der Begriff
»Sünde« erfunden samt dem zugehörigen Folter-Instrument,
dem Begriff »freier Wille«, um die Instinkte zu verwirren,
um das Mißtrauen gegen die Instinkte zur zweiten Natur
zu machen! Im Begriff des »Selbstlosen«, des »Sich-selbst-
Verleugnenden« das eigentliche *décadence*-Abzeichen, das
*Gelockt*werden vom Schädlichen, das Seinen-Nutzen-nicht-
mehr-finden-*Können*, die Selbst-Zerstörung zum Wertzei-
chen überhaupt gemacht, zur »Pflicht«, zur »Heiligkeit«,
zum »Göttlichen« im Menschen! Endlich – es ist das Furchtbarste – im Begriff des *guten* Menschen die Partei alles
Schwachen, Kranken, Mißratnen, An-sich-selber-Leidenden
genommen, alles dessen, *was zugrunde gehn soll* –, das Gesetz der *Selektion* gekreuzt, ein Ideal aus dem Widerspruch
gegen den stolzen und wohlgeratenen, gegen den jasagenden, gegen den zukunftsgewissen, zukunftverbürgenden
Menschen gemacht – dieser heißt nunmehr der *Böse* . . . Und
das alles wurde geglaubt als *Moral! – Ecrasez l'infâme! – –*


9

– Hat man mich verstanden? – *Dionysos gegen den Gekreu-
zigten* . . .

OTTO WEININGER

Geb. 3. April 1880 in Wien, gest. 4. Oktober 1903 in Wien (Selbstmord).

## Männliche und weibliche Psychologie
## (Geschlecht und Charakter, IX. Kapitel, Auszug)

*Weiningers Hauptwerk »Geschlecht und Charakter. Eine
prinzipielle Untersuchung«, das im Todesjahr des Verfas-
sers erschien, demonstriert eindringlich einige für die Zeit
um 1900 charakteristische Elemente des Zeitgeistes und
hatte dementsprechende Resonanz. Der Autor entwickelt
die Thesen seiner umfangreichen Abhandlung aus philosophischen, zoologischen, botanischen, medizinischen, experi-
mental- und tiefenpsychologischen sowie vor allem aus literarischen Kenntnissen. Die Methode ist die Deduktion und
gelegentlich auch eine Art von pseudometaphysischer Spe-
kulation; es »fallen Erklärung und Wertung von selbst zusammen«.*
*Gegenstand der »Untersuchung« ist das Verhältnis des Man-
nes zum Weib, der Idealtypen M und W zueinander. In der
Erfahrung begegnen immer nur Mischformen, jeder konkrete Mann enthält Elemente von W und umgekehrt. Daher
läßt sich zwanglos die Liebe zwischen zwei Menschen erklären: »Zur sexuellen Vereinigung trachten immer ein ganzer Mann (M) und ein ganzes Weib (W) zusammen zu kommen«, und in diesem verschieden abgestuften Zusammensein
von M und W glaubt Weininger »ein Hauptprinzip aller
wissenschaftlichen Charakterologie erkannt« zu haben.
Aufgrund dieser Einsicht gelangt er zunächst zu einer neuen
Bewertung der in den achtziger und neunziger Jahren des
neunzehnten Jahrhunderts sich ausbreitenden Frauenbewegung: nicht W will die Emanzipation, »nur der Mann (in
der Frau) ist es, der sich emanzipieren will«. Daher ist auch
Weininger, wie er beteuert, kein Gegner der Frauenemanzi-*

*pation; er billigt sie, sofern sie dem »wahren psychischen Bedürfnis« einer Frau entspreche, behauptet indes zugleich: »Der größte, der einzige Feind der Emanzipation der Frau ist die Frau.«*
*Der Unterschied zwischen Mann und Frau ist physiologisch zu definieren, genauer: durch die Sexualität. »Der wahre Unterschied liegt hier darin, daß für M der Begattungstrieb sozusagen ein pausierendes Jucken, für W ein unaufhörlicher Kitzel ist.« Die Frau, nur aus Sexualität bestehend, kann die Sexualität deshalb nicht wahrnehmen. Weininger entwickelt zur Stützung dieser Theorie seine Henidentheorie, die das weibliche Bewußtsein beschreibt als gestaltlose Masse ungeschiedener und unbegifflicher Elemente von Vorstellungen: »M lebt bewußt, W lebt unbewußt.« Es kann demnach nicht verwundern, daß W von der »Genialität« »ausgeschlossen« ist, da es kein Gedächtnis an Erlebtes hat, und daß es daher in der Geschichte der Architektur, Plastik, der Philosophie wie der Musik zu »absolute[r] Bedeutungslosigkeit« verurteilt ist. Kaum noch notwendig erscheint demnach die Feststellung: »Es ist also richtig, daß das Weib keine Logik besitzt«, und selbstverständlich ist es auch »amoralisch«, denn »Wahrheit, Reinheit, Treue, Aufrichtigkeit sich selbst gegenüber: das ist die einzig denkbare Ethik« – und von alledem weiß das Weib nichts.*
*Diese Gedankengänge erreichen in dem hier wiedergegebenen Anfang des XI. Kapitels einen ersten Höhepunkt, ohne daß indes die folgenden Seiten weitere Einsichten verbärgen: »Die Phantasie des Weibes ist Irrtum und Lüge, die Phantasie des Mannes hingegen, als Künstlers und Philosophen, erst höhere Wahrheit.« Auch reden kann das Weib nicht – nur »konversieren«, »kokettieren« und »schnattern«. Es kann nicht einmal böse sein, »nur amoralisch, gemein«. Kurzum: »es fehlt ihr der Eigenwert der menschlichen Persönlichkeit«. Und sie ist »wirklich auch vollkommen unsozial« sowie schamlos. All dies faßt Weininger in der Sentenz zusammen: »So ist denn ein ganz umfassender*

*Nachweis geführt, daß W seelenlos ist, daß es kein Ich und
keine Individualität, keine Persönlichkeit und keine Freiheit, keinen Charakter und keinen Willen hat.«*
Es handelt sich bei alldem nicht so sehr um psychologische
Erkenntnisse, an diesem oder jenem Einzelfall gewonnen,
sondern um Schritte auf dem Wege, »das Wesen des Weibes
und sein[en] Sinn im Universum« darzustellen: so kann
Weininger konsequent von der »ontologische[n] Verlogenheit des Weibes« sprechen, die sich vorzugsweise in der
Form der Hysterie – als einer organischen Krise – äußere.
Denn Spaltung der Persönlichkeit kann nur dort festgestellt
werden, wo zuvor eine Persönlichkeit vorhanden war. In
radikaler Konsequenz heißt das: »Die Frauen haben keine
Existenz und keine Essenz, sie sind nicht, sie sind nichts.
Man ist Mann oder man ist Weib, je nachdem ob man wer
ist oder nicht.« Der »reine Mann [ist] das Ebenbild Gottes«, das Weib hingegen die »Schuld des Mannes«.
Was vom Weibe gilt, gilt – ebenfalls idealtypisch gedacht –
auch vom Juden; sein Wesen erklärt sich in »Analogie« zu
dem des Weibes. Beiden nämlich gebreche es an der »kan-
tische[n] Vernunft«, am »Geist«, an der »Persönlichkeit«,
der »Größe« sowie dem »Reich der Zwecke in der eigenen
Brust«. Weininger, übrigens selbst Jude, resümiert in ver-
räterischer Metaphorik, »was dem echten Juden in alle
Ewigkeit unzugänglich ist: das unmittelbare Sein, das Got-
tesgnadentum, der Eichbaum, die Trompete, das Siegfried-
motiv, die Schöpfung seiner selbst, das Wort: ich bin«.
Der bisweilen aggressive Antifeminismus des Buches wäre
vielleicht weniger konsequent, wenn er nicht durch ge-
legentliche liberale Bekundungen den Anschein humaner
Wissenschaftlichkeit gewänne. Er konzediert immerhin:
»Die Frauen sind Menschen und müssen als solche behandelt werden«, sie haben gleiche Rechte wie die Männer,
wenn auch sinnvollerweise nicht in der Politik – man würde
sie dort ja auch »Kindern, Schwachsinnigen und Verbre-
chern« vorenthalten. Und endlich bezeichnet Weininger sein

Werk als »die höchste Ehre, welche den Frauen je erwiesen
worden ist«, denn es erblickt die Lösung des Problems in
einer »Überwindung der Weiblichkeit«, da der Koitus – ihr
Inbegriff – in jedem Falle der Idee der Menschheit widerspreche.

Es verlohnte eine so ausführliche Inhaltsangabe des Wei-
ningerschen Werkes die Mühe kaum, wäre es nicht repräsen-
sentativ und historisch interessant in mehrerlei Hinsicht –
zunächst in methodischer. Das Buch kann als Beispiel der
von Lukács charakterisierten »geisteswissenschaftlichen Methode« angesehen werden. Der Verfasser findet in seiner
Umwelt Phänomene, die er durch wahllose Lektüre seiner
Lieblingsautoren – vor allem Goethe, Wagner, Ibsen, auch
Shakespeare oder Molière – sowie durch geschichtliche
Kenntnisse bestätigt findet. Diese Beobachtungen werden
sodann verallgemeinert zu Begriffen wie »das Weib« oder
»der Mann«, deren idealtypischen Charakter er zwar immer wieder betont, die ihm in den Formulierungen seiner
Ansichten jedoch immer wieder zu unhaltbaren Verallge-
meinerungen abgleiten. Gelegentlich wird deutlich, daß der
Inhalt des Buches durch eine Art von Wesensschau erkannt
wurde.

Im unmittelbaren Zusammenhang damit steht Weiningers
Hochschätzung des Genies; der Begriff ist im Laufe des
19. Jahrhunderts ungeheuer aufgebläht und mit ideologi-
schem Ballast befrachtet worden. Weininger versteht darunter den Menschen, »der alles weiß, ohne es gelernt zu
haben«. So ist denn die »Untersuchung« auf weite Strecken
eine Ausbreitung von Vorurteilen, die Hypostasierung von
Ansichten einer bestimmten Epoche zu allgemeinverbind-
lichen Axiomen.

Der methodische Irrationalismus entspricht selbstverständlich dem des Inhalts. Das Buch ist charakteristisch für Tendenzen seiner Entstehungszeit, die sich auch in der Literatur und später politisch realisiert haben: der Antifeminismus ist nur eine von ihnen; ebenso wichtig ist der Anti-

*semitismus, der im Wien der Jahrhundertwende, spätestens
seit den achtziger Jahren, immer sichtbarer wurde und in
direkter, historisch nachweisbarer Konsequenz den Natio-
nalsozialismus beeinflußte. Diesem Affekt gegen das Juden-
tum entspricht auf der anderen Seite eine Apologie des
»Ariers« und alles dessen, was ihm, vermeintlich arttypisch,
zukommt. Hierher gehört nicht allein der immer wieder
zitierte Wagner, sondern vor allem die wissenschaftliche
Methode, die, noch durchaus im Sinne eines vermeintlich
naturwissenschaftlichen Positivismus, vorgibt, sich an Kant
zu orientieren: Weiningers Thesen treten mit dem Anspruch
der Wissenschaftlichkeit auf.*

## Männliche und weibliche Psychologie

Es ist an der Zeit, zu der eigentlichen Aufgabe der Untersuchung zurückzukehren, um zu sehen, wie weit deren Lösung durch die längeren Einschiebungen gefördert worden
ist, die oft ziemlich weit von ihr abzuführen schienen.

Die Konsequenzen der entwickelten Grundsätze sind für
eine Psychologie der Geschlechter so radikale, daß, auch
wer zu den bisherigen Ableitungen seine Zustimmung gegeben hätte, vor *diesen* Folgerungen zurückscheuen dürfte.
Es ist noch nicht der Ort, die Gründe dieser Scheu zu analysieren; aber um die nun aufzustellende These gegen alle
Einwände, die aus ihr fließen werden, zu schützen, soll sie
in diesem Abschnitt noch in ausgiebigster Weise durch
zwingende Argumente vollständig gesichert werden.

Worum es sich handelt, ist in Kürze dieses. Es wurde gefunden, daß das logische und das ethische Phänomen, beide
im Begriffe der Wahrheit zum höchsten Werte sich zusam-
menschließend, zur Annahme eines intelligiblen Ich oder
einer Seele, als eines Seienden von höchster, hyperempiri-
scher Realität, zwingen. *Bei einem Wesen, dem, wie W das
logische und das ethische Phänomen mangeln, entfällt auch*

*der Grund, jene Annahme zu machen.* Das vollkommen
weibliche Wesen kennt weder den logischen noch den moralischen Imperativ, und das Wort Gesetz, das Wort Pflicht,
Pflicht gegen sich selbst, ist das Wort, das ihm am fremdesten klingt. Also ist der Schluß vollkommen berechtigt, daß
ihm auch die übersinnliche Persönlichkeit fehlt.

*Das absolute Weib hat kein Ich.*

Dies ist, in gewisser Beziehung, ein Abschluß der Betrachtung, ein Letztes, wozu alle Analyse des Weibes führt. Und
wenn auch diese Erkenntnis, so kurz und bündig ausgesprochen, hart und unduldsam, paradox und von allzu schrof-
fer Neuheit scheint: es ist, in einer solchen Sache, von vorn-
herein kaum wahrscheinlich, daß der Verfasser der erste
sei, welcher zu dieser Anschauung gelangt ist; wenn er auch
selbständig wieder zu ihr den Weg finden mußte, um das
Treffende der früheren ähnlichen Aussagen zu begreifen.

Die *Chinesen* sprechen seit ältester Zeit dem Weibe eine
eigene Seele ab. Fragt man einen Chinesen nach der Zahl
seiner Kinder, so zählt er nur die Knaben, und hat er bloß
Töchter, so erklärt er, kinderlos zu sein.* Aus einem ähnlichen Grunde hat wohl *Mohammed* die Frauen vom Paradiese ausgeschlossen, und die unwürdige Stellung, welche
das weibliche Geschlecht in den Ländern islamitischer Religion einnimmt, hiedurch mitverschuldet.

Von den Philosophen ist hier vor allem *Aristoteles* zu nennen. Für ihn ist das männliche Prinzip bei der Zeugung das
formende, aktive, der Logos, das weibliche vertritt die passive Materie. Erwägt man nun, wie für *Aristoteles* Seele mit
Form, Entelechie, Urbewegendem zusammenfällt, so ist
klar, wie sehr er sich der hier ausgesprochenen Ansicht
nähert, obwohl seine Anschauung nur dort zutage tritt, wo
er vom Akte der Befruchtung redet; während ihm sonst mit
fast allen Griechen außer *Euripides* es gemeinsam zu sein
scheint, daß er über die Frauen selbst nicht nachdenkt, und

---

* Vgl. auch Prediger *Salomo* 7, 29: »Unter Tausenden habe ich einen
Menschen gefunden, aber kein Weib habe ich unter allen gefunden.«

deshalb nirgends ein Standpunkt in bezug auf die Eigenschaften des Weibes überhaupt (nicht nur in Ansehung seiner Rolle beim Begattungsakte) von ihm eingenommen
wird.

Unter den Kirchenvätern scheinen besonders *Tertullian* und
*Origenes* sehr niedrig vom Weibe gedacht zu haben; indes
*Augustinus* schon durch das innige Verhältnis zu seiner
Mutter davon hat abgehalten werden müssen, die Ansichten
jener zu teilen. In der *Renaissance* ist die Aristotelische Ansicht wieder mehrfach aufgenommen worden, z. B. von
Jean *Wier* (1518–1588). Damals scheint man diese überhaupt, gefühlsmäßig und intuitiv, besser verstanden und
nicht bloß als Kuriosum betrachtet zu haben, wie das in der
heutigen Wissenschaft üblich ist, die freilich noch zu anderen Verbeugungen vor der Aristotelischen Anthropologie
sich einmal gewiß wird bequemen müssen.

In den letzten Jahrzehnten haben dieselbe Erkenntnis Henrik *Ibsen* (mit den Gestalten der *Anitra*, *Rita* und *Irene*)
und August *Strindberg* (»Gläubiger«) ausgesprochen. Am
populärsten aber ist der Gedanke von der Seelenlosigkeit
des Weibes durch das wundervolle Märchen *Fouqués* geworden, dessen Stoff dieser Romantiker aus dem, von ihm
eifrig studierten, *Paracelsus* geschöpft hat, und durch
E. T. A. *Hoffmann*, *Girschner* und Albert *Lortzing*, welche
es in Musik gesetzt haben. *Undine, die seelenlose Undine,
ist die platonische Idee des Weibes.* Trotz aller Bisexualität
kommt ihr die Wirklichkeit meist sehr nahe. Die verbreitete
Rede: »das Weib hat keinen Charakter« meint im Grunde
auch nichts anderes. Persönlichkeit und Individualität, (in-
telligibles) Ich und Seele, Wille und (intelligibler) Charakter – dies alles bezeichnet ein und dasselbe, das im Bereiche
des Menschen nur M zukommt und W fehlt.

Da aber die Seele des Menschen der Mikrokosmus ist, und
bedeutende Menschen solche, welche durchaus *mit* Seele
leben, d. h. in denen die *ganze Welt lebendig* ist, *so muß W
absolut ungenial veranlagt sein. Der Mann* hat *alles* in sich,

und mag nur, nach den Worten *Picos von Mirandola*, dies oder jenes in sich besonders begünstigen. Er kann zur höchsten Höhe hinaufgelangen und aufs tiefste entarten, er kann zum Tiere, zur Pflanze, *er kann auch zum Weibe werden, und darum gibt es weibliche, weibische Männer.* Aber die Frau kann nie zum Manne werden. Hier ist also die wichtigste Einschränkung an den Aufstellungen des ersten Teiles dieser Schrift vorzunehmen. *Während mir eine große Anzahl von Männern bekannt ist, die psychisch fast vollständig, und nicht etwa zur Hälfte nur, Weib sind, habe ich zwar schon sehr viele Frauen gesehen mit männlichen Zügen, aber noch nie auch nur eine einzige Frau, die nicht doch im Grunde Weib gewesen wäre,* wenn auch diese Weiblichkeit unter einer Menge verkleidender Hüllen vor dem Blicke der Person selbst, nicht nur der anderen, oft genug sich verbarg. Man *ist* (vgl. Kap. 1 des zweiten Teiles) *entweder* Mann oder Weib, so viel man auch von beiden Geschlechtern Eigentümlichkeiten haben mag, und dieses *Sein,* das Problem der Untersuchung von Anfang an, bestimmt sich jetzt nach dem Verhältnis eines Menschen zur Ethik und zur Logik; aber während es anatomische Männer gibt, die psychologisch Weiber *sind,* gibt es keine Personen, die körperlich Weiber und doch psychisch Männer *sind;* wenn sie auch in noch so vielen äußerlichen Beziehungen einen männlichen Aspekt gewähren, und einen unweiblichen Eindruck hervorbringen.

Darum aber läßt sich mit Sicherheit nun folgende *abschließende* Antwort auf die Frage nach der Begabung der Geschlechter geben: *es gibt wohl Weiber mit genialen Zügen, aber es gibt kein weibliches Genie, hat nie ein solches gegeben* (auch nicht unter den Mannweibern, welche die Geschichte nennt und von denen der erste Teil sprach) *und kann nie ein solches geben.* Wer prinzipiell in solchen Dingen der Laxheit huldigen und den Begriff der Genialität so sehr auftun und erweitern wollte, daß die Frauen unter ihm auch nur ein Fleckchen Raumes fänden, der würde diesen

Begriff damit bereits *zerstört* haben. Wenn überhaupt ein
Begriff von Genialität in Strenge und Einheitlichkeit gewonnen und gewahrt werden soll und kann, so sind, wie
ich glaube, keine anderen Definitionen von ihm möglich als
die hier entwickelten. Wie könnte nach diesen ein seelen-
loses Wesen Genie haben? Genialität ist identisch mit *Tiefe*;
und man versuche nur, tief und *Weib* wie Attribut und
Substantiv miteinander zu verbinden: ein jeder hört den
Widerspruch. *Ein weiblicher Genius ist demnach eine con-
tradictio in adjecto;* denn Genialität war ja nur gesteigerte,
voll entfaltete, höhere, allgemein bewußte Männlichkeit.
Der geniale Mensch hat, wie alles, auch das Weib völlig in
sich; aber das Weib selbst ist nur ein Teil im Weltall, und
der Teil kann nicht das Ganze, Weiblichkeit also nicht
Genialität in sich schließen. Die *Genielosigkeit* des Weibes
folgt unabwendbar daraus, daß das Weib keine Monade
und somit kein Spiegel des Universums ist.*

Zum Nachweise der *Seelenlosigkeit* des Weibes aber vereinigt sich der größte Teil alles dessen, was etwa in den
vorigen Kapiteln zu ermitteln sollte gelungen sein. Das
dritte Kapitel zunächst hat gezeigt, daß die Frau in Heniden, der Mann in gegliederten Inhalten lebt, daß das weibliche Geschlecht ein weniger *bewußtes* Leben führt als das
männliche. Bewußtsein ist aber *ein* erkenntnistheoretischer
und zugleich *der* psychologische Fundamentalbegriff. Er-
kenntnistheoretisches Bewußtsein und Besitz eines konti-
nuierlichen Ich, transcendentales Subjekt und Seele sind
vertauschbare Wechselbegriffe. Jedes Ich *ist* nur in der
Weise, daß es sich selbst fühlt, sich seiner in seinen Denk-
inhalten bewußt wird; alles Sein ist Bewußtsein. Aber es ist

* Es wäre an und für sich ein leichtes, nun die Schöpfungen der *be-
rühmtesten* Frauen vorzunehmen und hier an einigen Beispielen zu zeigen, wie wenig irgendwo da von Genie die Rede sein kann. Aber zu
einer so langwierigen historisch-philologischen, quellenmäßigen Arbeit,
die ohne Pedanterie schwer ausführbar gewesen wäre und zudem von
jedermann, dem sie Vergnügen bereitete, leicht selbst besorgt werden
könnte, mochte ich mich nicht entschließen.

jetzt zu jener Theorie von den Heniden eine wichtige Er-
läuterung hinzuzufügen. Die artikulierten Denkinhalte des
Mannes sind nicht einfach die auseinandergefalteten und
geformten weiblichen, sie sind nicht bloß aktuell, was jene
potentiell waren; sondern es steckt in ihnen von allem Anfang an noch ein *qualitativ anderes.* Die psychischen Inhalte des Mannes sind, selbst schon im ersten Henidensta-
dium, das sie stets zu überwinden trachten, bereits zur *Begrifflichkeit* angelegt, und vielleicht tendiert selbst *alle
Empfindung* des Mannes von einem sehr frühen Stadium
an *zum Begriffe.* Das Weib selbst ist durchaus unbegrifflich
veranlagt, in seinem Wahrnehmen wie in seinem Denken.
Das Prinzip aller Begrifflichkeit sind die logischen Axiome,
und diese fehlen den Frauen; ihnen ist nicht das Prinzip
der Identität Richtschnur, welches allein dem Begriff seine
eindeutige Bestimmtheit verleihen kann, und sie machen
sich nicht das principium contradictionis zur Norm, das
einzig ihn, als völlig selbständigen, gegen alle anderen möglichen und wirklichen Dinge abgrenzt. Dieser Mangel an
begrifflicher Bestimmtheit alles weiblichen Denkens ermöglicht jene »Sensitivität« der Frauen, die vagen Associationen
ein schrankenloses Recht einräumt, und so häufig ganz fern-
liegende Dinge zum Vergleich heranzieht. Auch die Frauen
mit dem besten und am wenigsten begrenzten Gedächtnis
kommen über diese Manier der *Synästhesien* nie hinaus. Gesetzt z. B., durch irgendein Wort fühlten sie sich an eine
bestimmte Farbe, durch einen Menschen an eine bestimmte
Speise erinnert – wie das wirklich bei Frauen oft genug
vorkommt: in solchem Falle geben sie sich mit ihrer subjektiven Association vollständig *zufrieden,* sie suchen weder
zu ergründen, warum ihnen gerade dieser Vergleich eingefallen, inwiefern er wirklich durch die tatsächlichen Verhältnisse nahegelegt sei, noch trachten sie weiter und eifriger
über ihren Eindruck von dem Worte, von dem Menschen
ins klare zu kommen. Diese Genügsamkeit und Selbstzufrie-
denheit hängt mit dem zusammen, was früher als intellek-

tuelle Gewissenlosigkeit des Weibes bezeichnet wurde, und gleich weiter unten nochmals zur Sprache kommen und in seinem Konnex mit dem Mangel an Begrifflichkeit erläutert werden soll. Jenes Schwelgen in rein gefühlsmäßigen Anklängen, jener Verzicht auf Begrifflichkeit und auf Begreiflichkeit, jenes *Sichwiegen* ohne *Streben* nach irgendeiner Tiefe charakterisiert den schillernden Stil so vieler moderner Schriftsteller und Maler als einen eminent *weiblichen.* Männliches Denken scheidet sich von allem weiblichen grundsätzlich durch das Bedürfnis nach sicheren Formen, und so ist auch jede »Stimmungskunst« immer notwendig eine *formlose* »Kunst«.

Die psychischen Inhalte des Mannes können aus diesen Gründen nie einfach Heniden des Weibes in bloßer Weiterentwicklung, in »expliciter« Form sein. Das Denken des Weibes ist ein Gleiten und ein Huschen zwischen den Dingen hindurch, ein Nippen von ihren obersten Flächen, denen der Mann, der »in der Wesen Tiefe trachtet«, oft gar keine Beachtung schenkt, es ist ein Kosten und ein Naschen, ein *Tasten,* kein *Ergreifen* des Richtigen. Darum, weil das Denken des Weibes vornehmlich eine Art *Schmecken* ist, bleibt auch *Geschmack,* im *weitesten* Sinne, die vornehmste weibliche Eigenschaft, das Höchste, was eine Frau selbständig erreichen, und worin sie es bis zu einer gewissen Vollendung bringen kann. Geschmack erfordert eine Beschränkung des Interesses auf Oberflächen, er geht auf den Zusammenklang des Ganzen, und verweilt nie bei scharf herausgehobenen Teilen. Wenn eine Frau einen Mann »versteht« – über Möglichkeit und Unmöglichkeit solchen Verstehens wird noch zu handeln sein – so *schmeckt* sie sozusagen – so geschmacklos gerade dieser Ausdruck sein mag – *nach,* was *er* ihr *vorgedacht* hat. Da es auf ihrer Seite hiebei eben nicht zu scharfer Unterscheidung kommen kann, so ist klar, daß an ein Verständnis von ihr selbst oft wird geglaubt werden, wo nur höchst vage Analogien in der Empfindung vorhanden sind. Als maßgebend für die Inkongruenzen ist hiebei

vor allem anzusehen, daß die Denkinhalte des Mannes nicht
auf derselben Linie, und nicht etwa nur auf ihr weiter vor-
gerückt liegen als die des Weibes, sondern daß es *zwei*
Reihen sind, welche auf die gleichen Objekte sich er-
strecken, eine begriffliche männliche und eine unbegriffliche
weibliche, und eine im Verstehen ausgesagte Identifikation
demnach *nicht nur* zwischen einem entwickelten, differen-
zierten, späteren, und einem noch chaotischen, ungegliederten, früheren Inhalt *derselben* Reihe erfolgen kann (wie im
Falle des Ausdruckes); sondern daß gerade im Verstehen
zwischen Mann und Weib ein *begrifflicher* Gedanke der
einen Reihe einem *unbegrifflichen* »Gefühle«, einer »He-
nide«, in der anderen gleichgesetzt wird.


SIGMUND FREUD

Geb. 6. Mai 1856 in Freiberg (Mähren), gest. 23. November 1939 in
London, Sohn eines jüdischen Tuchhändlers. 1859 Übersiedlung der Familie nach Wien, 1873 Abitur, anschließend Medizinstudium in Wien,
1876 Forschungen in Triest, seit 1878 Freundschaft mit Josef Breuer,
1880 Militärdienst, 1881 medizinische Abschlußexamina. 1885 Privat-
dozent an der Universität Wien, Forschungsreisen nach Paris und Berlin.
1886 Ehe mit Martha Bernays, Eröffnung einer Privatpraxis. 1907 Bekanntschaft mit C. G. Jung, 1908 Kongreß in Salzburg, 1910 in Nürn-
berg, 1911 Kongreß in Weimar, 1913 Bruch mit C. G. Jung, 1923 Lip-
penkrebs, Operation. 1930 Goethepreis. 1938, nach dem »Anschluß«
Österreichs, aufgrund einer Intervention Roosevelts und Mussolinis,
Möglichkeit zur Emigration.

Werke: *Die Traumdeutung* (1900); *Zur Psychopathologie des Alltags-
lebens* (1901); *Der Witz und seine Beziehung zum Unbewußten* (1905);
*Drei Abhandlungen zur Sexualtheorie* (1905); *Totem und Tabu* (1913);
*Vorlesungen zur Einführung in die Psychoanalyse* (1917); *Jenseits des
Lustprinzips* (1920); *Das Ich und das Es* (1923); *Die Zukunft einer
Illusion* (1927); *Das Unbehagen an der Kultur* (1930); *Neue Folge der
Vorlesungen zur Einführung in die Psychoanalyse* (1933).

## Die »kulturelle« Sexualmoral und die moderne Nervosität

*Der Aufsatz erschien zuerst 1908 in »Sexualprobleme« der Zeitschrift »Mutterschutz«, N. F., Jg. IV. Er weist auf ein zur Zeit seiner Entstehung virulentes Problem hin: er diagnostiziert die als »Nervosität« bezeichnete Reizbarkeit und Unruhe, die das Leben der Jahrhundertwende offenbar von dem früherer Generationen unterschied. Die Zitate von W. Erb, Binswanger und Krafft-Ebing, die Freud anführt, belegen die zivilisatorischen Ursachen dieser Nervosität: es sind vorwiegend soziale Gründe, Leistungsanforderungen des modernen technisierten Lebens an den einzelnen, die für die Nervosität verantwortlich gemacht werden.*

*Freud entwickelt demgegenüber eine weiterführende Argumentation, indem er die Nervosität als Epiphänomen sexueller Triebunterdrückung darstellt. Der wohl wichtigste Satz der Abhandlung spricht zugleich eine der wichtigsten Erkenntnisse der Psychoanalyse aus: »Unsere Kultur ist ganz allgemein auf der Unterdrückung von Trieben aufgebaut.« Der Aufsatz kann diese These nur an wenigen Beispielen belegen; er macht aber deutlich, inwiefern Freud seine theoretischen Erkenntnisse aus Beobachtungen an Patienten und empirischen Forschungen ableitet.*

*Der Akzent, den er auf die Bedeutung der Sexualität für das individuelle und gesellschaftliche Leben gelegt hat, ist von mancher Seite, auch von Schülern Freuds, für übertrieben stark gehalten worden. Es darf bei solcher Kritik aber nicht übersehen werden, daß in einer auf Triebunterdrückung beruhenden Kultur, wie sie unter anderm die hier abgedruckte Studie beschreibt, gerade dieser Akzent von geschichtlicher Notwendigkeit ist. Die Lehre Freuds gestattet nicht allein die Therapie individueller Neurosen, sie ermöglicht darüber hinaus auch die Interpretation zahlreicher kultureller und sozialer Phänomene. Durch die Entdeckung des Unbewußten erscheinen viele von ihnen wie* die Spitze eines Eisberges, dessen unter Wasser liegende umfangreichere Partien nun erforschbar wurden.

Die Theorien Freuds und seiner Schule sind gegenwärtig aus dem Instrumentarium der Geisteswissenschaften nicht wegzudenken; die Psychoanalyse und die Tiefenpsychologie im weiteren Sinne, die sich vor allem durch die Arbeiten Alfred Adlers und Carl Gustav Jungs entwickelten, müssen gegenwärtig zu den ergiebigsten und wichtigsten wissenschaftlichen Methoden gezählt werden. Diesen Einflüssen korrespondiert die Wirkung Freuds auf die Literatur des 20. Jahrhunderts: das Werk Thomas Manns oder Robert Musils sähe ohne ihn wesentlich anders aus.

Im Rahmen einer Darstellung der Literatur um 1900 ist Freuds Aufsatz interessant noch aus einem anderen Grunde: das hier beschriebene Phänomen hat diese Literatur augenfällig geprägt. Hermann Bahr hat in einem Aufsatz »Die neue Psychologie« 1891 eine Forderung aufgestellt, die sich wie eine Transponierung Freudscher Erkenntnisse in die Ästhetik liest:

»Jeder solcher Prozeß [der seelischen Veränderungen] wird ganz auf den Nerven und in den Sinnen vollzogen und das Bewußtsein wird erst von dem Resultate verständigt, wenn es bereits entschieden und unwiderruflich ist. Eine Psychologie, welche ihn im Bewußtsein darstellt, wie er von der Phantasie der Erinnerung nachher zugerichtet wird, ist falsch und kann vor keinem redlichen Experiment bestehen. Sondern ihn vor der Schwelle der Besinnung vielmehr, die um das Gehirn lauernde Sammlung von noch nicht wirksamen Impressionen, die vergeblich nach Einlaß drängen, und wie sie, wenn das Maß endlich voll und die Kraft gewachsen ist, auf einmal mit unvermutetem Siege in das Bewußtsein brechen – für die Darstellung alles dieses Wunderlichen und Seltsamen in uns, des unter dem Geiste Grunzenden und dumpf in Beschwerden Schnaubenden, aller Rätsel an den Grenzen des Bewußtseins, dafür gilt es eine neue Methode.«

*Damit ist für die deutsche Literatur das gefordert, was der
französische Impressionismus in der Malerei seit etwa 1860
realisierte: eine Interpretation der Wirklichkeit, die, vom
Verstande weitgehend unabhängig, den vor aller rationalen
Reflexion liegenden momentanen Eindruck reflektiert.
Diese Kunst des Unbewußten, der Nerven, hat später
Arthur Schnitzler in seiner Technik des inneren Monologs
und Peter Altenberg in seinen kleinen impressionistischen
Prosaskizzen realisiert. Das Prinzip hat weitergewirkt auf
Prosa und Lyrik des jungen Hermann Hesse und Hugo von
Hofmannsthal, um nur einige Namen zu nennen.
Ohne die in Freuds Aufsatz beschriebene »moderne Nervosität« wären aber jene ästhetischen Fortschritte, die Erweiterung der durch Realismus und Naturalismus vorge-
formten Darstellungsmittel, undenkbar. Nervosität ist zwar
einerseits eine Zivilisationskrankheit, sie ist aber andererseits eine Bedingung jener ästhetischen Sensibilisierung, wie
sie in dem Grade, der sich in der Poesie um 1900 nachweisen läßt, zuvor unbekannt war.*

## Die »kulturelle« Sexualmoral und die moderne Nervosität

In seiner kürzlich veröffentlichten *Sexualethik\** verweilt
v. *Ehrenfels* bei der Unterscheidung der »natürlichen« und
der »kulturellen« Sexualmoral. Als natürliche Sexualmoral
sei diejenige zu verstehen, unter deren Herrschaft ein Men-
schenstamm sich andauernd bei Gesundheit und Lebenstüchtigkeit zu erhalten vermag, als kulturelle diejenige,
deren Befolgung die Menschen vielmehr zu intensiver und
produktiver Kulturarbeit anspornt. Dieser Gegensatz werde
am besten durch die Gegenüberstellung von *konstitutivem*
und *kulturellem* Besitz eines Volkes erläutert. Indem ich
für die weitere Würdigung dieses bedeutsamen Gedanken-

---

\* Grenzfragen des Nerven- und Seelenlebens, herausgegeben v. L. *Lö-
wenfeld*, LVI, Wiesbaden 1907.

ganges auf die Schrift von v. *Ehrenfels* selbst verweise, will
ich aus ihr nur so viel herausheben, als es für die Anknüp-
fung meines eigenen Beitrages bedarf.

Die Vermutung liegt nahe, daß unter der Herrschaft einer
kulturellen Sexualmoral Gesundheit und Lebenstüchtigkeit
der einzelnen Menschen Beeinträchtigungen ausgesetzt sein
können und daß endlich diese Schädigung der Individuen
durch die ihnen auferlegten Opfer einen so hohen Grad
erreiche, daß auf diesem Umwege auch das kulturelle End-
ziel in Gefahr geriete. v. *Ehrenfels* weist auch wirklich der
unsere gegenwärtige abendländische Gesellschaft beherrschenden Sexualmoral eine Reihe von Schäden nach, für die
er sie verantwortlich machen muß, und obwohl er ihre hohe
Eignung zur Förderung der Kultur voll anerkennt, gelangt
er dazu, sie als reformbedürftig zu verurteilen. Für die uns
beherrschende kulturelle Sexualmoral sei charakteristisch
die Übertragung femininer Anforderungen auf das Ge-
schlechtsleben des Mannes und die Verpönung eines jeden
Sexualverkehres mit Ausnahme des ehelich-monogamen. Die
Rücksicht auf die natürliche Verschiedenheit der Geschlechter nötige dann allerdings dazu, Vergehungen des Mannes
minder rigoros zu ahnden und somit tatsächlich eine *doppelte* Moral für den Mann zuzulassen. Eine Gesellschaft
aber, die sich auf diese doppelte Moral einläßt, kann es in
»Wahrheitsliebe, Ehrlichkeit und Humanität«* nicht über
ein bestimmtes, eng begrenztes Maß hinausbringen, muß
ihre Mitglieder zur Verhüllung der Wahrheit, zur Schön-
färberei, zum Selbstbetruge wie zum Betrügen anderer an-
leiten. Noch schädlicher wirkt die kulturelle Sexualmoral,
indem sie durch die Verherrlichung der Monogamie den
Faktor der *virilen Auslese* lahmlegt, durch dessen Einfluß
allein eine Verbesserung der Konstitution zu gewinnen sei,
da die *vitale Auslese* bei den Kulturvölkern durch Humanität und Hygiene auf ein Minimum herabgedrückt werde.*

* Sexualethik, S. 32 ff.
* a. a. O., S. 35.

Unter den der kulturellen Sexualmoral zur Last gelegten Schädigungen vermißt nun der Arzt die eine, deren Bedeutung hier ausführlich erörtert werden soll. Ich meine die auf sie zurückzuführende Förderung der modernen, das heißt in unserer gegenwärtigen Gesellschaft sich rasch ausbreitenden Nervosität. Gelegentlich macht ein nervös Kranker selbst den Arzt auf den in der Verursachung des Leidens zu beachtenden Gegensatz von Konstitution und Kulturanforderung aufmerksam, indem er äußert: »Wir in unserer Familie sind alle nervös geworden, weil wir etwas Besseres sein wollten, als wir nach unserer Herkunft sein können.« Auch wird der Arzt häufig genug durch die Beobachtung nachdenklich gemacht, daß gerade die Nachkommen solcher Väter der Nervosität verfallen, die, aus einfachen und gesunden ländlichen Verhältnissen stammend, Abkömmlinge roher, aber kräftiger Familien, als Eroberer in die Großstadt kommen und ihre Kinder in einem kurzen Zeitraum auf ein kulturell hohes Niveau sich erheben lassen. Vor allem aber haben die Nervenärzte selbst laut den Zusammenhang der »wachsenden Nervosität« mit dem modernen Kulturleben proklamiert. Worin sie die Begründung dieser Abhängigkeit suchen, soll durch einige Auszüge aus Äußerungen hervorragender Beobachter dargetan werden.

W. *Erb*[*]: »Die ursprünglich gestellte Frage lautet nun dahin, ob die Ihnen vorgeführten Ursachen der Nervosität in unserem modernen Dasein in so gesteigertem Maße gegeben sind, daß sie eine erhebliche Zunahme derselben erklärlich machen – und diese Frage darf wohl unbedenklich bejaht werden, wie ein flüchtiger Blick auf unser modernes Leben und seine Gestaltung zeigen wird.«

»Schon aus einer Reihe allgemeiner Tatsachen geht dies deutlich hervor: die außerordentlichen Errungenschaften der Neuzeit, die Entdeckungen und Erfindungen auf allen Gebieten, die Erhaltung des Fortschrittes gegenüber der

---

[*] Über die wachsende Nervosität unserer Zeit. 1893.

wachsenden Konkurrenz sind nur erworben worden durch
große geistige Arbeit und können nur mit solcher erhalten
werden. Die Ansprüche an die Leistungsfähigkeit des einzelnen im Kampfe ums Dasein sind erheblich gestiegen, und
nur mit Aufbietung all seiner geistigen Kräfte kann er sie
befriedigen; zugleich sind die Bedürfnisse des einzelnen, die
Ansprüche an Lebensgenuß in allen Kreisen gewachsen, ein
unerhörter Luxus hat sich auf Bevölkerungsschichten ausgebreitet, die früher davon ganz unberührt waren; die Re-
ligionslosigkeit, die Unzufriedenheit und Begehrlichkeit
haben in weiten Volkskreisen zugenommen; durch den ins
Ungemessene gesteigerten Verkehr, durch die weltumspan-
nenden Drahtnetze des Telegraphen und Telephons haben
sich die Verhältnisse in Handel und Wandel total verändert: alles geht in Hast und Aufregung vor sich, die
Nacht wird zum Reisen, der Tag für die Geschäfte be-
nützt, selbst die »Erholungsreisen« werden zu Strapazen
für das Nervensystem; große politische, industrielle, finan-
zielle Krisen tragen ihre Aufregung in viel weitere Bevöl-
kerungskreise als früher; ganz allgemein ist die Anteilnahme
am politischen Leben geworden: politische, religiöse, soziale
Kämpfe, das Parteitreiben, die Wahlagitationen, das ins
Maßlose gesteigerte Vereinswesen erhitzen die Köpfe und
zwingen die Geister zu immer neuen Anstrengungen und
rauben die Zeit zur Erholung, Schlaf und Ruhe; das Leben
in den großen Städten ist immer raffinierter und unruhiger
geworden. Die erschlafften Nerven suchen ihre Erholung in
gesteigerten Reizen, in stark gewürzten Genüssen, um dadurch noch mehr zu ermüden; die moderne Literatur be-
schäftigt sich vorwiegend mit den bedenklichsten Problemen, die alle Leidenschaften aufwühlen, die Sinnlichkeit
und Genußsucht, die Verachtung aller ethischen Grundsätze
und aller Ideale fördern; sie bringt pathologische Gestalten,
psychopathisch-sexuelle, revolutionäre und andere Probleme
vor den Geist des Lesers; unser Ohr wird von einer in großen Dosen verabreichten, aufdringlichen und lärmenden

Musik erregt und überreizt, die Theater nehmen alle Sinne mit ihren aufregenden Darstellungen gefangen; auch die bildenden Künste wenden sich mit Vorliebe dem Abstoßenden, Häßlichen und Aufregenden zu und scheuen sich nicht, auch das Gräßlichste, was die Wirklichkeit bietet, in abstoßender Realität vor unser Auge zu stellen.«

»So zeigt dies allgemeine Bild schon eine Reihe von Gefahren in unserer modernen Kulturentwicklung; es mag im einzelnen noch durch einige Züge vervollständigt werden!«

*Binswanger*: »Man hat speziell die Neurasthenie als eine durchaus moderne Krankheit bezeichnet, und *Beard*, dem wir zuerst eine übersichtliche Darstellung derselben verdanken, glaubte, daß er eine neue, speziell auf amerikanischem Boden erwachsene Nervenkrankheit entdeckt habe. Diese Annahme war natürlich eine irrige; wohl aber kennzeichnet die Tatsache, daß zuerst ein *amerikanischer* Arzt die eigenartigen Züge dieser Krankheit auf Grund einer reichen Erfahrung erfassen und festhalten konnte, die nahen Beziehungen, welche das moderne Leben, das ungezügelte Hasten und Jagen nach Geld und Besitz, die ungeheuren Fortschritte auf technischem Gebiete, welche alle zeitlichen und räumlichen Hindernisse des Verkehrslebens illusorisch gemacht haben, zu dieser Krankheit aufweisen.«

v. *Krafft-Ebing*: »Die Lebensweise unzähliger Kulturmenschen weist heutzutage eine Fülle von antihygienischen Momenten auf, die es ohne weiteres begreifen lassen, daß die Nervosität in fataler Weise um sich greift, denn diese schädlichen Momente wirken zunächst und zumeist aufs Gehirn. In den politischen und sozialen, speziell den merkantilen, industriellen, agrarischen Verhältnissen der Kulturnationen haben sich eben im Laufe der letzten Jahrzehnte Änderungen vollzogen, die Beruf, bürgerliche Stellung, Besitz gewaltig umgeändert haben, und zwar auf

---

* Die Pathologie und Therapie der Neurasthenie. 1896.

* Nervosität und neurasthenische Zustände, 1895, p. 11. (In *Nothnagels* Handbuch der spez. Pathologie und Therapie.)

Kosten des Nervensystems, das gesteigerten sozialen und wirtschaftlichen Anforderungen durch vermehrte Verausgabung an Spannkraft bei vielfach ungenügender Erholung gerecht werden muß.«

Ich habe an diesen – und vielen anderen ähnlich klingenden – Lehren auszusetzen, nicht daß sie irrtümlich sind, sondern daß sie sich unzulänglich erweisen, die Einzelheiten in der Erscheinung der nervösen Störungen aufzuklären, und daß sie gerade das bedeutsamste der ätiologisch wirksamen Momente außer acht lassen. Sieht man von den unbestimmteren Arten, »nervös« zu sein, ab und faßt die eigentlichen Formen des nervösen Krankseins ins Auge, so reduziert sich der schädigende Einfluß der Kultur im wesentlichen auf die schädliche Unterdrückung des Sexuallebens der Kulturvölker (oder Schichten) durch die bei ihnen herrschende »kulturelle« Sexualmoral.

Den Beweis für diese Behauptung habe ich in einer Reihe fachmännischer Arbeiten zu erbringen gesucht*; er kann hier nicht wiederholt werden, doch will ich die wichtigsten Argumente aus meinen Untersuchungen auch an dieser Stelle anführen.

Geschärfte klinische Beobachtung gibt uns das Recht, von den nervösen Krankheitszuständen zwei Gruppen zu unterscheiden, die eigentlichen *Neurosen* und die *Psychoneurosen*. Bei den ersteren scheinen die Störungen (Symptome), mögen sie sich in den körperlichen oder in den seelischen Leistungen äußern, *toxischer* Natur zu sein: sie verhalten sich ganz ähnlich wie die Erscheinungen bei übergroßer Zufuhr oder bei Entbehrung gewisser Nervengifte. Diese Neurosen – meist als Neurasthenie zusammengefaßt – können nun, ohne daß die Mithilfe einer erblichen Belastung erforderlich wäre, durch gewisse schädliche Einflüsse des Sexuallebens erzeugt werden, und zwar korrespondiert die Form der Erkrankung mit der Art dieser Schädlichkeiten,

---

* Sammlung kleiner Schriften zur Neurosenlehre. Wien 1906. (4. Aufl., 1922.) [Ges. Werke, Bd. I.]

so daß man oft genug das klinische Bild ohne weiteres zum Rückschluß auf die besondere sexuelle Ätiologie verwenden kann. Eine solche regelmäßige Entsprechung wird aber zwischen der Form der nervösen Erkrankung und den anderen schädigenden Kultureinflüssen, welche die Autoren als krankmachend anklagen, durchaus vermißt. Man darf also den sexuellen Faktor für den wesentlichen in der Verursachung der eigentlichen Neurosen erklären.

Bei den Psychoneurosen ist der hereditäre Einfluß bedeutsamer, die Verursachung minder durchsichtig. Ein eigentümliches Untersuchungsverfahren, das als Psychoanalyse bekannt ist, hat aber gestattet zu erkennen, daß die Symptome dieser Leiden (der Hysterie, Zwangsneurose usw.) *psychogen* sind, von der Wirksamkeit unbewußter (verdrängter) Vorstellungskomplexe abhängen. Dieselbe Methode hat uns aber auch diese unbewußten Komplexe kennen gelehrt und uns gezeigt, daß sie, ganz allgemein gesprochen, sexuellen Inhalt haben; sie entspringen den Sexualbedürfnissen unbefriedigter Menschen und stellen für sie eine Art von Ersatzbefriedigung dar. Somit müssen wir in allen Momenten, welche das Sexualleben schädigen, seine Betätigung unterdrücken, seine Ziele verschieben, pathogene Faktoren auch der Psychoneurosen erblicken.

Der Wert der theoretischen Unterscheidung zwischen den toxischen und den psychogenen Neurosen wird natürlich durch die Tatsache nicht beeinträchtigt, daß an den meisten nervösen Personen Störungen von beiderlei Herkunft zu beobachten sind.

Wer nun mit mir bereit ist, die Ätiologie der Nervosität vor allem in schädigenden Einwirkungen auf das Sexualleben zu suchen, der wird auch den nachstehenden Erörterungen folgen wollen, welche das Thema der wachsenden Nervosität in einen allgemeineren Zusammenhang einzufügen bestimmt sind.

Unsere Kultur ist ganz allgemein auf der Unterdrückung von Trieben aufgebaut. Jeder einzelne hat ein Stück seines

Besitzes, seiner Machtvollkommenheit, der aggressiven und vindikativen Neigungen seiner Persönlichkeit abgetreten; aus diesen Beiträgen ist der gemeinsame Kulturbesitz an materiellen und ideellen Gütern entstanden. Außer der Lebensnot sind es wohl die aus der Erotik abgeleiteten Familiengefühle, welche die einzelnen Individuen zu diesem Verzichte bewogen haben. Der Verzicht ist ein im Laufe der Kulturentwicklung progressiver gewesen; die einzelnen Fortschritte desselben wurden von der Religion sanktioniert; das Stück Triebbefriedigung, auf das man verzichtet hatte, wurde der Gottheit zum Opfer gebracht; das so erworbene Gemeingut für »heilig« erklärt. Wer kraft seiner unbeugsamen Konstitution diese Triebunterdrückung nicht mitmachen kann, steht der Gesellschaft als »Verbrecher«, als »*outlaw*« gegenüber, insofern nicht seine soziale Position und seine hervorragenden Fähigkeiten ihm gestatten, sich in ihr als großer Mann, als »Held« durchzusetzen.

Der Sexualtrieb – oder richtiger gesagt: die Sexualtriebe, denn eine analytische Untersuchung lehrt, daß der Sexualtrieb aus vielen Komponenten, Partialtrieben, zusammengesetzt ist – ist beim Menschen wahrscheinlich stärker ausgebildet als bei den meisten höheren Tieren und jedenfalls stetiger, da er die Periodizität fast völlig überwunden hat, an die er sich bei den Tieren gebunden zeigt. Er stellt der Kulturarbeit außerordentlich große Kraftmengen zur Verfügung, und dies zwar infolge der bei ihm besonders ausgeprägten Eigentümlichkeit, sein Ziel verschieben zu können, ohne wesentlich an Intensität abzunehmen. Man nennt diese Fähigkeit, das ursprünglich sexuelle Ziel gegen ein anderes, nicht mehr sexuelles, aber psychisch mit ihm verwandtes, zu vertauschen, die Fähigkeit zur *Sublimierung*. Im Gegensatze zu dieser Verschiebbarkeit, in welcher sein kultureller Wert besteht, kommt beim Sexualtrieb auch besonders hartnäckige Fixierung vor, durch die er unverwertbar wird und gelegentlich zu den sogenannten Abnormitäten entartet. Die ursprüngliche Stärke des Sexualtriebes ist

wahrscheinlich bei den einzelnen Individuen verschieden
groß; sicherlich schwankend ist der von ihm zur Sublimierung geeignete Betrag. Wir stellen uns vor, daß es zunächst
durch die mitgebrachte Organisation entschieden ist, ein
wie großer Anteil des Sexualtriebes sich beim einzelnen als
sublimierbar und verwertbar erweisen wird; außerdem gelingt es den Einflüssen des Lebens und der intellektuellen
Beeinflussung des seelischen Apparates einen weiteren Anteil zur Sublimierung zu bringen. Ins Unbegrenzte fortzusetzen ist dieser Verschiebungsprozeß aber sicherlich nicht,
so wenig wie die Umsetzung der Wärme in mechanische
Arbeit bei unseren Maschinen. Ein gewisses Maß direkter
sexueller Befriedigung scheint für die allermeisten Organi-
sationen unerläßlich, und die Versagung dieses individuell
variablen Maßes straft sich durch Erscheinungen, die wir
infolge ihrer Funktionsschädlichkeit und ihres subjektiven
Unlustcharakters zum Kranksein rechnen müssen.
Weitere Ausblicke eröffnen sich, wenn wir die Tatsache in
Betracht ziehen, daß der Sexualtrieb des Menschen ursprünglich gar nicht den Zwecken der Fortpflanzung dient,
sondern bestimmte Arten der Lustgewinnung zum Ziele
hat.* Er äußert sich so in der Kindheit des Menschen, wo
er sein Ziel der Lustgewinnung nicht nur an den Genitalien,
sondern auch an anderen Körperstellen (erogenen Zonen)
erreicht und darum von anderen als diesen bequemen Ob-
jekten absehen darf. Wir heißen dieses Stadium das des
*Autoerotismus* und weisen der Erziehung die Aufgabe, es
einzuschränken, zu, weil das Verweilen bei demselben den
Sexualtrieb für später unbeherrschbar und unverwertbar
machen würde. Die Entwicklung des Sexualtriebes geht
dann vom Autoerotismus zur Objektliebe und von der
Autonomie der erogenen Zonen zur Unterordnung derselben
unter das Primat der in den Dienst der Fortpflanzung ge-
stellten Genitalien. Während dieser Entwicklung wird ein

* Drei Abhandlungen zur Sexualtheorie. Wien 1905. [Ges. Werke,
Bd. V.]

Anteil der vom eigenen Körper gelieferten Sexualerregung
als unbrauchbar für die Fortpflanzungsfunktion gehemmt
und im günstigen Falle der Sublimierung zugeführt. Die für
die Kulturarbeit verwertbaren Kräfte werden so zum großen Teile durch die Unterdrückung der sogenannt *perversen* Anteile der Sexualerregung gewonnen.

Mit Bezug auf diese Entwicklungsgeschichte des Sexualtriebes könnte man also drei Kulturstufen unterscheiden: Eine
erste, auf welcher die Betätigung des Sexualtriebes auch
über die Ziele der Fortpflanzung hinaus frei ist; eine zweite,
auf welcher alles am Sexualtrieb unterdrückt ist bis auf das,
was der Fortpflanzung dient, und eine dritte, auf welcher
nur die legitime Fortpflanzung als Sexualziel zugelassen
wird. Dieser dritten Stufe entspricht unsere gegenwärtige
»kulturelle« Sexualmoral.

Nimmt man die zweite dieser Stufen zum Niveau, so muß
man zunächst konstatieren, daß eine Anzahl von Personen
aus Gründen der Organisation den Anforderungen derselben
nicht genügt. Bei ganzen Reihen von Individuen hat sich
die erwähnte Entwicklung des Sexualtriebes vom Autoerotismus zur Objektliebe mit dem Ziel der Vereinigung der
Genitalien nicht korrekt und nicht genug durchgreifend
vollzogen, und aus diesen Entwicklungsstörungen ergeben
sich zweierlei schädliche Abweichungen von der normalen,
das heißt kulturförderlichen Sexualität, die sich zueinander
nahezu wie positiv und negativ verhalten. Es sind dies zunächst – abgesehen von den Personen mit überstarkem und
unhemmbarem Sexualtrieb überhaupt – die verschiedenen
Gattungen der *Perversen*, bei denen eine infantile Fixierung
auf ein vorläufiges Sexualziel das Primat der Fortpflanzungsfunktion aufgehalten hat, und die *Homosexuellen*
oder *Invertierten*, bei denen auf noch nicht ganz aufge-
klärte Weise das Sexualziel vom entgegengesetzten Geschlecht abgelenkt worden ist. Wenn die Schädlichkeit dieser beiden Arten von Entwicklungsstörung geringer ausfällt,
als man hätte erwarten können, so ist diese Erleichterung

gerade auf die komplexe Zusammensetzung des Sexualtriebes zurückzuführen, welche auch dann noch eine brauch-
bare Endgestaltung des Sexuallebens ermöglicht, wenn ein
oder mehrere Komponenten des Triebes sich von der Entwicklung ausgeschlossen haben. Die Konstitution der von
der Inversion Betroffenen, der Homosexuellen, zeichnet
sich sogar häufig durch eine besondere Eignung des Sexualtriebes zur kulturellen Sublimierung aus.

Stärkere und zumal exklusive Ausbildungen der Perversionen und der Homosexualität machen allerdings deren Trä-
ger sozial unbrauchbar und unglücklich, so daß selbst die
Kulturanforderungen der zweiten Stufe als eine Quelle des
Leidens für einen gewissen Anteil der Menschheit anerkannt
werden müssen. Das Schicksal dieser konstitutiv von den
anderen abweichenden Personen ist ein mehrfaches, je nachdem sie einen absolut starken oder schwächeren Ge-
schlechtstrieb mitbekommen haben. Im letzteren Falle, bei
allgemein schwachem Sexualtrieb, gelingt den Perversen die
völlige Unterdrückung jener Neigungen, welche sie in Konflikt mit der Moralforderung ihrer Kulturstufe bringen.
Aber dies bleibt auch, ideell betrachtet, die einzige Leistung, die ihnen gelingt, denn für diese Unterdrückung ihrer
sexuellen Triebe verbrauchen sie die Kräfte, die sie sonst an
die Kulturarbeit wenden würden. Sie sind gleichsam in sich
gehemmt und nach außen gelähmt. Es trifft für sie zu, was
wir später von der Abstinenz der Männer und Frauen, die
auf der dritten Kulturstufe gefordert wird, wiederholen
werden.

Bei intensiverem, aber perversem Sexualtrieb sind zwei Fälle
des Ausganges möglich. Der erste, weiter nicht zu betrach-
tende, ist der, daß die Betroffenen pervers bleiben und die
Konsequenzen ihrer Abweichung vom Kulturniveau zu tragen haben. Der zweite Fall ist bei weitem interessanter – er
besteht darin, daß unter dem Einflusse der Erziehung und
der sozialen Anforderungen allerdings eine Unterdrückung
der perversen Triebe erreicht wird, aber eine Art von

Unterdrückung, die eigentlich keine solche ist, die besser als ein Mißglücken der Unterdrückung bezeichnet werden kann. Die gehemmten Sexualtriebe äußern sich zwar dann nicht als solche: darin besteht der Erfolg – aber sie äußern sich auf andere Weisen, die für das Individuum genau ebenso schädlich sind und es für die Gesellschaft ebenso unbrauchbar machen wie die unveränderte Befriedigung jener unterdrückten Triebe: darin liegt dann der Mißerfolg des Prozesses, der auf die Dauer den Erfolg mehr als bloß aufwiegt. Die Ersatzerscheinungen, die hier infolge der Triebunterdrückung auftreten, machen das aus, was wir als Nervosität, spezieller als Psychoneurosen (siehe eingangs) beschreiben. Die Neurotiker sind jene Klasse von Menschen, die es bei widerstrebender Organisation unter dem Einflusse der Kulturanforderungen zu einer nur scheinbaren und immer mehr mißglückenden Unterdrückung ihrer Triebe bringen, und die darum ihre Mitarbeiterschaft an den Kulturwerken nur mit großem Kräfteaufwand, unter innerer Verarmung, aufrechterhalten oder zeitweise als Kranke aussetzen müssen. Die Neurosen aber habe ich als das »Negativ« der Perversionen bezeichnet, weil sich bei ihnen die perversen Regungen nach der Verdrängung aus dem Unbewußten des Seelischen äußern, weil sie dieselben Neigungen wie die positiv Perversen im »verdrängten« Zustand enthalten.

Die Erfahrung lehrt, daß es für die meisten Menschen eine Grenze gibt, über die hinaus ihre Konstitution der Kulturanforderung nicht folgen kann. Alle, die edler sein wollen, als ihre Konstitution es ihnen gestattet, verfallen der Neurose; sie hätten sich wohler befunden, wenn es ihnen möglich geblieben wäre, schlechter zu sein. Die Einsicht, daß Perversion und Neurose sich wie positiv und negativ zueinander verhalten, findet oft eine unzweideutige Bekräftigung durch Beobachtung innerhalb der nämlichen Generation. Recht häufig ist von Geschwistern der Bruder ein sexuell Perverser, die Schwester, die mit dem schwächeren

Sexualtrieb als Weib ausgestattet ist, eine Neurotika, deren Symptome aber dieselben Neigungen ausdrücken wie die Perversionen des sexuell aktiveren Bruders, und dementsprechend sind überhaupt in vielen Familien die Männer gesund, aber in sozial unerwünschtem Maße unmoralisch, die Frauen edel und überverfeinert, aber – schwer nervös.

Es ist eine der offenkundigen sozialen Ungerechtigkeiten, wenn der kulturelle Standard von allen Personen die nämliche Führung des Sexuallebens fordert, die den einen dank ihrer Organisation mühelos gelingt, während sie den anderen die schwersten psychischen Opfer auferlegt, eine Ungerechtigkeit freilich, die zumeist durch Nichtbefolgung der Moralvorschriften vereitelt wird.

Wir haben unseren Betrachtungen bisher die Forderung der zweiten, von uns supponierten, Kulturstufe zugrunde gelegt, derzufolge jede sogenannte perverse Sexualbetätigung verpönt, der normal genannte Sexualverkehr hingegen freigelassen wird. Wir haben gefunden, daß auch bei dieser Verteilung von sexueller Freiheit und Einschränkung eine Anzahl von Individuen als pervers beiseite geschoben, eine andere, die sich bemühen, nicht pervers zu sein, während sie es konstitutiv sein sollten, in die Nervosität gedrängt wird. Es ist nun leicht, den Erfolg vorherzusagen, der sich einstellen wird, wenn man die Sexualfreiheit weiter einschränkt und die Kulturforderung auf das Niveau der dritten Stufe erhöht, also jede andere Sexualbetätigung als die in legitimer Ehe verpönt. Die Zahl der Starken, die sich in offenen Gegensatz zur Kulturforderung stellen, wird in außerordentlichem Maße vermehrt werden, und ebenso die Zahl der Schwächeren, die sich in ihrem Konflikte zwischen dem Drängen der kulturellen Einflüsse und dem Widerstande ihrer Konstitution in neurotisches Kranksein – flüchten.

Setzen wir uns vor, drei hier entspringende Fragen zu beantworten: 1. welche Aufgabe die Kulturforderung der dritten Stufe an den einzelnen stellt, 2. ob die zugelassene legitime Sexualbefriedigung eine annehmbare Entschädigung

für den sonstigen Verzicht zu bieten vermag, 3. in welchem
Verhältnisse die etwaigen Schädigungen durch diesen Verzicht zu dessen kulturellen Ausnützungen stehen.

Die Beantwortung der ersten Frage rührt an ein oftmals
behandeltes, hier nicht zu erschöpfendes Problem, das der
sexuellen Abstinenz. Was unsere dritte Kulturstufe von dem
einzelnen fordert, ist die Abstinenz bis zur Ehe für beide
Geschlechter, die lebenslange Abstinenz für alle solche, die
keine legitime Ehe eingehen. Die allen Autoritäten genehme
Behauptung, die sexuelle Abstinenz sei nicht schädlich und
nicht gar schwer durchzuführen, ist vielfach auch von Ärzten vertreten worden. Man darf sagen, die Aufgabe der
Bewältigung einer so mächtigen Regung wie des Sexualtriebes, anders als auf dem Wege der Befriedigung, ist eine, die
alle Kräfte eines Menschen in Anspruch nehmen kann. Die
Bewältigung durch Sublimierung, durch Ablenkung der
sexuellen Triebkräfte vom sexuellen Ziele weg auf höhere
kulturelle Ziele gelingt einer Minderzahl, und wohl auch
dieser nur zeitweilig, am wenigsten leicht in der Lebenszeit
feuriger Jugendkraft. Die meisten anderen werden neuro-
tisch oder kommen sonst zu Schaden. Die Erfahrung zeigt,
daß die Mehrzahl der unsere Gesellschaft zusammensetzen-
den Personen der Aufgabe der Abstinenz konstitutionell
nicht gewachsen ist. Wer auch bei milderer Sexualeinschränkung erkrankt wäre, erkrankt unter den Anforderungen
unserer heutigen kulturellen Sexualmoral um so eher und
um so intensiver, denn gegen die Bedrohung des normalen
Sexualstrebens durch fehlerhafte Anlagen und Entwicklungsstörungen kennen wir keine bessere Sicherung als die
Sexualbefriedigung selbst. Je mehr jemand zur Neurose
disponiert ist, desto schlechter verträgt er die Abstinenz;
die Partialtriebe, die sich der normalen Entwicklung im
oben niedergelegten Sinne entzogen haben, sind nämlich
auch gleichzeitig um soviel unhemmbarer geworden. Aber
auch diejenigen, welche bei den Anforderungen der zweiten
Kulturstufe gesund geblieben wären, werden nun in großer

Anzahl der Neurose zugeführt. Denn der psychische Wert
der Sexualbefriedigung erhöht sich mit ihrer Versagung; die
gestaute Libido wird nun in den Stand gesetzt, irgendeine
der selten fehlenden schwächeren Stellen im Aufbau der
Vita sexualis auszuspüren, um dort zur neurotischen Ersatzbefriedigung in Form krankhafter Symptome durchzubre-
chen. Wer in die Bedingtheit nervöser Erkrankung einzu-
dringen versteht, verschafft sich bald die Überzeugung, daß
die Zunahme der nervösen Erkrankungen in unserer Gesellschaft von der Steigerung der sexuellen Einschränkung her-
rührt.

Wir rücken dann der Frage näher, ob nicht der Sexualverkehr in legitimer Ehe eine volle Entschädigung für die Einschränkung vor der Ehe bieten kann. Das Material zur ver-
neinenden Beantwortung dieser Frage drängt sich da so
reichlich auf, daß uns die knappste Fassung zur Pflicht
wird. Wir erinnern vor allem daran, daß unsere kulturelle
Sexualmoral auch den sexuellen Verkehr in der Ehe selbst
beschränkt, indem sie den Eheleuten den Zwang auferlegt,
sich mit einer meist sehr geringen Anzahl von Kinderzeu-
gungen zu begnügen. Infolge dieser Rücksicht gibt es be-
friedigenden Sexualverkehr in der Ehe nur durch einige
Jahre, natürlich noch mit Abzug der zur Schonung der
Frau aus hygienischen Gründen erforderten Zeiten. Nach
diesen drei, vier oder fünf Jahren versagt die Ehe, insofern
sie die Befriedigung der sexuellen Bedürfnisse versprochen
hat; denn alle Mittel, die sich bisher zur Verhütung der
Konzeption ergeben haben, verkümmern den sexuellen Genuß, stören die feinere Empfindlichkeit beider Teile oder
wirken selbst direkt krankmachend; mit der Angst vor den
Folgen des Geschlechtsverkehres schwindet zuerst die körperliche Zärtlichkeit der Ehegatten füreinander, in weiterer
Folge meist auch die seelische Zuneigung, die bestimmt war,
das Erbe der anfänglichen stürmischen Leidenschaft zu
übernehmen. Unter der seelischen Enttäuschung und körperlichen Entbehrung, die so das Schicksal der meisten Ehen

wird, finden sich beide Teile auf den früheren Zustand vor
der Ehe zurückversetzt, nur um eine Illusion verarmt und
von neuem auf ihre Festigkeit, den Sexualtrieb zu beherrschen und abzulenken, angewiesen. Es soll nicht untersucht
werden, inwieweit diese Aufgabe nun dem Manne im reiferen Lebensalter gelingt; erfahrungsgemäß bedient er sich
nun recht häufig des Stückes Sexualfreiheit, welches ihm
auch von der strengsten Sexualordnung, wenngleich nur
stillschweigend und widerwillig, eingeräumt wird; die für
den Mann in unserer Gesellschaft geltende »doppelte«
Sexualmoral ist das beste Eingeständnis, daß die Gesellschaft selbst, welche die Vorschriften erlassen hat, nicht an
deren Durchführbarkeit glaubt. Die Erfahrung zeigt aber
auch, daß die Frauen, denen als den eigentlichen Trägerin-
nen der Sexualinteressen des Menschen die Gabe der Sublimierung des Triebes nur in geringem Maße zugeteilt ist,
denen als Ersatz des Sexualobjektes zwar der Säugling,
aber nicht das heranwachsende Kind genügt, daß die
Frauen, sage ich, unter den Enttäuschungen der Ehe an
schweren und das Leben dauernd trübenden Neurosen er-
kranken. Die Ehe hat unter den heutigen kulturellen Bedingungen längst aufgehört, das Allheilmittel gegen die nervösen Leiden des Weibes zu sein; und wenn wir Ärzte auch
noch immer in solchen Fällen zu ihr raten, so wissen wir
doch, daß im Gegenteil ein Mädchen recht gesund sein muß,
um die Ehe zu »vertragen«, und raten unseren männlichen
Klienten dringend ab, ein bereits vor der Ehe nervöses Mädchen zur Frau zu nehmen. Das Heilmittel gegen die aus der
Ehe entspringende Nervosität wäre vielmehr die eheliche
Untreue; je strenger eine Frau erzogen ist, je ernsthafter sie
sich der Kulturforderung unterworfen hat, desto mehr
fürchtet sie aber diesen Ausweg, und im Konflikte zwischen
ihren Begierden und ihrem Pflichtgefühl sucht sie ihre Zuflucht wiederum – in der Neurose. Nichts anderes schützt
ihre Tugend so sicher wie die Krankheit. Der eheliche Zustand, auf den der Sexualtrieb des Kulturmenschen wäh-

rend seiner Jugend vertröstet wurde, kann also die Anforderungen seiner eigenen Lebenszeit nicht decken; es ist keine
Rede davon, daß er für den früheren Verzicht entschädigen
könnte.

Auch wer diese Schädigungen durch die kulturelle Sexualmoral zugibt, kann zur Beantwortung unserer dritten Frage
geltend machen, daß der kulturelle Gewinn aus der so weit
getriebenen Sexualeinschränkung diese Leiden, die in schwerer Ausprägung doch nur eine Minderheit betreffen, wahrscheinlich mehr als bloß aufwiegt. Ich erkläre mich für unfähig, Gewinn und Verlust hier richtig gegeneinander ab-
zuwägen, aber zur Einschätzung der Verlustseite könnte
ich noch allerlei anführen. Auf das vorhin gestreifte Thema
der Abstinenz zurückgreifend, muß ich behaupten, daß die
Abstinenz noch andere Schädigungen bringt als die der
Neurosen und daß diese Neurosen meist nicht nach ihrer
vollen Bedeutung veranschlagt werden.

Die Verzögerung der Sexualentwicklung und Sexualbetätigung, welche unsere Erziehung und Kultur anstrebt, ist zunächst gewiß unschädlich; sie wird zur Notwendigkeit,
wenn man in Betracht zieht, in wie späten Jahren erst die
jungen Leute gebildeter Stände zu selbständiger Geltung
und zum Erwerb zugelassen werden. Man wird hier übrigens an den intimen Zusammenhang aller unserer kulturellen Institutionen und an die Schwierigkeit gemahnt, ein
Stück derselben ohne Rücksicht auf das Ganze abzuändern.
Die Abstinenz weit über das zwanzigste Jahr hinaus ist
aber für den jungen Mann nicht mehr unbedenklich und
führt zu anderen Schädigungen, auch wo sie nicht zur Nervosität führt. Man sagt zwar, der Kampf mit dem mächtigen Triebe und die dabei erforderliche Betonung aller ethischen und ästhetischen Mächte im Seelenleben »stähle« den
Charakter, und dies ist für einige besonders günstig organi-
sierte Naturen richtig; zuzugeben ist auch, daß die in unserer Zeit so ausgeprägte Differenzierung der individuellen
Charaktere erst mit der Sexualeinschränkung möglich ge-

worden ist. Aber in der weitaus größeren Mehrheit der
Fälle zehrt der Kampf gegen die Sinnlichkeit die verfüg-
bare Energie des Charakters auf und dies gerade zu einer
Zeit, in welcher der junge Mann all seiner Kräfte bedarf,
um sich seinen Anteil und Platz in der Gesellschaft zu erobern. Das Verhältnis zwischen möglicher Sublimierung
und notwendiger sexueller Betätigung schwankt natürlich
sehr für die einzelnen Individuen und sogar für die verschiedenen Berufsarten. Ein abstinenter Künstler ist kaum
recht möglich, ein abstinenter junger Gelehrter gewiß keine
Seltenheit. Der letztere kann durch Enthaltsamkeit freie
Kräfte für sein Studium gewinnen, beim ersteren wird
wahrscheinlich seine künstlerische Leistung durch sein
sexuelles Erleben mächtig angeregt werden. Im allgemeinen
habe ich nicht den Eindruck gewonnen, daß die sexuelle
Abstinenz energische, selbständige Männer der Tat oder
originelle Denker, kühne Befreier und Reformer heranbil-
den helfe, weit häufiger brave Schwächlinge, welche später
in die große Masse eintauchen, die den von starken Individuen gegebenen Impulsen widerstrebend zu folgen pflegt.
Daß der Sexualtrieb im ganzen sich eigenwillig und unge-
fügig benimmt, kommt auch in den Ergebnissen der Ab-
stinenzbemühung zum Ausdruck. Die Kulturerziehung
strebe etwa nur seine zeitweilige Unterdrückung bis zur
Eheschließung an und beabsichtige ihn dann freizulassen,
um sich seiner zu bedienen. Aber gegen den Trieb gelingen
die extremen Beeinflussungen leichter noch als die Mäßi-
gungen; die Unterdrückung ist sehr oft zu weit gegangen
und hat das unerwünschte Resultat ergeben, daß der Sexualtrieb nach seiner Freilassung dauernd geschädigt erscheint.
Darum ist oft volle Abstinenz während der Jugendzeit
nicht die beste Vorbereitung für die Ehe beim jungen
Manne. Die Frauen ahnen dies und ziehen unter ihren Be-
werbern diejenigen vor, die sich schon bei anderen Frauen
als Männer bewährt haben. Ganz besonders greifbar sind

die Schädigungen, welche durch die strenge Forderung der Abstinenz bis zur Ehe am Wesen der Frau hervorgerufen werden. Die Erziehung nimmt die Aufgabe, die Sinnlichkeit des Mädchens bis zu seiner Verehelichung zu unterdrücken, offenbar nicht leicht, denn sie arbeitet mit den schärfsten Mitteln. Sie untersagt nicht nur den sexuellen Verkehr, setzt hohe Prämien auf die Erhaltung der weiblichen Unschuld, sondern sie entzieht das reifende weibliche Individuum auch der Versuchung, indem sie es in Unwissenheit über alles Tatsächliche der ihm bestimmten Rolle erhält und keine Liebesregung, die nicht zur Ehe führen kann, bei ihm duldet. Der Erfolg ist, daß die Mädchen, wenn ihnen das Verlieben plötzlich von den elterlichen Autoritäten gestattet wird, die psychische Leistung nicht zustande bringen und ihrer eigenen Gefühle unsicher in die Ehe gehen. Infolge der künstlichen Verzögerung der Liebesfunktion bereiten sie dem Manne, der all sein Begehren für sie aufgespart hat, nur Enttäuschungen; mit ihren seelischen Gefühlen hängen sie noch den Eltern an, deren Autorität die Sexualunterdrückung bei ihnen geschaffen hat, und im körperlichen Verhalten zeigen sie sich frigid, was jeden höherwertigen Sexualgenuß beim Manne verhindert. Ich weiß nicht, ob der Typus der anästhetischen Frau auch außerhalb der Kulturerziehung vorkommt, halte es aber für wahrscheinlich. Jedenfalls wird er durch die Erziehung geradezu gezüchtet, und diese Frauen, die ohne Lust empfangen, zeigen dann wenig Bereitwilligkeit, des öfteren mit Schmerzen zu gebären. So werden durch die Vorbereitung zur Ehe die Zwecke der Ehe selbst vereitelt; wenn dann die Entwicklungsverzögerung bei der Frau überwunden ist und auf der Höhe ihrer weiblichen Existenz die volle Liebesfähigkeit bei ihr erwacht, ist ihr Verhältnis zum Ehemanne längst verdorben; es bleibt ihr als Lohn für ihre bisherige Gefügigkeit die Wahl zwischen ungestilltem Sehnen, Untreue oder Neurose.

Das sexuelle Verhalten eines Menschen ist oft *vorbildlich* für seine ganze sonstige Reaktionsweise in der Welt. Wer als Mann sein Sexualobjekt energisch erobert, dem trauen wir ähnliche rücksichtslose Energie auch in der Verfolgung anderer Ziele zu. Wer hingegen auf die Befriedigung seiner starken sexuellen Triebe aus allerlei Rücksichten verzichtet, der wird sich auch anderwärts im Leben eher konziliant und resigniert als tatkräftig benehmen. Eine spezielle Anwendung dieses Satzes von der Vorbildlichkeit des Sexuallebens für andere Funktionsausübung kann man leicht am ganzen Geschlechte der Frauen konstatieren. Die Erziehung versagt ihnen die intellektuelle Beschäftigung mit den Sexualproblemen, für die sie doch die größte Wißbegierde mitbringen, schreckt sie mit der Verurteilung, daß solche Wißbegierde unweiblich und Zeichen sündiger Veranlagung sei. Damit sind sie vom Denken überhaupt abgeschreckt, wird das Wissen für sie entwertet. Das Denkverbot greift über die sexuelle Sphäre hinaus, zum Teil infolge der unvermeidlichen Zusammenhänge, zum Teil automatisch, ganz ähnlich wie das religiöse Denkverbot bei Männern, das loyale bei braven Untertanen. Ich glaube nicht, daß der biologische Gegensatz zwischen intellektueller Arbeit und Geschlechtstätigkeit den »physiologischen Schwachsinn« der Frau erklärt, wie *Moebius* es in seiner vielfach widersprochenen Schrift dargetan hat. Dagegen meine ich, daß die unzweifelhafte Tatsache der intellektuellen Inferiorität so vieler Frauen auf die zur Sexualunterdrückung erforderliche Denkhemmung zurückzuführen ist.

Man unterscheidet viel zu wenig strenge, wenn man die Frage der Abstinenz behandelt, zwei Formen derselben, die Enthaltung von jeder Sexualbetätigung überhaupt und die Enthaltung vom sexuellen Verkehre mit dem anderen Geschlechte. Vielen Personen, die sich der gelungenen Abstinenz rühmen, ist dieselbe nur mit Hilfe der Masturbation und ähnlicher Befriedigungen möglich geworden, die an die

autoerotischen Sexualtätigkeiten der frühen Kindheit anknüpfen. Aber gerade dieser Beziehung wegen sind diese
Ersatzmittel zur sexuellen Befriedigung keineswegs harmlos; sie disponieren zu den zahlreichen Formen von Neurosen und Psychosen, für welche die Rückbildung des Sexuallebens zu seinen infantilen Formen die Bedingung ist. Die
Masturbation entspricht auch keineswegs den idealen Anforderungen der kulturellen Sexualmoral und treibt darum
die jungen Menschen in die nämlichen Konflikte mit dem
Erziehungsideale, denen sie durch die Abstinenz entgehen
wollten. Sie verdirbt ferner den Charakter durch *Verwöh-*
*nung* auf mehr als eine Weise, erstens, indem sie bedeutsame
Ziele mühelos, auf bequemen Wegen, anstatt durch energische Kraftanspannung erreichen lehrt, also nach dem Prin-
zipe der *sexuellen Vorbildlichkeit*, und zweitens, indem sie
in den die Befriedigung begleitenden Phantasien das Sexualobjekt zu einer Vorzüglichkeit erhebt, die in der Realität
nicht leicht wiedergefunden wird. Konnte doch ein geist-
reicher Schriftsteller (Karl *Kraus* in der Wiener »Fackel«),
den Spieß umdrehend, die Wahrheit in dem Zynismus aussprechen: Der Koitus ist nur ein ungenügendes Surrogat für
die Onanie!

Die Strenge der Kulturforderung und die Schwierigkeit der
Abstinenzaufgabe haben zusammengewirkt, um die Vermei-
dung der Vereinigung der Genitalien verschiedener Geschlechter zum Kerne der Abstinenz zu machen und andere
Arten der sexuellen Betätigung zu begünstigen, die sozusagen einem Halbgehorsam gleichkommen. Seitdem der normale Sexualverkehr von der Moral – und wegen der Infek-
tionsmöglichkeiten auch von der Hygiene – so unerbittlich
verfolgt wird, haben die sogenannten perversen Arten des
Verkehrs zwischen beiden Geschlechtern, bei denen andere
Körperstellen die Rolle der Genitalien übernehmen, an sozialer Bedeutung unzweifelhaft zugenommen. Diese Betäti-
gungen können aber nicht so harmlos beurteilt werden wie

analoge Überschreitungen im Liebesverkehre, sie sind ethisch
verwerflich, da sie die Liebesbeziehungen zweier Menschen
aus einer ernsten Sache zu einem bequemen Spiele ohne Gefahr und ohne seelische Beteiligung herabwürdigen. Als
weitere Folge der Erschwerung des normalen Sexuallebens
ist die Ausbreitung homosexueller Befriedigung anzuführen;
zu all denen, die schon nach ihrer Organisation Homosexuelle sind oder in der Kindheit dazu wurden, kommt
noch die große Anzahl jener hinzu, bei denen in reiferen
Jahren wegen der Absperrung des Hauptstromes der Libido
der homosexuelle Seitenarm breit geöffnet wird.

Alle diese unvermeidlichen und unbeabsichtigten Konsequenzen der Abstinenzforderung treffen in dem einen Gemeinsamen zusammen, daß sie die Vorbereitung für die
Ehe gründlich verderben, die doch nach der Absicht der
kulturellen Sexualmoral die alleinige Erbin der sexuellen
Strebungen werden sollte. Alle die Männer, die infolge
masturbatorischer oder perverser Sexualübung ihre Libido
auf andere als die normalen Situationen und Bedingungen
der Befriedigung eingestellt haben, entwickeln in der Ehe
eine verminderte Potenz. Auch die Frauen, denen es nur
durch ähnliche Hilfen möglich blieb, ihre Jungfräulichkeit
zu bewahren, zeigen sich in der Ehe für den normalen Verkehr anästhetisch. Die mit herabgesetzter Liebesfähigkeit
beider Teile begonnene Ehe verfällt dem Auflösungspro-
zesse nur noch rascher als eine andere. Infolge der geringen
Potenz des Mannes wird die Frau nicht befriedigt, bleibt
auch dann anästhetisch, wenn ihre aus der Erziehung mitgebrachte Disposition zur Frigidität durch mächtiges sexuelles Erleben überwindbar gewesen wäre. Ein solches Paar
findet auch die Kinderverhütung schwieriger als ein gesun-
des, da die geschwächte Potenz des Mannes die Anwendung der Verhütungsmittel schlecht verträgt. In solcher
Ratlosigkeit wird der sexuelle Verkehr als die Quelle aller
Verlegenheiten bald aufgegeben und damit die Grundlage
des Ehelebens verlassen.

Ich fordere alle Kundigen auf zu bestätigen, daß ich nicht übertreibe, sondern Verhältnisse schildere, die ebenso arg in beliebiger Häufigkeit zu beobachten sind. Es ist wirklich für den Uneingeweihten ganz unglaublich, wie selten sich normale Potenz beim Manne und wie häufig sich Frigidität bei der weiblichen Hälfte der Ehepaare findet, die unter der Herrschaft unserer kulturellen Sexualmoral stehen, mit welchen Entsagungen, oft für beide Teile, die Ehe verbunden ist und worauf das Eheleben, das so sehnsüchtig erstrebte Glück, sich einschränkt. Daß unter diesen Verhältnissen der Ausgang in Nervosität der nächstliegende ist, habe ich schon ausgeführt; ich will aber noch hinzusetzen, in welcher Weise eine solche Ehe auf die in ihr entsprungenen – einzigen oder wenig zahlreichen – Kinder fortwirkt. Es kommt da der Anschein einer erblichen Übertragung zustande, der sich bei schärferem Zusehen in die Wirkung mächtiger infantiler Eindrücke auflöst. Die von ihrem Manne unbefriedigte neurotische Frau ist als Mutter überzärtlich und überängstlich gegen das Kind, auf das sie ihr Liebesbedürfnis überträgt, und weckt in demselben die sexuelle Frühreife. Das schlechte Einverständnis zwischen den Eltern reizt dann das Gefühlsleben des Kindes auf, läßt es im zartesten Alter Liebe, Haß und Eifersucht intensiv empfinden. Die strenge Erziehung, die keinerlei Betätigung des so früh geweckten Sexuallebens duldet, stellt die unterdrückende Macht bei, und dieser Konflikt in diesem Alter enthält alles, was es zur Verursachung der lebenslangen Nervosität bedarf.

Ich komme nun auf meine frühere Behauptung zurück, daß man bei der Beurteilung der Neurosen zumeist nicht deren volle Bedeutung in Betracht zieht. Ich meine damit nicht die Unterschätzung dieser Zustände, die sich in leichtsinnigem Beiseiteschieben von seiten der Angehörigen und in großtuerischen Versicherungen von seiten der Ärzte äußert, einige Wochen Kaltwasserkur oder einige Monate Ruhe und Erholung könnten den Zustand beseitigen. Das sind nur

mehr Meinungen von ganz unwissenden Ärzten und Laien,
zumeist nur Reden, dazu bestimmt, den Leidenden einen
kurzlebigen Trost zu bieten. Es ist vielmehr bekannt, daß
eine chronische Neurose, auch wenn sie die Existenzfähig-
keit nicht völlig aufhebt, eine schwere Lebensbelastung des
Individuums vorstellt, etwa im Range einer Tuberkulose
oder eines Herzfehlers. Auch könnte man sich damit ab-
finden, wenn die neurotischen Erkrankungen etwa nur eine
Anzahl von immerhin schwächeren Individuen von der
Kulturarbeit ausschließen und den anderen die Teilnahme
daran um den Preis von bloß subjektiven Beschwerden gestatten würden. Ich möchte vielmehr auf den Gesichtspunkt
aufmerksam machen, daß die Neurose, soweit sie reicht
und bei wem immer sie sich findet, die Kulturabsicht zu
vereiteln weiß und somit eigentlich die Arbeit der unterdrückten kulturfeindlichen Seelenkräfte besorgt, so daß die
Gesellschaft nicht einen mit Opfern erkauften Gewinn, sondern gar keinen Gewinn verzeichnen darf, wenn sie die Gefügigkeit gegen ihre weitgehenden Vorschriften mit der Zunahme der Nervosität bezahlt. Gehen wir z. B. auf den so
häufigen Fall einer Frau ein, die ihren Mann nicht liebt,
weil sie nach den Bedingungen ihrer Eheschließung und den
Erfahrungen ihres Ehelebens ihn zu lieben keinen Grund
hat, die ihren Mann aber durchaus lieben möchte, weil dies
allein dem Ideal der Ehe, zu dem sie erzogen wurde, entspricht. Sie wird dann alle Regungen in sich unterdrücken,
die der Wahrheit Ausdruck geben wollen und ihrem Ideal-
bestreben widersprechen, und wird besondere Mühe auf-
wenden, eine liebevolle, zärtliche und sorgsame Gattin zu
spielen. Neurotische Erkrankung wird die Folge dieser
Selbstunterdrückung sein, und diese Neurose wird binnen
kurzer Zeit an dem ungeliebten Manne Rache genommen
haben und bei ihm genau soviel Unbefriedigung und Sorge
hervorrufen, als sich nur aus dem Eingeständnisse des wahren Sachverhaltes ergeben hätte. Dieses Beispiel ist für die
Leistungen der Neurose geradezu typisch. Ein ähnliches

Mißlingen der Kompensation beobachtet man auch nach der Unterdrückung anderer, nicht direkt sexueller, kulturfeindlicher Regungen. Wer z. B. in der gewaltsamen Unterdrückung einer konstitutionellen Neigung zur Härte und Grausamkeit ein *Überguter* geworden ist, dem wird häufig dabei so viel an Energie entzogen, daß er nicht alles ausführt, was seinen Kompensationsregungen entspricht, und im ganzen doch eher weniger an Gutem leistet, als er ohne Unterdrückung zustande gebracht hätte.

Nehmen wir noch hinzu, daß mit der Einschränkung der sexuellen Betätigung bei einem Volke ganz allgemein eine Zunahme der Lebensängstlichkeit und der Todesangst einhergeht, welche die Genußfähigkeit der einzelnen stört und ihre Bereitwilligkeit, für irgendwelche Ziele den Tod auf sich zu nehmen, aufhebt, welche sich in der verminderten Neigung zur Kinderzeugung äußert, und dieses Volk oder diese Gruppe von Menschen vom Anteile an der Zukunft ausschließt, so darf man wohl die Frage aufwerfen, ob unsere »kulturelle« Sexualmoral der Opfer wert ist, welche sie uns auferlegt, zumal, wenn man sich vom Hedonismus nicht genug frei gemacht hat, um nicht ein gewisses Maß von individueller Glücksbefriedigung unter die Ziele unserer Kulturentwicklung aufzunehmen. Es ist gewiß nicht Sache des Arztes, selbst mit Reformvorschlägen hervorzutreten; ich meinte aber, ich könnte die Dringlichkeit solcher unterstützen, wenn ich die v. *Ehrenfels*sche Darstellung der Schädigungen durch unsere »kulturelle« Sexualmoral um den Hinweis auf deren Bedeutung für die Ausbreitung der modernen Nervosität erweitere.

## WILHELM II.

Geb. am 27. Januar 1859 in Potsdam als Enkel Wilhelms I. und Sohn Friedrichs III., gest. am 4. Juni 1941 in Haus Doorn (Provinz Utrecht, Niederlande). Heiratet 1881 Prinzessin Auguste Viktoria von Schleswig-Holstein-Sonderburg, seit 15. Juni 1888 König von Preußen und Deutscher Kaiser. Am 10. November 1918 Flucht über die niederländische Grenze nach Amerongen, Thronverzicht am 28. November 1918. Seit 1920 in Haus Doorn. Die im Vertrag von Versailles geforderte Auslieferung an die Entente von der niederländischen Regierung 1920 abgelehnt. Nach dem Tode Auguste Viktorias (1858–1921) heiratet er Prinzessin Hermine von Schönaich-Carolath, geb. Prinzessin Reuß (1887 bis 1947).

## Hunnenrede

*In China wurde im Sommer 1900 eine fremdenfeindliche Bewegung aktiv, die »Boxer«. Am 13. Juni erschienen sie vor Peking, unterbrachen die Telegraphenverbindungen und bedrohten die Gesandtenviertel. Nachdem ein Vorstoß des britischen Admirals Seymour mit einer 2000 Mann starken Truppe verschiedener europäischer Staaten zurückgewiesen worden war, herrschte in Europa große Besorgnis um das Schicksal der in Peking eingeschlossenen Europäer. Während die Reichsregierung noch Initiativen entwickelte, um den Oberbefehl über die geplante militärische Aktion für Feldmarschall Graf Waldersee zu sichern, wurde der Aufstand ohne deutsche Hilfe niedergeschlagen.*

*In der Rede an das erste Expeditionskorps am 2. Juli hatte der Kaiser den Sinn dieser Aktion religiös interpretiert: »Wir denken auch noch an was Höheres, an unsere Religion und die Verteidigung und den Schutz unserer Brüder da draußen, welche zum Teil mit ihrem Leben für den Heiland eingetreten sind.« Er hatte an die »Waffenehre« der Truppe appelliert und sie ermahnt, die Fahnen »rein und fleckenlos und ohne Makel« zurückzubringen. Dem widerspricht die sogenannte »Hunnenrede«, die er bei der Besichtigung der nach China abgehenden Truppen in Bremer-*

*haven am 27. Juli 1900 hielt. Der Befehl »Pardon wird
nicht gegeben« verrät die Traditionen von Ritterlichkeit
und Waffenehre, die der oberste Kriegsherr zuvor noch be-
schworen hatte; in dem Zusatz »euch« handelt es sich um
einen späteren redaktionellen Eingriff. Eyck urteilt: »Diese
Rede wird mit dem Namen Wilhelms II. immer verbunden
bleiben; aber auch auf den Namen des deutschen Volkes
hat sie leider einen schwarzen Schatten geworfen.« Dies,
obschon die allerhöchsten Kraftworte sogleich auf breite
Ablehnung in der Bevölkerung stießen. Politisch war die
rhetorische Aktion ebenso sinnlos wie die militärische.*

*Die Rede mag gelesen werden als Dokument für die poli-
tisch gefährliche Redelust des »Komödianten auf dem Kai-
serthron« (Thomas Mann), dessen hervorstechendes Charakteristikum eine grenzenlose Selbstüberschätzung war. Ob
er seine polnischen Untertanen in Thorn bedrohte: »Ich
kann auch sehr unangenehm sein und werde es, wenn erforderlich, auch werden«, ob er anläßlich der Vereidigung
von Marinerekruten in Wilhelmshaven äußerte: »Denn wo
der deutsche Aar Besitz ergriffen und die Krallen in ein
Land hineingesetzt hat, das ist deutsch und wird deutsch
bleiben«, oder ob er vor dem brandenburgischen Provinzial-
landtag bramarbasierte: »Brandenburger, zu Großem sind
wir noch bestimmt, und herrlichen Tagen führe Ich euch
noch entgegen« – stets wirkten seine Worte nicht nur
lächerlich, sondern erregten auch Befürchtungen, die das
Deutsche Reich als internationale Gefahr erscheinen ließen.*

*Die Reden des Kaisers waren aber nicht nur Äußerungen
imperialer Großmannssucht, sondern auch Ausdruck seiner
politischen Instinktlosigkeit.*

*Vielfach scheinen sie zudem das Urteil Egon Friedells zu
bestätigen, »daß Wilhelm II. in gewissem Sinne tatsächlich
die Aufgabe eines Königs vollkommen erfüllt hat, indem er
fast immer der Ausdruck der erdrückenden Mehrheit seiner
Untertanen gewesen ist, der Verfechter und Vollstrecker*

*ihrer Ideen, der Repräsentant ihres Weltbildes. Die meisten Deutschen der wilhelminischen Ära waren nichts anderes als Taschenausgaben, verkleinerte Kopien, Miniaturdrucke Kaiser Wilhelms.« Dies zu demonstrieren ist die Funktion der Hauptgestalt in Heinrich Manns Roman »Der Untertan«.*

Große überseeische Aufgaben sind es, die dem neu entstandenen Deutschen Reiche zugefallen sind, Aufgaben weit größer, als viele Meiner Landsleute es erwartet haben. Das Deutsche Reich hat seinem Charakter nach die Verpflichtung, seinen Bürgern, wofern diese im Ausland bedrängt werden, beizustehen. Die Aufgaben, welche das alte Römische Reich Deutscher Nation nicht hat lösen können, ist das neue Deutsche Reich in der Lage zu lösen. Das Mittel, das ihm dies ermöglicht, ist unser Heer.

In dreißigjähriger treuer Friedensarbeit ist es herangebildet worden nach den Grundsätzen Meines verewigten Großvaters. Auch ihr habt eure Ausbildung nach diesen Grundsätzen erhalten und sollt nun vor dem Feinde die Probe ablegen, ob sie sich bei euch bewährt haben. Eure Kameraden von der Marine haben diese Probe bereits bestanden, sie haben euch gezeigt, daß die Grundsätze unserer Ausbildung gute sind, und Ich bin stolz auf das Lob auch aus dem Munde auswärtiger Führer, das eure Kameraden draußen sich erworben haben. An euch ist es, es ihnen gleichzutun.

Eine große Aufgabe harrt eurer; ihr sollt das schwere Unrecht, das geschehen ist, sühnen. Die Chinesen haben das Völkerrecht umgeworfen, sie haben in einer in der Weltgeschichte nicht erhörten Weise der Heiligkeit des Gesandten, den Pflichten des Gastrechts hohngesprochen. Es ist das um so empörender, als dies Verbrechen begangen worden ist von einer Nation, die auf ihre uralte Kultur stolz ist. Bewährt die alte preußische Tüchtigkeit, zeigt euch als Christen im freudigen Ertragen von Leiden, möge Ehre und

Ruhm euren Fahnen und Waffen folgen, gebt an Manneszucht und Disziplin aller Welt ein Beispiel.
Ihr wißt es wohl, ihr sollt fechten gegen einen verschlage-
nen, tapferen, gut bewaffneten, grausamen Feind. Kommt
ihr an ihn, so wißt: *Pardon wird [euch] nicht gegeben, Ge-
fangene werden nicht gemacht. Führt eure Waffen so, daß
auf tausend Jahre hinaus kein Chinese mehr es wagt, einen
Deutschen scheel anzusehen.* Wahrt Manneszucht.
Der Segen Gottes sei mit euch, die Gebete eines ganzen
Volkes, Meine Wünsche begleiten euch, jeden einzelnen.
Öffnet der Kultur den Weg ein für allemal!
Nun könnt ihr reisen! Adieu Kameraden!

## KARL KRAUS

Geb. 28. April 1874 in Jicin (Böhmen), gest. 12. Juni 1936 in Wien.
Aus kinderreicher, wohlhabender Familie eines jüdischen Kaufmanns
und Papierfabrikanten. 1877 Übersiedlung der Familie nach Wien, dort
1892 Abitur. Versuche, als Schauspieler zu wirken, bleiben erfolglos.
Universitätsstudien (Jurisprudenz, Germanistik, Philosophie) in Wien
gibt er auf. Erfolgreiche Bemühungen, eine journalistische Karriere auf-
zubauen. 1899 Austritt aus der jüdischen Gemeinde. 1910 erste Vorlesung aus eigenen Werken (Berlin), 1911 Übertritt zur römisch-katho-
lischen Kirche (1923 Austritt), 1913 Beginn der Freundschaft mit Sido-
nie Nadherny von Borutin. 1915 in geheimgehaltener Friedensmission in
Italien. 1920 Störung einer Vorlesung und Verhinderung einer zweiten
durch antisemitisches Publikum in Innsbruck. 1926 schlagen Pariser
Professoren Kraus für den Nobelpreis vor. 1936 findet die 700. (und
letzte) Vorlesung statt.

## Apokalypse (Offener Brief an das Publikum)

*Das umfangreiche und vielfältige Lebenswerk von Karl
Kraus umfaßt neben zahlreichen essayistischen Arbeiten
(u. a. »Die demolierte Literatur«, 1897), Gedichten, Apho-
rismen und Nachdichtungen mehrere Dramen, unter denen*

vor allem »Die letzten Tage der Menschheit« (1918/19,
1922 in endgültiger Fassung) zu nennen ist. Im Mittelpunkt
des Werkes steht »Die Fackel«, die Kraus 1899 gründete
und die bis 1936 mit einigen Unterbrechungen in 922 Nummern zu 415 Heften erschien. Kraus nahm anfangs Beiträge
zahlreicher Mitarbeiter auf, unter anderm von Peter Altenberg, Richard Dehmel, Egon Friedell, Paul Heyse, Oskar
Kokoschka, Else Lasker-Schüler, Wilhelm Liebknecht, Detlev von Liliencron, Heinrich Mann, Franz Mehring, Arnold
Schönberg, August Strindberg, Frank Wedekind, Otto Weininger, Franz Werfel, Oscar Wilde. Seit 1911 enthielt das
Blatt nur noch Texte von Kraus. Jens Malte Fischer nennt
es »eine Mischung aus ›Chronik der laufenden Ereignisse‹,
rhetorische Tribüne und ›journal intime‹.« Der Erfolg war
zunächst über Erwarten groß; »Die Fackel« galt als Ent-
hüllungsblatt, indem sie Skandale aufdeckte. In dem 1908
erschienenen Sammelband »Sittlichkeit und Kriminalität«
mit »Fackel«-Texten wird indes deutlich, daß die Intentionen des Blattes als Kultur- und Gesellschaftskritik verstanden werden müssen. So auch ist das in der ersten Ausgabe
verkündete Motto zu verstehen: »Kein tönendes ›Was wir
bringen‹, aber ein ehrliches ›Was wir umbringen‹«. Kraus
übt diese Kritik vor allem an der Sprache seiner Zeit, die
ihm als Phrase in der Presse begegnete: es ist kein Zufall,
daß er bereits wenige Wochen nach der ersten Nummer
von Journalisten überfallen und mißhandelt wurde. Es entstand eine intime Feindschaft zwischen diesem Berufszweig
und Kraus, die ihn zeitlebens in Auseinandersetzungen ver-
wickelte. Mag die Satire von Kraus auch oft als persönlich
gefärbte Polemik erscheinen: Bert Brecht bestätigt ihm, daß
er eine »Kritik vom höchsten Standpunkt aus« übe, denn
»jeder neue Fortschritt, beinahe jede einzige Erfindung«
treibe »die Menschen in immer tiefere Entmenschung hinein [...] In einem riesigen Werk stellt Kraus, der erste
Schriftsteller unserer Zeit, die Entartung und Verworfen-
heit der zivilisierten Menschheit dar. Als Prüfstein dient

*ihm die Sprache, das Mittel der Verständigung zwischen Mensch und Mensch.«¹ Kraus ist aber dabei – anders als zum Beispiel Hofmannsthal – von unverbrüchlichem Vertrauen in die Kraft und Konsistenz der Sprache getragen. Die Anerkennung durch einen Marxisten mag überraschen, denn Kraus war zeitlebens konservativ und apolitisch, wie nicht nur Fischer urteilt; Benjamin hat im März 1931 in der Frankfurter Zeitung »das seltsame Wechselspiel« konstatiert »zwischen reaktionärer Theorie und revolutionärer Praxis«, das allenthalben bei Kraus zutage trete. Denn die Sprach- und Kulturkritik kommt aus einem Begriff von »Natur«, von dessen »gewiß romantischen Quellen« Helmut Arntzen spricht.*

*»Reaktionär«* in einem zivilisationskritischen Sinne ist Kraus, wie der Text »Apokalypse« aus der *Fackel* vom 13. Oktober 1908 zeigt, indem er das Mißverhältnis zwischen technischer Intelligenz – bevor noch ihre Produkte für militärische Zwecke mißbraucht wurden – und menschlicher Vernunft in ihrer Benutzung formuliert. Konkreter Anlaß ist die Luftschiffahrt: ein vom Grafen Zeppelin gebautes Luftschiff wurde 1908 bei Echterdingen durch eine Naturkatastrophe zerstört; eine Nationalspende erbrachte 6 Millionen Mark, um die Aktiengesellschaft des Grafen zu sanieren. Wilhelm II. überreichte ihm am 10. November 1908 den Schwarzen Adlerorden, nannte seine Erfindung »einen neuen Entwicklungspunkt des Menschengeschlechts« und ihn selbst »den größten Deutschen des zwanzigsten Jahrhunderts«. Gegenüber diesem Fortschrittspathos erscheint aber die »restaurative« Skepsis von Kraus hellsichtiger als die Kritik an ihr; im amtlichen Apologeten des Fortschritts erblickt er (in Anlehnung an die »Offenbarung Johannis« 6, 4) den apokalyptischen Reiter. Andere Anspielungen auf die Offenbarung Johannis, deren griechischer Titel »Apokalypse« mit »Enthüllung« zu übersetzen ist,

<hr>

1. Brecht: Gesammelte Werke. Bd. 19. Schriften zur Literatur und Kunst 2. Frankfurt a. M. 1967. S. 430–432.

stellen der eigenen Zeitgenossenschaft die Diagnose. Nicht
nur in den literarischen Techniken der Satire: dem Wort-
spiel, dem Aphorismus, der souveränen Verwendung von
Zitaten ist Kraus revolutionär; er ist es vor allem in der
klaren Sicht auf die soziale und politische Wirklichkeit, der
er mit philologischer Akribie die Diagnose stellt.
In der scheinbar so fest gefügten Welt der Donaumonarchie
und des Deutschen Reiches fanden sich lange vor 1914 war-
nende Stimmen. So prognostizierte Marie von Ebner-
Eschenbach in einem Brief vom 4. Dezember 1899, in dem
sie über die Lektüre antisemitischer Ausfälle in der »Neuen
Freien Presse« berichtet (dem Blatt, das dann Kraus vor
allen in der »Fackel« unnachsichtig angriff): »Die Verwil-
derung und Verdummung, die jetzt herrschen, sind notwendig. Die Menschen müssen zu dem Weltkrieg, der bevor-
steht, präpariert werden. Zu dem gegenseitigen Auffressen
schärft man sich jetzt die Zähne.« Wenige Zeitgenossen
aber haben so klar die Krankheit der Epoche erkannt und
namhaft gemacht. Die Diagnose behielt ihr Recht; in einer
der späten Nummern der »Fackel«, 1929, schreibt er über
seine frühen Glossen:
»Sie erschreckten mich, als ich sie nach Jahrzehnten wieder
las, durch ihre Aktualität. Vorwort zum Untergang waren
sie immer; Gott sei's geklagt, sind sie es noch heute, denn
der Untergang hat Entwicklung. Nichts liegt dazwischen
als der Mord der Millionen, nichts trat dazu als das große
Unheil, daß die Überlebenden ihn vergessen haben. Denn
nichts haben sie im Sinn als, bis zum künftigen Weltmord
– dem mit noch größerer Technik und noch geringerer
Phantasie gründlicheren – den Parasiten, Betrügern und
Würdenträgern zu opfern: Freiheit und Ehre, die Sprache
und das Leben selbst, Gut und Blut . . .«

## Apokalypse

(Offener Brief an das Publikum)

> »Den Überwinder will ich genießen
> lassen von dem Lebensholze, das in
> meines Gottes Paradiese steht.«[1]

Am 1. April 1909 wird aller menschlichen Voraussicht nach
die »Fackel« ihr Erscheinen einstellen. Den Weltuntergang
aber datiere ich von der Eröffnung der Luftschiffahrt.
Eine Verzögerung beider Ereignisse aus äußeren Gründen
könnte an meiner Berechtigung nichts ändern, sie vorherzusagen, und nichts an der Erkenntnis, daß beide ihre Wurzel in demselben phänomenalen Übel haben: in dem fieber-
haften Fortschritt der menschlichen Dummheit.
Es ist meine Religion, zu glauben, daß Manometer auf 99
steht. An allen Enden dringen die Gase aus der Welthirn-
jauche, kein Atemholen bleibt der Kultur und am Ende
liegt eine tote Menschheit neben ihren Werken, die zu er-
finden ihr so viel Geist gekostet hat, daß ihr keiner mehr
übrig blieb, sie zu nützen.
Wir waren kompliziert genug, die Maschine zu bauen, und
wir sind zu primitiv, uns von ihr bedienen zu lassen. Wir
treiben einen Weltverkehr auf schmalspurigen Gehirnbah-
nen.
Aber siehe, die Natur hat sich gegen die Versuche, eine
weitere Dimension für die Zwecke der zivilisatorischen Nie-
dertracht zu mißbrauchen, aufgelehnt und den Pionieren
der Unkultur zu verstehen gegeben, daß es nicht nur Maschinen gibt, sondern auch Stürme! »Hinausgeworfen ward
der große Drache, der alle Welt verführt, geworfen ward
er auf die Erde ... Er war nicht mächtig genug, einen Platz
im Himmel zu behaupten.« Die Luft wollte sich verpesten,
aber nicht »erobern« lassen. Michael stritt mit dem Dra-
chen, und Michel sah zu. Vorläufig hat die Natur gesiegt.

1. Offb. 2, 7.

Aber sie wird als die Klügere nachgeben und einer ausge-
höhlten Menschheit den Triumph gönnen, an der Erfüllung
ihres Lieblingswunsches zugrundezugehen. Bis zum Betrieb
der Luftschiffahrt geduldet sich das Chaos, dann kehrt es
wieder! Daß Montgolfieren vor hundert Jahren aufstiegen,
war durch die dichterische Verklärung, die ein Jean Paul
davon gab, gerechtfertigt für alle Zeiten; aber kein Gehirn
mehr, das Eindrücke zu Bildern formen könnte, wird in den
Tagen leben, da eine höhenstaplerische Gesellschaft zu
ihrem Ziel gelangen und der Parvenu ein Maßbegriff sein
wird. Es ist ein metaphysisches Bubenspiel, aber der Drache,
den sie steigen lassen, wird lebendig. Man wird auf die Ge-
sellschaftsordnung spucken können, und davon würde sie
unfehlbar Schaden nehmen, wenn ihr nicht schlimmere Sen-
dung zugedacht wäre ...
Die Natur mahnt zur Besinnung über ein Leben, das auf
Äußerlichkeiten gestellt ist. Eine kosmische Unzufriedenheit
gibt sich allenthalben kund, Sommerschnee und Winterhitze
demonstrieren gegen den Materialismus, der das Dasein zum
Prokrustesbett macht, Krankheiten der Seele als Bauchweh
behandelt und das Antlitz der Natur entstellen möchte, wo
immer er ihrer Züge gewahr wird: an der Natur, am Weibe
und am Künstler. Einer Welt, die ihren Untergang ertrüge,
wenn ihr nur seine kinematographische Vorführung nicht
versagt bleibt, kann man mit dem Unbegreiflichen nicht
bange machen. Aber unsereins nimmt ein Erdbeben als Protest gegen die Einrichtungen der Demokratie ohneweiters
hin und zweifelt keinen Augenblick an der Möglichkeit,
daß ein Übermaß menschlicher Dummheit die Elemente
empören könnte.
Die Tragik einer gefallenen Menschheit, die für das Leben
in der Zivilisation viel schlechter taugt als eine Jungfer fürs
Bordellwesen, und die sich mit der Moral über die Syphilis
trösten möchte, ist verschärft durch den unaufhörlichen
Verzicht auf alle seelische Erneuerung. Ihr Leib ist ethisch
geschmiert und ihr Hirn ist eine camera obscura, die mit

Druckerschwärze ausgepicht ist. Sie möchte vor der Presse, die ihr das Mark vergiftet hat, in die Wälder fliehen, und findet keine Wälder mehr. Wo einst ragende Bäume den Dank der Erde zum Himmel hoben, türmen sich Sonntagsauflagen. Hat man nicht ausgerechnet, daß eine amerikanische Zeitung für eine einzige Ausgabe eine Papiermasse braucht, für deren Herstellung zehntausend Bäume von zwanzig Metern Höhe gefällt werden müssen? Es ist schneller nachgedruckt als nachgeforstet. Wehe, wenn es so weit kommt, daß die Bäume bloß täglich zweimal, aber sonst keine Blätter tragen! »Und aus dem Rauche kamen Heuschrecken über die Erde, welchen Macht gegeben wurde, wie die Skorpionen Macht haben ... Menschen ähnlich waren ihre Gesichter ... Und es wurde ihnen geboten, weder das Gras auf der Erde, noch etwas Grünes, noch irgend einen Baum zu beschädigen, sondern bloß die Menschen, die nicht haben das Siegel Gottes an ihren Stirnen.« Aber sie beschädigten die Menschen, und schonten die Bäume nicht.

Da besinnt sich die Menschheit, daß ihr der Sauerstoff vom Liberalismus entzogen wurde und rennt in den Sport. Aber der Sport ist ein Adoptivkind des Liberalismus, er trägt schon auf eigene Faust zur Verdummung der Familie bei. Kein Entrinnen! Auch wenn sie auf dem Misthaufen des Lebens Tennis spielen, die Schmutzflut kommt immer näher und das Sausen aller Fabriken übertönt so wenig ihr Geräusch wie die Klänge der Symphoniekonzerte, zu denen die ganz Verlassenen ihre Zuflucht nehmen.

Inzwischen tun die Politiker ihre Pflicht. Es sind Märtyrer ihres Berufs. Ich habe gehört, daß Österreich Bosnien annektiert hat. Warum auch nicht? Man will alles beisammen haben, wenn alles aufhören soll. Immerhin ist solch ein einigend Band eine gewagte Unternehmung, – in Amerika, wo man uns so oft verwechselt hat, heißt es dann wieder, Bosnien habe Österreich annektiert. Erst die Auflösung unseres Staates, von der in der letzten Zeit so viel die Rede

war und die sich separat vollziehen wird, weil die anderen
Weltgegenden nicht in solcher Gesellschaft zugrundegehen
wollen, dürfte allem müßigen Gerede ein Ende machen.
Aber es ist eine weitblickende Politik, den Balkan durch-
einanderzubringen. Dort sind die Reserven zur Herstellung
des allgemeinen Chaos. Die Wanzen mobilisieren schon
gegen die europäische Kultur.

Die Aufgabe der Religion, die Menschheit zu trösten, die
zum Galgen geht, die Aufgabe der Politik, sie lebensüber-
drüssig zu machen, die Aufgabe der Humanität, ihr die
Galgenfrist abzukürzen und gleich die Henkermahlzeit zu
vergiften.

Durch Deutschland zieht ein apokalyptischer Reiter, der
für viere ausgibt. Er ist Volldampf voraus in allen Gassen.
Sein Schnurrbart reicht von Aufgang bis Niedergang und
von Süden bis Norden. »Und dem Reiter ward Macht gegeben, den Frieden von der Erde zu nehmen, und daß sie
sich einander erwürgten.« Und alles das ohne Absicht und
nur aus Lust am Fabulieren.

Dann aber sehe ich ihn wieder als das Tier mit den zehn
Hörnern und den sieben Köpfen und einem Maul gleich
dem Rachen eines Löwen. »Man betete das Tier an und
sprach: Wer ist dem Tiere gleich? Und wer vermag mit ihm
zu streiten? Ein Maul ward ihm zugelassen, große Dinge zu
reden.«

Neben diesem aber steht die große Hure, »die mit ihrer
Hurerei die Welt verdarb«. Indem sie sich allen, die da
wollten, täglich zweimal hingab. »Von dem Wollustwein
ihrer Unzucht haben alle Völker getrunken, und die Könige
der Erde buhlten mit ihr.«

Wie werden die Leute aussehen, deren Großväter Zeitgenossen des Max Nordau gewesen sind? Bei Tage Börsengeschäf-
te abgewickelt und am Abend Feuilletons gelesen haben?
Werden sie aussehen?! Weh dir, daß du der Enkel eines
alten Lesers der »Neuen Freien Presse« bist! Aber so weit
läßt es die Natur nicht kommen, die ihre Beziehungen zur

Presse streng nach deren Verhalten gegen die Kultur einge-
richtet hat. Einer journalisierten Welt wird die Schmach
eines lebensunfähigen Nachwuchses erspart sein: das Geschlecht, dessen Fortsetzung der Leser mit Spannung ent-
gegensieht, bleibt im Übersatz. Die Schöpfung versagt das
Imprimatur. Der intellektuelle Wechselbalg, den eine Ratze
an innerer Kultur beschämen müßte, wird abgelegt. Der
Jammer ist so groß, daß er gleich den Trost mitbringt, es
komme nicht so weit. Nein, der Bankert aus Journalismus
und Hysterie pflanzt sich nicht fort! Über die Vorstellung,
daß es ein Verbrechen sein soll, der heute vorrätigen Men-
schensorte die Frucht abzutreiben, lacht ein Totengräber
ihrer Mißgeburten. Aber die Natur arbeitet schon darauf
hin, den Hebammen jede Versuchung zu ersparen! Die Ver-
einfachung der Gehirnwindungen, die ein Triumph der
liberalen Bildung ist, wird die Menschen selbst zu jener ge-
ringfügigen Arbeit unfähig machen, deren Leistung die
Natur ihnen eigens schmackhaft gemacht hat. So könnte die
Aufführungsserie des »Walzertraums« einen jähen Abbruch
erfahren!
Aber glaubt man, daß die Erfolgsziffern der neuen Ton-
werke ohne Einfluß auf die Gestaltung dieser Verhältnisse
bleiben werden? Daß sie noch vor zwanzig Jahren möglich
gewesen wären? Eine Welt von Wohllaut ist versunken, und
ein krähender Hahn bleibt auf dem Repertoire; der Geist
liegt auf dem Schindanger, und jeder Dreckhaufen ist ein
Kristallpalast ... Hat man den Parallelismus bemerkt, mit
dem jedesmal ein neuer Triumph der »Lustigen Witwe« und
ein Erdbeben gemeldet werden? Wir halten bei der apokalyptischen 666 ... Die mißhandelte Urnatur grollt; sie
empört sich dagegen, daß sie die Elektrizität zum Betrieb
der Dummheit geliefert haben soll. Habt ihr die Unregel-
mäßigkeiten der Jahreszeiten wahrgenommen? Kein Frühling kommt mehr, seitdem die Saison mit solcher Schmach
erfüllt ist!
Unsere Kultur besteht aus drei Schubfächern, von denen

zwei sich schließen, wenn eines offen ist, nämlich aus Arbeit, Unterhaltung und Belehrung. Die chinesischen Jongleure bewältigen das ganze Leben mit einem Finger. Sie werden also leichtes Spiel haben. Die gelbe Hoffnung! . .
Unseren Ansprüchen auf Zivilisation würden allerdings die Schwarzen genügen. Nur, daß wir ihnen in der Sittlichkeit über sind. In Illinois hat es eine weiße Frau mit einem Neger gehalten. Das Verhältnis blieb nicht ohne Folgen. »Nachdem eine Menge Weißer zahlreiche Häuser im Negerviertel in Brand gesteckt und verschiedene Geschäfte erbrochen hatten, ergriffen sie einen Neger, schossen zahlreiche Kugeln auf ihn ab und knüpften die Leiche an einem Baum auf. Die Menge tanzte dann unter ungeheurem Jubelgeschrei um die Leiche herum.« In der Sittlichkeit sind wir ihnen über.
Humanität, Bildung und Freiheit sind kostbare Güter, die mit Blut, Verstand und Menschenwürde nicht teuer genug erkauft sind. Nun, bis zu dem Chinesentraum versteige ich mich nicht; aber einem gelegentlichen Barbarenangriff auf die Bollwerke unserer Kultur, Parlamente, Redaktionen und Universitäten, könnte man zujauchzen, wenn er nicht selbst eine politische Sache wäre, also eine Gemeinheit. Als die Bauern eine Hochschule stürmten, wars nur der andere Pöbel, der seines Geistes Losung durchsetzen wollte. Die Dringlichkeit, die Universitäten in Bordelle zu verwandeln, damit die Wissenschaft wieder frei werde, sieht keine politische Partei ein. Aber die Professoren würden als Portiers eine Anstellung finden, weil die Vollbärte ausgenützt werden können und die Würde nun einmal da ist, und die Kollegiengelder wären reichlich hereingebracht.
»Den Verzagten aber, und Ungläubigen, und Verruchten, und Totschlägern, und Götzendienern, und allen Lügnern, deren Teil wird sein in dem Pfuhl, der mit Feuer und Schwefel brennt.«

---

Was vermag nun ein Satirenschreiber vor einem Getriebe,

dem ohnedies in jeder Stunde ein Hohngelächter der Hölle antwortet? Er vermag es zu hören, dieweil die anderen taub sind. Aber wenn er nicht gehört wird? Und wenn ihm selbst bange wird?

Er versinkt im Heute und hat von einem Morgen nichts zu erwarten, weil es kein Morgen mehr gibt, und am wenigsten eines für die Werke des Geistes. Wer heute noch eine Welt hat, mit dem muß sie untergehen.

Umso sicherer, je länger die äußere Welt Stand hält. Der wahre Weltuntergang ist die Vernichtung des Geistes, der andere hängt von dem gleichgiltigen Versuch ab, ob nach Vernichtung des Geistes noch eine Welt bestehen kann.

Darum glaube ich einige Berechtigung zu dem Wahnwitz zu haben, daß die Fortdauer der »Fackel« ein Problem bedeute, während die Fortdauer der Welt bloß ein Experiment sei.

Die tiefste Bescheidenheit, die vor der Welt zurücktritt, ist in ihr als Größenwahn verrufen. Wer von sich selbst spricht, weil kein anderer von ihm spricht, ist lästig. Wer niemand mit seiner Sache zu belasten wagt und sie selbst führt, damit sie nur einmal geführt sei, ist anmaßend. Und dennoch weiß niemand besser als ich, daß mir alles Talent fehlt, mitzutun, daß mich auf jedem Schritt der absolute Mangel dessen hemmt, was unentbehrlich ist, um sich wenigstens im Gedächtnis der Mitlebenden zu erhalten, der Mangel an Konkurrenzfähigkeit. Aber ich weiß auch, daß der Größenwahn vor der Bescheidenheit den Vorzug der Ehrlichkeit hat und daß es eine untrügliche Probe auf seine Berechtigung gibt: seinen künstlerischen Ausdruck. Darüber zu entscheiden, sind freilich die wenigsten Leser sachverständig, und man ist auch hier wieder auf den Größenwahn angewiesen. Er sprach: Selbstbespiegelung ist erlaubt, wenn das Selbst schön ist; aber sie erwächst zur Pflicht, wenn der Spiegel gut ist. Und jedenfalls ist es sogar ehrlicher, zum dyonisischen Praterausrufer seiner selbst zu werden, als sich von dem Urteil der zahlenden Kundschaft abhängig zu

machen. Die Journalisten sind so bescheiden, die Keime
geistiger Saat für alle Zeiten totzutreten. Ich bin größen-
wahnsinnig: ich weiß, daß meine Zeit nicht kommen wird.

Meine Leser! Wir gehen jetzt ins zehnte Jahr zusammen,
wir wollen nicht nebeneinander älter werden, ohne uns über
die wichtigsten Mißverständnisse geeinigt zu haben.

Die falsche Verteilung der Respekte, die die Demokratie
durchführte, hat auch das Publikum zu einer verehrungs-
würdigen Standesperson gemacht. Das ist es nicht. Oder
ist es bloß für den Sprecher, dem es die unmittelbare Wirkung des Worts bestätigt, nicht für den Schreibenden; für
den Redner und Theatermann, nicht für den Künstler der
Sprache. Der Journalismus, der auch das geschriebene Wort
an die Pflicht unmittelbarer Wirkung band, hat die Ge-
rechtsame des Publikums erweitert und ihm zu einer geistigen Tyrannis Mut gemacht, der sich jeder Künstler selbst
dann entziehen muß, wenn er sie nur in den Nerven hat.
Die Theaterkunst ist die einzige, vor der die Menge eine
sachverständige Meinung hat und gegen jedes literarische
Urteil behauptet. Aber das Eintrittsgeld, das sie bezahlt, um
der Gaben des geschriebenen Wortes teilhaft zu werden,
berechtigt sie nicht zu Beifalls- oder Mißfallsbezeigungen.
Es ist bloß eine lächerliche Vergünstigung, die es dem einzelnen ermöglicht, um den Preis eines Schinkenbrots ein
Werk des Geistes zu beziehen. Daß die Masse der zahlenden
Leser den Gegenwert der schriftstellerischen Leistung bietet,
so wie die Masse der zahlenden Hörer den des Theater-
genusses, wäre mir schon eine unerträgliche Fiktion. Aber
gerade sie schlösse ein Zensurrecht des einzelnen Lesers aus
und ließe bloß Kundgebungen der gesamten Leserschar zu.
Der vereinzelte Zischer wird im Theater überstimmt, aber
der Briefschreiber kann ohne akustischen Widerhall seine
Dummheit betätigen. Worunter ein Schriftsteller, der mit
allen Nerven bei seiner Kunst ist, am tiefsten leidet, das ist
die Anmaßung der Banalität, die sich ihm mit individuel-
lem Anspruch auf Beachtung aufdrängt. Sie schafft ihm das

furchtbare Gefühl, daß es Menschen gibt, die sich für den Erlag zweier Nickelmünzen an seiner Freiheit vergreifen wollen, und seine Phantasie öffnet ihm den Prospekt einer Welt, in der es nichts gibt als solche Menschen. Dagegen empfände er tatsächlich den organisierten Einspruch der Masse als eine logische Beruhigung, als die Ausübung eines wohlerworbenen Rechtes, als die kontraktliche Erfüllung einer Möglichkeit, auf die er vorbereitet sein mußte und die demnach weder seinem Stolz noch seinem Frieden ein Feindliches zumutet. Wenn sich die Enttäuschungen, die meine Leser in den letzten Jahren an mir erleben, eines Tages in einem Volksgemurmel Luft machten, ich würde mich in diesem eingerosteten Leben an der Bereicherung der Verkehrsformen freuen. Aber daß ein Chorist der öffentlichen Meinung sich vorschieben darf, meine Arie stört und daß ich die Nuancen einer Stupidität kennen lernen muß, die doch nur in der Einheit imposant wirkt, ist wahrhaft gräßlich. Es ist eine demokratische Wohlfahrtsinstitution, daß der Leser seine Freiheit gegen den Autor hat und daß seine Privilegien über das Naturrecht hinausreichen, den Bezug einer unangenehmen Zeitschrift aufzugeben; daß Menschen, mit denen ich wirklich nicht mehr als Essen und Verdauen und auch dies nur ungern gemeinsam habe, es wagen dürfen, mir ihr Mißfallen an meiner »Richtung« kundzutun oder gar zu motivieren. Es schafft bloß augenblickliche Erleichterung, wenn ich in solchem Fall sofort das Abonnement auf die »Fackel« aufgebe und die Entziehung, so weit sie möglich ist, durchführen lasse. Deprimierend bleibt die Zähigkeit, mit der diese Leute auf ihrem Recht bestehen, meine Feder als die Dienerin ihrer Lebensauffassung und nicht als die Freundin meiner eigenen zu betrachten; vernichtend wirkt die Hoffnung, die sie noch am Grabe ihrer Wünsche aufpflanzen, das lästige Zureden ihrer stofflichen Erwartungen. Wie weit es erst, wie unermeßlich weit es mich all den Sachen entrückt, die zu vertreten oder zu zertreten einst mir inneres Gebot war, ahnt keiner. Dem Publi-

kum gilt die Sache. Ob ich mich über oder unter die Sache
gestellt habe, das zu beurteilen, ist kein Publikum der Erde
fähig, aber wenn es verurteilt, daß ich außerhalb der Sache
stehe, so ist es berechtigt, schweigend seine Konsequenz zu
ziehen. Daß ich die publizistische Daseinsberechtigung verloren habe, ist hoffentlich der Fall; die Form periodischen
Erscheinens dient bloß meiner Produktivität, die mir in
jedem Monat ein Buch schenkt. Zieht mir der redaktionelle
Schein dauernd Mißverständnisse zu, bringt er mir Queru-
lanten ins Haus und die unerträglichen Scharen jener, denen
Unrecht geschieht und denen ich nicht helfen kann, und
jener, die mir Unrecht tun und denen ich nicht helfen will,
so mache ich ihm ein Ende. Jetzt ist die Zeit zur Aussprache
gekommen, aber ich bin immer noch nachgiebig genug, den
Lesern die Entscheidung zu überlassen. Ich betrüge ihren
Appetit, indem ich ihre Erwartung, Pikantes für den Nach-
tisch zu kriegen, enttäusche und ihnen Gedanken serviere,
die der Nachtruhe gefährlich sind. Mich selbst bedrückt
ihr Alp; denn es ist nicht meine Art, ahnungslose Gäste zu
mißhandeln. Aber sie sollen im zehnten Jahre nicht sagen,
daß sie ungewarnt hereingefallen sind. Wer dann noch mit
dem Vorurteil zu mir kommt, daß ich ein Enthüller stoff-
licher Sensationen sei, daß ich berufsmäßig die Decken von
den Häusern hebe, um lichtscheue Wahrheiten oder gar nur
versteckte Peinlichkeiten emporzuziehen, der hat das Kopf-
weh seiner eigenen Unvorsichtigkeit zuzuschreiben. Ein Teil
dieser Leser will die Wahrheit hören um ihrer selbst willen,
der andere will Opfer bluten sehen. Das Instinktleben beider Gruppen ist plebejisch. Aber ich täusche sie, weil meine
Farbe rot ist und mit der Verheißung lockt, zu erzählen,
wie sichs ereignet hat. Daß ich heimlich in eine Betrach-
tungsweise abgeglitten bin, die als das einzige Ereignis gelten läßt: wie ichs erzähle, – das ist die letzte Enthüllung,
die ich meinen Lesern schuldig bin. Ich täuschte, und war
allemal tief betroffen, allemal wußte ich, daß ich mir dergleichen nicht zugetraut hätte, aber ich blieb dabei, Apho-

rismen zu sagen, wo ich Zustände enthüllen sollte. So
schmarotze ich nur mehr an einem alten Renommee. Glaubt
einer, daß es auf die Dauer ein angenehmes Bewußtsein ist?
Nun, ich wollte den Lesern helfen und ihnen den Weg zeigen, der zur Entschädigung für den Ausfall an Sensationen
führt. Ich wollte sie zu einem Verständnis für die Angelegenheiten der deutschen Sprache erziehen, zu jener Höhe,
auf der man das geschriebene Wort als die naturnotwendige
Verkörperung des Gedankens und nicht bloß als die gesell-
schaftspflichtige Hülle der Meinung begreift. Ich wollte sie
entjournalisieren. Ich riet ihnen, meine Arbeiten zweimal zu
lesen, damit sie auch etwas davon haben. Sie waren ent-
rüstet und sahen im nächsten Heft nur nach, ob nicht doch
etwas gegen die Zustände bei der Länderbank darin
stände ... Nun wollen wir sehen, wie lange das noch weiter
geht. Ich sage, daß der einzige öffentliche Übelstand, den
noch aufzudecken sich lohnt, die Dummheit ist. Das Publikum wünscht so allgemeine Themen nicht und schickt mir
Affären ins Haus. Aber wie selten ist es, daß das Interesse
der Skandalsucht mit meinen separatistischen Bestrebungen
zusammentrifft! Wenns einen Fall Riehl gibt, verzeiht mir
das Publikum die Gedanken, die ich mir dazu mache, und
freut sich, daß es einen Fall Riehl gibt. Es ist ein schmerzliches Gefühl, eine Wohltat nicht zu verdienen; aber es ist
geradezu tragisch, sein eigener Parasit zu sein.
Denn das ist es ja eben, daß von meinem Wachstum, welches die Reihen meiner Anhänger so stark gelichtet hat, die
Zahl meiner Leser im Durchschnitt nicht berührt wurde,
und daß ich zwar kein guter Geschäftsmann bin, so lange
ich die »Fackel« bewahre, aber gewiß ein schlechter, wenn
ich sie im Überdruß hinwerfe. Und weil es toll ist, auf die
Flucht aus der Aktualität Wiener Zeitungsleser mitzuneh-
men, so ist es anständig, sie zeitweise vor die Frage zu stellen, ob sie sich die Sache auch gründlich überlegt haben.
In Tabakgeschäften neben dem Kleinen Witzblatt liegen zu
müssen und neben all dem tristen Pack, das mit talentlosen

Enthüllergebärden auf den Kunden wartet, es wird immer
härter und es ist eine Schmach unseres Geisteslebens, an der
ich nicht allzulange mehr Teil haben möchte. Um den wenigen, die es angeht, zugänglich zu sein, lohnt es nicht, sich
den vielen Suchern der Sensation hinzugeben. Im besten
Falle dünke ich diesen ein Ästhet. Denn in den allgemeinen,
gleichen und direkten Schafsköpfen ist jeder ein Ästhet, der
nur durch staatlichen Zwang zur Ausübung des Wahlrechts
sich herbeiläßt. Der Ästhet lebt fern von der Realität, sie
aber haben den Schlüssel zum wahren Leben; denn das
wahre Leben besteht im Interesse für Landtagswahlreform,
Streikbewegung und Handelsvertrag. So sprechen vorzüglich jene Geister, die in der Politik die Viehtreiber von
St. Marx vorstellen. Der Unterschied: dem Ästheten löst
sich alles in eine Linie auf, und dem Politiker in eine Fläche.
Ich glaube, daß das nichtige Spiel, welches beide treiben,
beide gleich weit vom Leben führt, in eine Ferne, in der sie
überhaupt nicht mehr in Betracht kommen, der Herr Hugo
von Hofmannsthal und der Herr Abgeordnete Doleschal.
Es ist tragisch, für jene Partei reklamiert zu werden, wenn
man von dieser nichts wissen will, und zu dieser gehören zu
müssen, weil man jene verachtet. Aus der Höhe wahrer
Geistigkeit aber sieht man die Politik nur mehr als ästhetischen Tand und die Orchidee als eine Parteiblume. Es ist
derselbe Mangel an Persönlichkeit, der die einen treibt, das
Leben im Stoffe, und die anderen, das Leben in der Form
zu suchen. Ich meine es anders als beide, wenn ich, fern den
Tagen, da ich in äußeren Kämpfen lebte, fern aber auch
den schönen Künsten des Friedens, mir heute den Gegner
nach meinem Pfeil zurechtschnitze.

Die Realität nicht suchen und nicht fliehen, sondern erschaffen und im Zerstören erst recht erschaffen: wie sollte
man damit Gehirne beglücken, durch deren Windungen
zweimal im Tag der Mist der Welt gekehrt wird? Über
nichts fühlt sich das Publikum erhabener als über einen
Autor, den es nicht versteht, aber Kommis, die sich hinter

einer Budel nicht bewährt hätten oder nicht haben, sind seine Heiligen. Den Journalisten nahm ein Gott, zu leiden, was sie sagen. Mir aber wird das Recht bestritten werden, meiner tiefsten Verbitterung Worte zu geben, denn nur den Stimmungen des Lesers darf eine Feder dienen, die für Leser schreibt. Meine Leser sind jene Weißen, die einen Neger lynchen, wenn er etwas Natürliches getan hat. Ich leiste feierlichen Verzicht auf die Rasse und will lieber überhaupt nicht gelesen sein, als von Leuten, die mich für ihre Rückständigkeit verantwortlich machen. Sie ist im Fortschritt begriffen: wie wird es mir ergehen? Die intellektuelle Presse macht dem Schwachsinn des Philisters Mut und erhebt die Plattheit zum Ideale: so sind die Folgen meiner Tätigkeit unabsehbar. Der letzte Tropf, der sich am sausenden Webstuhl der Zeit zu schaffen macht, wird mich als Müßiggänger verachten. Ich wollte nach Deutschland gehen, denn wenn man unter Österreichern lebt, lernt man die Deutschen nicht genügend hassen. Ich wollte meine Angstrufe in Deutschland ausstoßen, denn in Österreich bezieht man sie am Ende auf die Kappen und nicht auf die Köpfe. Aber ein satanischer Trieb verlockt mich, die Entwicklung der Dinge hier abzuwarten und auszuharren, bis der große Tag des Zornes kommt und die tausend Jahre vollendet sind. Bis der Drache losgelassen ist und mir eine Stimme aus den Wolken ruft: »Flieg'n m'r, Euer Gnaden?«

## WALTER BENJAMIN

Geb. 15. Juli 1892 in Berlin, gest. 27. September 1940 in Port Bou (spanisch-französische Grenze), Sohn eines jüdischen Kunsthändlers und Antiquars, 1902–12 Friedrich-Wilhelm-Gymnasium in Berlin mit zweijähriger Unterbrechung 1905–07 (Landerziehungsheim Haubinda in Thüringen). 1912–19 Studium in Freiburg, Berlin, München und Bern. 1914 Vorsitzender der »Freien Studentenschaft«; seine Meldung als Kriegsfreiwilliger wird wegen körperlicher Untauglichkeit zurückgewiesen.

1915 Beginn der Freundschaft mit Gerhard Scholem, 1917 Heirat mit
Dora Sophie Pollack, 1919 Promotion summa cum laude *Der Begriff
der Kunstkritik in der deutschen Romantik*. Ab 1920 – mit Unterbrechungen – in Berlin. 1923 Bekanntschaft mit Theodor W. Adorno. 1924
Beginn der Beschäftigung mit dem Marxismus. 1925 verhindert Franz
Schultz in Frankfurt den Habilitationsversuch mit dem 1924 entstandenen *Ursprung des deutschen Trauerspiels*. 1926/27 Moskaureise, 1930
Ehescheidung. März 1933 Emigration nach Paris, 1934, 1936 und 1938
Besuche bei Brecht in dessen dänischem Exil. September bis November
1939 in einem Arbeitslager bei Nevers interniert. Als ein Fluchtversuch
nach Spanien scheitert, nimmt sich Benjamin das Leben.

## Gesellschaft (Aus: Berliner Kindheit um Neunzehn-hundert)

*Benjamins Rezeption setzte 1955 durch die später ange-
fochtene Auswahl von Theodor W. Adorno und Friedrich
Podszus ein; er gilt seitdem als einer der wichtigsten marxi-
stischen Literaturtheoretiker. Einige seiner Abhandlungen
haben grundlegende Bedeutung, zum Beispiel die über
»Goethes Wahlverwandtschaften« oder »Das Kunstwerk im
Zeitalter seiner technischen Reproduzierbarkeit«. Die Arbeiten über »Charles Baudelaire« und die Studien über
»Paris, die Hauptstadt des neunzehnten Jahrhunderts«
demonstrieren sein nahezu singuläres Vermögen, ästhetische
Phänomene im sozialen Kontext festzumachen.*
*»Berliner Kindheit um Neunzehnhundert«, anfangs der
dreißiger Jahre entstanden, ist keine Autobiographie, die
chronologisch »erzählt«, sondern ein Mosaik von Impressionen, deren jede ein typisches Moment der Wirklichkeit
um die Jahrhundertwende aufgreift. Die Intention dieser
Skizzenfolge ist eine Art von »Suche nach der verlorenen
Zeit« (Benjamin war einer der ersten in Deutschland, die
das Werk Marcel Prousts in seiner Bedeutung erkannten);
in dem Stück »Eine Todesnachricht« formuliert er: »Wohl
aber habe ich an diesem Abend mein Zimmer und mein Bett
mir eingeprägt, wie man sich einen Ort genauer merkt, von*

*dem man ahnt, man werde eines Tages etwas Vergessenes*
*von dort holen müssen.« Was es in der großbürgerlichen*
*Vergangenheit – da die Eltern »von den Machthabern nicht*
*so viel weiter entfernt« sind als die Vasallen auf der Sieges-*
*säule von Wilhelm I. – aufzuspüren gilt, sind die Wurzeln*
*der Gegenwart. Sie wuchern unterirdisch in einer scheinbar*
*geschichtslosen Epoche, in der die Siegessäule als Stele über*
*dem glorreichen Grab der Weltgeschichte errichtet ist, die*
*mit der Schlacht von Sedan beendet scheint. Es ist eine*
*»weltgeschichtliche Epoche«, die in zahlreichen Details, den*
*Bildern der Kaiserpanoramen, der Glasmalereien im Trep-*
*penhausfenster, im Siegeszug des Telephons vom Flur ins*
*Wohnzimmer oder in den ersten Lehrern greifbar wird. Es*
*sind dies, wie das anonyme Nachwort der »Berliner Kind-*
*heit« bemerkt, »geschichtliche Archetypen«.*
*Der Text »Gesellschaft« demonstriert, daß es sich bei Ben-*
*jamins Bemühungen, den geschichtlichen Stundenschlag*
*gleichsam in Sekundenschritte aufzulösen, nicht um mo-*
*dische Nostalgie handelt, sondern um eine schonungslose*
*Analyse jener keineswegs verklärten Vergangenheit. Die*
*Überschrift bezieht ihren Reiz aus dem Doppelsinn von*
*»Gesellschaft« als festliche Geselligkeit und als Gesamtheit*
*menschlicher Abhängigkeiten und Verhältnisse; diese wer-*
*den in jener greifbar. Sie erscheint als »Ungeheuer« aus*
*einem »Abgrund«, der bourgeoisen Klasse des Kaiserreiches*
*entstammend: »ungreifbar, glatt und stets bereit [...], die*
*zu erwürgen, die es jetzt umspielte«.*

## Gesellschaft

Meine Mutter hatte ein Schmuckstück von ovaler Form. Es
war so groß, daß man es auf der Brust nicht tragen konnte,
und so erschien es jedesmal, wenn sie es antat, an ihrem
Gürtel. Sie trug es aber, wenn sie in Gesellschaft ging; zu
Haus nur, wenn wir selber eine gaben. Es prunkte mit

einem großen, blitzenden und gelben Stein, der die Mitte
war, und einer Anzahl mäßig großen, die in allen Farben
– grün, blau, gelb, rosa, purpurn – ihn umstanden. Dies
Schmuckstück war, sooft ich es erblickte, mein Entzücken.
Denn in den tausend kleinen Feuern, die aus seinen Rändern schossen, saß, mir vernehmlich, eine Tanzmusik. Die
wichtige Minute, da die Mutter es der Schatulle, wo es lag,
entnahm, ließ seine Doppelmacht zum Vorschein kommen:
es war mir die Gesellschaft, deren Sitz in Wahrheit auf der
Schärpe meiner Mutter war; es war mir aber auch der
Talisman, der sie vor allem Bösen schützte, das von draußen bedrohlich für sie werden konnte. In seinem Schutze
war auch ich geborgen. Nur konnte er nicht hindern, daß
ich selbst an solchen Abenden zu Bett gehn mußte. Doppelt
verdroß mich das, wenn bei uns selbst Gesellschaft war.
Doch drang sie über meine Schwelle, und ich stand in
dauerndem Rapport mit ihr, sobald das erste Klingelzeichen
erschollen war. Für eine Weile setzte aber die Klingel dem
Korridor fast unablässig zu. Nicht weniger beängstigend,
weil sie kürzer, präziser anschlug als an andern Tagen. Mich
täuschte sie darüber nicht, daß sich ein Anspruch in ihr ver-
lautbarte, der weiter ging als der, mit dem sie sonst sich
geltend machte. Und dem entsprach es, daß das Öffnen
diesmal im Augenblick und lautlos vor sich ging. Dann kam
die Zeit, in welcher die Gesellschaft, kaum daß sie sich zu
bilden begonnen hatte, am Verenden schien. In Wahrheit
hatte sie sich nur in die entfernteren Räume zurückgezogen,
um dort im Brodeln und im Bodensatz der vielen Schritte
und Gespräche zu verschwinden wie ein Ungeheuer, das,
kaum hat es die Brandung angespült, im feuchten Schlamm
der Küste Zuflucht sucht. Und da der Abgrund, der es aus-
geworfen hatte, der meiner Klasse war, so machte ich mit
ihr an solchen Abenden zuerst Bekanntschaft. Geheuer kam
sie mir nicht vor. Von dem, was jetzt die Zimmer füllte,
spürte ich, daß es ungreifbar, glatt und stets bereit war, die
zu erwürgen, die es jetzt umspielte; blind gegen seine Zeit

und seinen Ort, blind bei der Nahrungssuche, blind im Handeln. Das spiegelblanke Frackhemd, das mein Vater an diesem Abend hatte, kam mir nun ganz wie ein Panzer vor, und in dem Blick, den er vor einer Stunde über die noch menschenleeren Stühle hatte schweifen lassen, entdeckte ich jetzt das Gewappnete. Inzwischen war ein Rauschen bei mir eingedrungen; das Unsichtbare war erstarkt und ging daran, an allen Gliedern mit sich selbst sich zu bereden. Es horchte auf sein eignes dumpfes Raunen wie man in eine Muschel horcht, es ging wie Laub im Winde mit sich selbst zu Rate, es knisterte wie Scheiter im Kamin und sank dann lautlos in sich selbst zusammen. Jetzt war der Augenblick gekommen, da ich es bereute, noch vor wenigen Stunden dem Unberechenbaren seinen Weg gebahnt zu haben. Das war mit einem Griff geschehen, durch den der Eßtisch sich auseinandertat und eine Platte, in zwei Scharnieren aufgeklappt, den Raum zwischen den Hälften derart überbrückte, daß dreißig Leute an ihr unterkamen. Dann hatte ich beim Decken helfen dürfen. Und nicht nur, daß Gerätschaften dabei durch meine Hände gingen, die mich ehrten – die Hummergabeln oder Austernmesser –, auch die geläufigen des Alltags traten in feierlicher Spielart in Erscheinung. Die Gläser in Gestalt der grünen Römer, der kurzen, scharfgeschliffenen Portweinkelche, die filigranbesäten Schalen für den Sekt; die Näpfe für das Salz als Silberfäßchen; die Pfropfen auf den Flaschen in Gestalt schwerer metallener Gnome oder Tiere. Endlich geschah es, daß ich auf das eine der vielen Gläser jedes Tischgedecks die Karte legen durfte, die dem Gast den Platz angab, der auf ihn wartete. Mit diesem Kärtchen hatte ich das Werk bekrönt, und wenn ich nun zuletzt bewundernd die Runde um die ganze Tafel machte, vor der nur noch die Stühle fehlten – dann erst durchdrang mich tief das kleine Friedenszeichen, das mir von allen ihren Tellern winkte. Kornblumen waren es, die das Service aus makellosem Porzellan mit einem kleinen Muster überzogen: ein Friedenszeichen, dessen Süßigkeit allein der Blick ermessen konnte, der vertraut mit jenem kriegerischen war, das ich an allen anderen Tagen vor mir hatte. Ich denke an das blaue Zwiebelmuster. Wie oft hatte ich es im Lauf der Fehden, deren Entscheidungsschlachten um den gleichen Tisch tobten, der jetzt so schimmernd vor mir lag, um Beistand angefleht. Unzählige Male war ich seinen Zweigen und Fädchen, Blüten und Voluten nachgegangen, hingebender als zu dem schönsten Bild. Nie hatte man um Freundschaft rückhaltloser sich beworben als ich um die des dunkelblauen Zwiebelmusters. Ich hätte es so gern zum Verbündeten in dem ungleichen Kampf gehabt, der mir das Mittagessen oft verbitterte. Doch das gelang mir nie. Dieses Muster war käuflich wie ein General aus China, welches denn auch an seiner Wiege gestanden hatte. Die Ehrungen, mit denen es von meiner Mutter überhäuft ward, die Paraden, zu denen sie die Mannschaft einberief, die Totenklagen, die aus der Küche jedem Glied der Truppe, das gefallen war, nachhallten, machten meine Werbungen zunichte. Denn kalt und kriechend hielt das Zwiebelmuster meinen Blicken stand und hätte nicht das kleinste seiner Blättchen detachiert, um mich zu decken. Der feierliche Anblick dieser Tafel befreite mich von der fatalen Zeichnung und das allein hätte genügt, mich zu entzücken. Doch je näher der Abend rückte, desto mehr umflorte sich jenes Leuchtende und Selige, das er mir mittags noch versprochen hatte. Und wenn dann meine Mutter, trotzdem sie im Hause blieb, nur flüchtig eintrat, um mir gute Nacht zu sagen, dann fühlte ich verdoppelt, welch Geschenk sie sonst mir um die Zeit aufs Deckbett legte: das Wissen um die Stunden, die für sie der Tag noch hatte und das ich getrost, wie einst die Puppe, in den Schlummer mitnahm. Es waren diese Stunden, die ihr heimlich, und ohne daß sie es wußte, in die Falten der Decke fielen, die sie mir zurechtzog und eben diese Stunden, welche selbst an Abenden, da sie im Fortgehn war, mich trösteten, wenn sie in der Gestalt der schwarzen Spitzen ihres Kopftuchs, das sie schon umgenommen hatte, mich berührten. Ich liebte es, und darum ließ ich sie nicht gerne gehn, und jede Spanne Zeit, die ich im Schatten dieses Kopftuchs und in Nachbarschaft des gelben Steins gewann, beglückte mich mehr als die Knallbonbons, die mir am nächsten Morgen sicher waren. Wenn dann von draußen mein Vater nach ihr rief, erfüllte bei ihrem Aufbruch mich nur noch der Stolz, so glänzend sie in die Gesellschaft zu entlassen. Und ohne es zu kennen, spürte ich in meinem Bett, kurz bevor ich einschlief, die Wahrheit eines kleinen Rätselworts: »Je später auf den Abend, desto schöner die Gäste.«

## STEFAN ZWEIG

Geb. 28. November 1881 in Wien, gest. 23. Februar 1942 in Petropolis bei Rio de Janeiro, stammte aus großbürgerlicher jüdischer Industriellenfamilie. Studium der Philosophie, Germanistik und Romanistik in Berlin und Wien, Dr. phil. Ausgedehnte Reisen durch Europa, Mexiko, Indien, Ceylon und China. Während des Ersten Weltkrieges (zusammen mit Rilke) im Wiener Kriegsarchiv, 1917/18, um für den Frieden zu wirken, in Zürich. Bekanntschaft mit zahlreichen europäischen Berühmtheiten: Émile Verhaeren, Romain Rolland, Georges Duhamel, William Butler Yeats, Arthur Schnitzler, Gerhart Hauptmann, Richard Dehmel, Luigi Pirandello, Anatole France. Nach 1918 in Salzburg, 1934 London, später New York und endlich Petropolis, wo er gemeinsam mit seiner zweiten Frau Lotte Altmann Selbstmord beging.

## Die Welt der Sicherheit
(Die Welt von Gestern, 1. Kapitel, Auszug)

*Stefan Zweig hat zahlreiche dramatische Versuche unternommen; sie führten von seiner Tragödie »Tersites« (1907) über das für Josef Kainz geschriebene »Spiel aus dem deutschen Rokoko« »Der verwandelte Komödiant« (1912) und die »dramatische Dichtung« »Jeremias« (1917) bis zur Zusammenarbeit mit Richard Strauss, für dessen Oper »Die*

*schweigsame Frau« (1934) er das Libretto verfaßte. An-
erkennung und Ruhm indes, die er vor allem in den Jahren
vor 1933 bei einem breiten Publikum fand, verdankte er
den historischen Romanen und Biographien über »Romain
Rolland« (1920), »Erinnerungen an Émile Verhaeren«
(1928), »Joseph Fouché« (1929), »Marie Antoinette« (1932),
»Triumph und Tragik des Erasmus von Rotterdam« (1935),
»Maria Stuart« (1935) und »Amerigo« (1942) sowie den
essayistisch-biographischen Arbeiten, die Balzac, Dickens,
Dostojewski, Hölderlin, Nietzsche, Casanova, Stendhal und
Tolstoi gewidmet sind. Sein populärstes Werk dürfte
»Sternstunden der Menschheit« (1928) sein, wo er seine
eigentliche Begabung: die einfühlsame Reflexion historischer
Charaktere und Situationen und ihre sinnlich faßliche Dar-
stellung mit am deutlichsten zeigte. Dieses Vermögen,
fremde Leistungen zu würdigen, sie sympathetisch nach-
zuschaffen, äußerte sich bereits um die Jahrhundertwende
in seiner Bitte an Verhaeren, dessen Gedichte ins Deutsche
übertragen zu dürfen; Arnold Bauer nennt ihn prädestiniert,
»Mittler zwischen Menschen und Kulturen zu werden«.
Seine Novellen und Erzählungen sowie der einzige Roman
»Ungeduld des Herzens« (1938) demonstrieren diese Fähigkeit, sich in fremde Schicksale hineinzufühlen in ähnlicher
Weise, ohne dabei aber die ästhetische Bedeutung der klassischen modernen Erzählkunst, wie sie sich zwischen den
Kriegen in Europa entwickelte, ganz zu erreichen.*

*Dieses Lebenswerk stellt Zweig in die Tradition der euro-
päischen Geistesgeschichte, als deren Vermittler und Bewah-
rer er erscheint. Er selbst sieht sich noch im Alter in der
Nachfolge Goethes mit dem Motto, das er seinen Lebenserinnerungen voranstellt. Der hier vorgelegte Text besteht
aus den beiden ersten Abschnitten des ersten Kapitels aus
dem posthum 1947 erschienenen Buch »Die Welt von
Gestern. Erinnerungen eines Europäers«. Diese einleitenden
Seiten machen nicht nur die Herkunft Zweigs aus dem Be-
sitz- und Bildungsbürgertum im neunzehnten Jahrhundert*

*deutlich, sondern sie offenbaren auch einen Grundzug die-*
*ser Epoche: ihre vermeintliche Sicherheit, auf wissenschaft-*
*lichen und ökonomischen Fortschritt gegründet, ist be-*
*stimmt durch die Angst vor unvorhergesehenen Einbrüchen.*
*Das Sekuritätsstreben der Zeit wird heute verständlich als*
*Symptom einer dunkel empfundenen Zukunftsangst, die*
*ihre Bestätigung 1914 fand: der Kriegsbeginn wurde von*
*den Zeitgenossen, mit einer Wendung Thomas Manns, als*
*eine »Leben und Bewußtsein tief zerklüftende Wende und*
*Grenze« erfahren.*
*Stefan Zweig bekennt sich, ähnlich wie Thomas Mann, zu*
*dieser 1914 untergehenden bürgerlichen Welt; er hängt ihr*
*aber, anders als Thomas Mann, mit einem an der Vergan-*
*genheit orientierten Gefühl der Wehmut an, indem er sie*
*für sich selbst als verbindlich erklärt. Vielleicht gewinnt*
*sein Werk aus dieser Perspektive seine Bedeutung: Es mag*
*als die Beschwörung der untergehenden humanistischen*
*Traditionen erscheinen, so als versicherten diese Elemente*
*der europäischen Geschichte vor ihrem Abschied noch ein-*
*mal, daß sie dagewesen seien.*

## Die Welt der Sicherheit

> Still und ruhig auferzogen
> Wirft man uns auf einmal in die Welt,
> Uns umspülen hunderttausend Wogen,
> Alles reizt uns, mancherlei gefällt,
> Mancherlei verdrießt uns und von Stund zu Stunden
> Schwankt das leicht unruhige Gefühl,
> Wir empfinden, und was wir empfunden
> Spült hinweg das bunte Weltgefühl.
>
> Goethe

Wenn ich versuche, für die Zeit vor dem Ersten Weltkriege,
in der ich aufgewachsen bin, eine handliche Formel zu finden, so hoffe ich am prägnantesten zu sein, wenn ich sage:
es war das goldene Zeitalter der Sicherheit. Alles in unserer
fast tausendjährigen österreichischen Monarchie schien auf

Dauer gegründet und der Staat selbst der oberste Garant dieser Beständigkeit. Die Rechte, die er seinen Bürgern gewährte, waren verbrieft vom Parlament, der frei gewählten Vertretung des Volkes, und jede Pflicht genau begrenzt. Unsere Währung, die österreichische Krone, lief in blanken Goldstücken um und verbürgte damit ihre Unwandelbarkeit. Jeder wußte, wieviel er besaß oder wieviel ihm zukam, was erlaubt und was verboten war. Alles hatte seine Norm, sein bestimmtes Maß und Gewicht. Wer ein Vermögen besaß, konnte genau errechnen, wieviel an Zinsen es alljährlich zubrachte, der Beamte, der Offizier wiederum fand im Kalender verläßlich das Jahr, in dem er avancieren werde und in dem er in Pension gehen würde. Jede Familie hatte ihr bestimmtes Budget, sie wußte, wieviel sie zu verbrauchen hatte für Wohnen und Essen, für Sommerreise und Repräsentation, außerdem war unweigerlich ein kleiner Betrag sorgsam für Unvorhergesehenes, für Krankheit und Arzt bereitgestellt. Wer ein Haus besaß, betrachtete es als sichere Heimstatt für Kinder und Enkel, Hof und Geschäft vererbte sich von Geschlecht zu Geschlecht; während ein Säugling noch in der Wiege lag, legte man in der Sparbüchse oder der Sparkasse bereits einen ersten Obolus für den Lebensweg zurecht, eine kleine ›Reserve‹ für die Zukunft. Alles stand in diesem weiten Reiche fest und unverrückbar an seiner Stelle und an der höchsten der greise Kaiser; aber sollte er sterben, so wußte man (oder meinte man), würde ein anderer kommen und nichts sich ändern in der wohlberechneten Ordnung. Niemand glaubte an Kriege, an Revolutionen und Umstürze. Alles Radikale, alles Gewaltsame schien bereits unmöglich in einem Zeitalter der Vernunft.

Dieses Gefühl der Sicherheit war der erstrebenswerteste Besitz von Millionen, das gemeinsame Lebensideal. Nur mit dieser Sicherheit galt das Leben als lebenswert, und immer weitere Kreise begehrten ihren Teil an diesem kostbaren Gut. Erst waren es nur die Besitzenden, die sich dieses

Vorzugs erfreuten, allmählich aber drängten die breiten
Massen heran; das Jahrhundert der Sicherheit wurde das
goldene Zeitalter des Versicherungswesens. Man assekurierte
sein Haus gegen Feuer und Einbruch, sein Feld gegen Hagel
und Wetterschaden, seinen Körper gegen Unfall und Krankheit, man kaufte sich Leibrenten für das Alter und legte
den Mädchen eine Police in die Wiege für die künftige Mit-
gift. Schließlich organisierten sich sogar die Arbeiter, er-
oberten sich einen normalisierten Lohn und Krankenkassen,
Dienstboten sparten sich eine Altersversicherung und zahl-
ten im voraus ein in die Sterbekasse für ihr eigenes Begräbnis. Nur wer sorglos in die Zukunft blicken konnte, genoß
mit gutem Gefühl die Gegenwart.

In diesem rührenden Vertrauen, sein Leben bis auf die letzte
Lücke verpalisadieren zu können gegen jeden Einbruch des
Schicksals, lag trotz aller Solidität und Bescheidenheit der
Lebensauffassung eine große und gefährliche Hoffart. Das
neunzehnte Jahrhundert war in seinem liberalistischen
Idealismus ehrlich überzeugt, auf dem geraden und unfehl-
baren Weg zur ›besten aller Welten‹ zu sein. Mit Verachtung blickte man auf die früheren Epochen mit ihren Kriegen, Hungersnöten und Revolten herab als auf eine Zeit, da
die Menschheit eben noch unmündig und nicht genug auf-
geklärt gewesen. Jetzt aber war es doch nur eine Angelegenheit von Jahrzehnten, bis das letzte Böse und Gewalttätige
endgültig überwunden sein würde, und dieser Glaube an
den ununterbrochenen, unaufhaltsamen ›Fortschritt‹ hatte
für jenes Zeitalter wahrhaftig die Kraft einer Religion; man
glaubte an diesen ›Fortschritt‹ schon mehr als an die Bibel,
und sein Evangelium schien unumstößlich bewiesen durch
die täglich neuen Wunder der Wissenschaft und der Technik. In der Tat wurde ein allgemeiner Aufstieg zu Ende
dieses friedlichen Jahrhunderts immer sichtbarer, immer ge-
schwinder, immer vielfältiger. Auf den Straßen flammten
des Nachts statt der trüben Lichter elektrische Lampen, die
Geschäfte trugen von den Hauptstraßen ihren verführe-

rischen neuen Glanz bis in die Vorstädte, schon konnte
dank des Telephons der Mensch zum Menschen in die Ferne
sprechen, schon flog er dahin im pferdelosen Wagen mit
neuen Geschwindigkeiten, schon schwang er sich empor in
die Lüfte im erfüllten Ikarustraum. Der Komfort drang aus
den vornehmen Häusern in die bürgerlichen, nicht mehr
mußte das Wasser vom Brunnen oder Gang geholt werden,
nicht mehr mühsam am Herd das Feuer entzündet, die
Hygiene verbreitete sich, der Schmutz verschwand. Die
Menschen wurden schöner, kräftiger, gesünder, seit der
Sport ihnen die Körper stählte, immer seltener sah man
Verkrüppelte, Kropfige, Verstümmelte auf den Straßen,
und alle diese Wunder hatte die Wissenschaft vollbracht,
dieser Erzengel des Fortschritts. Auch im Sozialen ging es
voran; von Jahr zu Jahr wurden dem Individuum neue
Rechte gegeben, die Justiz linder und humaner gehandhabt,
und selbst das Problem der Probleme, die Armut der großen Massen, schien nicht mehr unüberwindlich. Immer weiteren Kreisen gewährte man das Wahlrecht und damit die
Möglichkeit, legal ihre Interessen zu verteidigen, Soziologen
und Professoren wetteiferten, die Lebenshaltung des Prole-
tariats gesünder und sogar glücklicher zu gestalten – was
Wunder darum, wenn dieses Jahrhundert sich an seiner
eigenen Leistung sonnte und jedes beendete Jahrzehnt nur
als die Vorstufe eines besseren empfand? An barbarische
Rückfälle, wie Kriege zwischen den Völkern Europas,
glaubte man so wenig wie an Hexen und Gespenster; beharrlich waren unsere Väter durchdrungen von dem Vertrauen auf die unfehlbar bindende Kraft von Toleranz und
Konzilianz. Redlich meinten sie, die Grenzen von Diver-
genzen zwischen den Nationen und Konfessionen würden
allmählich zerfließen ins gemeinsame Humane und damit
Friede und Sicherheit, diese höchsten Güter, der ganzen
Menschheit zugeteilt sein.

Es ist billig für uns heute, die wir das Wort ›Sicherheit‹
längst als ein Phantom aus unserem Vokabular gestrichen

haben, den optimistischen Wahn jener idealistisch verblen-
deten Generation zu belächeln, der technische Fortschritt
der Menschheit müsse unbedingterweise einen gleich rapiden
moralischen Aufstieg zur Folge haben. Wir, die wir im
neuen Jahrhundert gelernt haben, von keinem Ausbruch
kollektiver Bestialität uns mehr überraschen zu lassen, wir,
die wir von jedem kommenden Tag noch Ruchloseres erwarten als von dem vergangenen, sind bedeutend skepti-
scher hinsichtlich einer moralischen Erziehbarkeit der Menschen. Wir mußten Freud recht geben, wenn er in unserer
Kultur, unserer Zivilisation nur eine dünne Schicht sah, die
jeden Augenblick von den destruktiven Kräften der Unterwelt durchstoßen werden kann, wir haben allmählich uns
gewöhnen müssen, ohne Boden unter unseren Füßen zu
leben, ohne Recht, ohne Freiheit, ohne Sicherheit. Längst
haben wir für unsere eigene Existenz der Religion unserer
Väter, ihrem Glauben an einen raschen und andauernden
Aufstieg der Humanität abgesagt; banal scheint uns grausam Belehrten jener voreilige Optimismus angesichts einer
Katastrophe, die mit einem einzigen Stoß uns um tausend
Jahre humaner Bemühungen zurückgeworfen hat. Aber
wenn auch nur Wahn, so war es doch ein wundervoller und
edler Wahn, dem unsere Väter dienten, menschlicher und
fruchtbarer als die Parolen von heute. Und etwas in mir
kann sich geheimnisvollerweise trotz aller Erkenntnis und
Enttäuschung nicht ganz von ihm loslösen. Was ein Mensch
in seiner Kindheit aus der Luft der Zeit in sein Blut genommen, bleibt unausscheidbar. Und trotz allem und allem,
was jeder Tag mir in die Ohren schmettert, was ich selbst
und unzählige Schicksalsgenossen an Erniedrigung und Prü-
fungen erfahren haben, ich vermag den Glauben meiner
Jugend nicht ganz zu verleugnen, daß es wieder einmal
aufwärts gehen wird trotz allem und allem. Selbst aus dem
Abgrund des Grauens, in dem wir heute halb blind herum-
tasten mit verstörter und zerbrochener Seele, blicke ich immer wieder auf zu jenen alten Sternbildern, die über meiner

Kindheit glänzten, und tröste mich mit dem ererbten Vertrauen, daß dieser Rückfall dereinst nur als ein Intervall erscheinen wird in dem ewigen Rhythmus des Voran und Voran.

Heute, da das große Gewitter sie längst zerschmettert hat, wissen wir endgültig, daß jene Welt der Sicherheit ein Traumschloß gewesen. Aber doch, meine Eltern haben darin gewohnt wie in einem steinernen Haus. Kein einziges Mal ist ein Sturm oder eine scharfe Zugluft in ihre warme, behagliche Existenz eingebrochen; freilich hatten sie noch einen besonderen Windschutz: sie waren vermögende Leute, die allmählich reich und sogar sehr reich wurden, und das polsterte in jenen Zeiten verläßlich Fenster und Wand. Ihre Lebensform scheint mir dermaßen typisch für das sogenannte ›gute jüdische Bürgertum‹, das der Wiener Kultur so wesentliche Werte gegeben hat und zum Dank dafür völlig ausgerottet wurde, daß ich mit dem Bericht ihres gemächlichen und lautlosen Daseins eigentlich etwas Unpersönliches erzähle: so wie meine Eltern haben zehntausend oder zwanzigtausend Familien in Wien gelebt in jenem Jahrhundert der gesicherten Werte.

Die Familie meines Vaters stammte aus Mähren. In kleinen ländlichen Orten lebten dort die jüdischen Gemeinden in bestem Einvernehmen mit der Bauernschaft und dem Kleinbürgertum; so fehlte ihnen völlig die Gedrücktheit und andererseits die geschmeidig vordrängende Ungeduld der galizischen, der östlichen Juden. Stark und kräftig durch das Leben auf dem Lande, schritten sie sicher und ruhig ihren Weg wie die Bauern ihrer Heimat über das Feld. Früh vom orthodox Religiösen emanzipiert, waren sie leidenschaftliche Anhänger der Zeitreligion des ›Fortschritts‹ und stellten in der politischen Ära des Liberalismus die geachtetsten Abgeordneten im Parlament. Wenn sie aus ihrer Heimat nach Wien übersiedelten, paßten sie sich mit erstaunlicher Geschwindigkeit der höheren Kultursphäre an, und ihr persönlicher Aufstieg verband sich organisch dem

allgemeinen Aufschwung der Zeit. Auch in dieser Form des
Übergangs war unsere Familie durchaus typisch. Mein
Großvater väterlicherseits hatte Manufakturwaren vertrie-
ben. Dann begann in der zweiten Hälfte des Jahrhunderts
die industrielle Konjunktur in Österreich. Die aus England
importierten mechanischen Webstühle und Spinnmaschinen
brachten durch Rationalisierung eine ungeheure Verbilli-
gung gegenüber der altgeübten Handweberei, und mit ihrer
kommerziellen Beobachtungsgabe, ihrem internationalen
Überblick waren es die jüdischen Kaufleute, die als erste in
Österreich die Notwendigkeit und Ergiebigkeit einer Um-
stellung auf industrielle Produktion erkannten. Sie gründe-
ten mit meist geringem Kapital jene rasch improvisierten,
zunächst nur mit Wasserkraft betriebenen Fabriken, die sich
allmählich zur mächtigen, ganz Österreich und den Balkan
beherrschenden böhmischen Textilindustrie erweiterten.
Während also mein Großvater als typischer Vertreter der
früheren Epoche nur dem Zwischenhandel mit Fertigpro-
dukten gedient, ging mein Vater schon entschlossen hinüber
in die neue Zeit, indem er in Nordböhmen in seinem drei-
unddreißigsten Lebensjahr eine kleine Weberei begründete,
die er dann im Laufe der Jahre langsam und vorsichtig zu
einem stattlichen Unternehmen ausbaute.

Solche vorsichtige Art der Erweiterung trotz einer ver-
lockend günstigen Konjunktur lag durchaus im Sinne der
Zeit. Sie entsprach außerdem noch besonders der zurückhaltenden und durchaus ungierigen Natur meines Vaters.
Er hatte das Credo seiner Epoche ›Safety first‹ in sich aufgenommen; es war ihm wesentlicher, ein ›solides‹ – auch
dies ein Lieblingswort jener Zeit – Unternehmen mit eigener
Kapitalkraft zu besitzen, als es durch Bankkredite oder
Hypotheken ins Großdimensionale auszubauen. Daß zeitlebens nie jemand seinen Namen auf einem Schuldschein,
einem Wechsel gesehen hatte und er nur immer auf der
Habenseite seiner Bank – selbstverständlich der solidesten,
der Rothschildbank, der Kreditanstalt – gestanden, war sein

einziger Lebensstolz. Jeglicher Verdienst mit auch nur dem leisesten Schatten eines Risikos war ihm zuwider, und durch all seine Jahre beteiligte er sich niemals an einem fremden Geschäft. Wenn er dennoch allmählich reich und immer reicher wurde, hatte er dies keineswegs verwegenen Spekulationen oder besonders weitsichtigen Operationen zu danken, sondern der Anpassung an die allgemeine Methode jener vorsichtigen Zeit, immer nur einen bescheidenen Teil des Einkommens zu verbrauchen und demzufolge von Jahr zu Jahr einen immer beträchtlicheren Betrag dem Kapital zuzulegen. Wie die meisten seiner Generation hätte mein Vater jemanden schon als bedenklichen Verschwender betrachtet, der unbesorgt die Hälfte seiner Einkünfte aufzehrte, ohne – auch dies ein ständiges Wort aus jenem Zeitalter der Sicherheit – ›an die Zukunft zu denken‹. Dank diesem ständigen Zurücklegen der Gewinne bedeutete in jener Epoche steigender Prosperität, wo überdies der Staat nicht daran dachte, auch von den stattlichsten Einkommen mehr als ein paar Prozent an Steuern abzuknappen und andererseits die Staats- und Industriewerte hohe Verzinsung brachten, für den Vermögenden das Immer-reicher-Werden eigentlich nur eine passive Leistung. Und sie lohnte sich; noch wurde nicht wie in den Zeiten der Inflation der Sparsame bestohlen, der Solide geprellt, und gerade die Geduldigsten, die Nichtspekulanten hatten den besten Gewinn. Dank dieser Anpassung an das allgemeine System seiner Zeit konnte mein Vater schon in seinem fünfzigsten Jahre auch nach internationalen Begriffen als sehr vermögender Mann gelten. Aber nur sehr zögernd folgte die Lebenshaltung unserer Familie dem immer rascheren Anstieg des Vermögens nach. Man legte sich allmählich kleine Bequemlichkeiten zu, wir übersiedelten aus einer kleineren Wohnung in eine größere, man hielt sich im Frühjahr für die Nachmittage einen Mietswagen, reiste zweiter Klasse mit Schlafwagen, aber erst in seinem fünfzigsten Jahr gönnte sich mein Vater zum erstenmal den Luxus, mit meiner Mutter für einen Monat im Winter nach Nizza zu fahren. Im ganzen blieb die Grundhaltung, Reichtum zu genießen, indem man ihn hatte und nicht indem man ihn zeigte, völlig unverändert; noch als Millionär hat mein Vater noch nie eine Importe geraucht, sondern – wie Kaiser Franz Joseph seine billige Virginia – die einfache ärarische Trabuco, und wenn er Karten spielte, geschah es immer nur um kleine Einsätze. Unbeugsam hielt er an seiner Zurückhaltung, seinem behaglichen aber diskreten Leben fest. Obwohl ungleich repräsentabler und gebildeter als die meisten seiner Kollegen – er spielte ausgezeichnet Klavier, schrieb klar und gut, sprach Französisch und Englisch – hat er beharrlich sich jeder Ehre und jedem Ehrenamt verweigert, zeitlebens keinen Titel, keine Würde angestrebt oder angenommen, wie sie ihm oft in seiner Stellung als Großindustrieller angeboten wurde. Niemals jemanden um etwas gebeten zu haben, niemals zu ›bitte‹ oder ›danke‹ verpflichtet gewesen zu sein, dieser geheime Stolz bedeutete ihm mehr als jede Äußerlichkeit.

Nun kommt im Leben eines jedweden unweigerlich die Zeit, da er im Bilde seines Wesens dem eigenen Vater wiederbegegnet. Jener Wesenszug zum Privaten, zum Anonymen der Lebenshaltung beginnt sich in mir jetzt von Jahr zu Jahr stärker zu entwickeln, so sehr er eigentlich im Widerspruch steht zu meinem Beruf, der Name und Person gewissermaßen zwanghaft publik macht. Aber aus dem gleichen geheimen Stolz habe ich seit je jede Form äußerer Ehrung abgelehnt, keinen Orden, keinen Titel, keine Präsidentschaft in irgendeinem Vereine angenommen, nie einer Akademie, einem Vorstand, einer Jury angehört; selbst an einer festlichen Tafel zu sitzen ist mir eine Qual, und schon der Gedanke, jemanden um etwas anzusprechen, trocknet mir – selbst wenn meine Bitte einem Dritten gelten soll – die Lippe schon vor dem ersten Wort. Ich weiß, wie unzeitgemäß derlei Hemmungen sind in einer Welt, wo man nur frei bleiben kann durch List und Flucht, und wo, wie Vater

Goethe weise sagte, ›Orden und Titel manchen Puff abhalten im Gedränge‹. Aber es ist mein Vater in mir und sein
heimlicher Stolz, der mich zurückzwingt, und ich darf ihm
nicht Widerstand leisten; denn ihm danke ich, was ich vielleicht als meinen einzig sicheren Besitz empfinde: das Gefühl der inneren Freiheit.

*Henry van de Velde:*
*Doppeltitel zu Nietzsches »Ecce Homo« (Leipzig um 1903)*

# II. Literaturtheorie

*Anders als noch zur Zeit des Realismus oder Naturalismus streben die zahlreichen Versuche künstlerischer Selbstrechtfertigung oder kritischer Reflexion jetzt zu weit auseinander, als daß sie sich zu einer allseits akzeptierten Theorie literarischer Praxis ergänzten. Das ist seither so geblieben; die Zeit um 1900 kann insofern als der Beginn der literarischen Gegenwart verstanden werden, als hier – zum ersten Male in solcher Deutlichkeit auch für den flüchtigen Blick sichtbar – ein Pluralismus von »Weltanschauungen«, Stilen und Einflüssen das intellektuelle Leben bestimmt. Wenn hundert Jahre zuvor Schiller und Goethe sich in den »Xenien« mit dem Aufklärer Nicolai auseinandersetzten oder wenn die Romantiker ihre Überzeugungen von Literatur denen der Klassiker entgegenstellten, so handelte es sich nur scheinbar in diesem modernen Sinne um einen Pluralismus: das Neue an der Literaturepoche ein Jahrhundert nach der Klassik und Romantik ist der Umstand, daß die theoretischen Äußerungen nur in seltenen Fällen noch aufgrund philosophischer Begründungen allgemeine Gültigkeit beanspruchen.*

*Das macht sie nicht wertlos für die Erkenntnis ihrer Zeit: im Gegenteil ist das Neben- und Gegeneinander von Überzeugungen und Erfahrungen im produktiven und reproduktiven Umgang mit Kunst Ausdruck einer Ergiebigkeit und Fülle, die die Epoche um 1900 zu einer der reichsten und fesselndsten der deutschen Literaturgeschichte macht.*

*Im wesentlichen sind die theoretischen Äußerungen dieses Zeitraums Resultat einer außerordentlich weit vorangetriebenen Sensibilisierung nicht nur für ästhetische Phänomene, sondern auch für geschichtliche Mächte und Strömungen. Viele scheinbar nur als subjektive Äußerungen verständliche Dokumente – wie Hofmannsthals »Brief« – gewinnen da-*

her ihre Bedeutung. Sie liegt in der scharfsichtigen Regi-
strierung epochaler Tendenzen, die hier (im ganzen gesehen) nicht auf das Prokrustesbett vorformulierter Axiome
gespannt werden, sondern sich in ihrer Vielfalt und der begrifflichen Fixierung widersprechenden Lebendigkeit erhalten. Dies verdient festgehalten zu werden, auch gegenüber
dem Verdikt von Georg Lukács, der im 1962 verfaßten
Vorwort zu seiner 1914/15 entstandenen »Theorie des Romans« über die um die Jahrhundertwende herrschende
Chaotik der geisteswissenschaftlichen und vor allem ästhetischen Diskussion bemerkt:

»Heute ist es nicht mehr schwierig, die Schranken der geisteswissenschaftlichen Methode klar zu sehen. Man vermag
allerdings auch ihre historisch relative Berechtigung gegen
die kleinliche Flachheit des neukantianischen oder sonstigen
Positivismus sowohl in der Behandlung historischer Gestalten oder Zusammenhänge, als auch der geistigen Sachver-
halte (Logik, Ästhetik etc.) richtig zu verstehen. Ich denke
etwa an die faszinierende Wirkung von Diltheys »Das Erlebnis und die Dichtung« (Leipzig 1905), ein Buch, das in
vieler Hinsicht Neuland zu sein schien. Dieses Neuland erschien uns damals als eine Gedankenwelt großangelegter
Synthesen, und zwar theoretisch ebenso wie historisch. Wir
übersahen dabei, wie wenig diese neue Methode den Positivismus wirklich überwunden hatte, wie wenig ihre Synthesen sachlich fundiert waren. (Daß begabte Menschen ihre
wirklich stichhaltigen Ergebnisse mehr trotz dieser Methode
als mit ihrer Hilfe fanden, haben wir Jüngeren damals
nicht bemerkt.) Es wurde Sitte, aus wenigen, zumeist bloß
intuitiv erfaßten Zügen einer Richtung, einer Periode etc.
synthetisch allgemeine Begriffe zu bilden, aus denen man
dann deduktiv zu den Einzelerscheinungen herabstieg und
so eine großzügige Zusammenfassung zu erreichen meinte.«

HERMANN BAHR

Geb. 19. Juli 1863 in Linz a. d. Donau, gest. 15. Januar 1934 in München, Sohn eines Notars. 1881–87 Studium der Altphilologie, Nationalökonomie, Jurisprudenz, Geschichte und Literaturwissenschaft in Wien,
Graz, Czernowitz und Berlin, dort Kontakte zu Max Kretzer und Arno
Holz. 1888 Reise nach Paris, dort unter dem Einfluß von Paul Bourget,
Maurice Barrès, Joris-Karl Huysmans und Maurice Maeterlinck Abkehr
vom Naturalismus, Reise durch Frankreich, Spanien und Marokko,
1889 Redakteur der *Freien Bühne* in Berlin, 1891 freier Schriftsteller
und Kritiker in Wien, dort im Kreise des »Café Griensteidl«, 1906/07
Regisseur bei Max Reinhardt am Deutschen Theater Berlin. 1909 Ehe
mit der Wagnersängerin Anna von Mildenburg, 1912 Übersiedlung nach
Salzburg, 1922 nach München.

## Die Überwindung des Naturalismus

*Der Aufsatz erschien 1891 in dem Essayband gleichen Na-
mens, den Bahr als Fortsetzung seiner Aufsatzsammlung
»Zur Kritik der Moderne« (1890) verstand. Die Formulierung des Titels geht auf den dort abgedruckten Ibsen-Essay
zurück, der im August und September 1887 in der Wiener
Zeitschrift »Deutsche Worte« erschienen war und in dessen
Schlußformulierung Bahr an Ibsen rühmt, »die literarische
Gegenwart gründlich abgetan« zu haben und »das Mittel
ihrer Überwindung gereicht« zu haben, wobei »diese Überwindung« selbst einem »Größere[n]« vorbehalten bleibe.
Ein wesentliches Charakteristikum, dem Bahrs Literatur-
kritik ihre Resonanz verdankt, wird gleich zu Beginn deutlich: Er war dem allgemein verbreiteten Urteil immer um
einen Schritt voraus und verwarf stets, was sich soeben
durchgesetzt hatte; Heinz Kindermann nennt ihn einen
»Dirigent[en]« der europäischen Stilentwicklung«. Diese sen-
sible Witterung für neue Tendenzen und Leistungen, die ihn
1891 in Petersburg Eleonora Duse und Josef Kainz »entdecken« ließ, macht es schwer, Bahr in seinen Äußerungen
auf eine Linie zu fixieren. Er trat zum erstenmal 1883 an-*

*läßlich eines Trauerkommerses für Richard Wagner im Kreise deutschnationaler Studenten an die Öffentlichkeit und war später mit dem Führer der österreichischen Sozialdemokratie Viktor Adler befreundet, eine Beziehung, die er 1888 in einem Brief an seinen Vater charakterisierte: »Ich bin von einer Partei zur anderen gegangen, weil ich immer die Betrachtung der Angelegenheit sub specie aeterni suchte und immer dafür nur die beschränkten Tagessorgen fand.«*

*Der hier abgedruckte Aufsatz ist ein frühes – wenn nicht das erste – Dokument eines literarischen Symbolismus und Impressionismus in Deutschland. Nachdem er Naturalismus und Psychologismus, die beide einem von den Naturwissenschaften geprägten Zeitalter nahelagen, abgelehnt hat, diagnostiziert er eine Wendung der Kunst zum Traum und seiner Artikulation in Symbolen sowie eine Kunst der Sensibilität. Ihr Organ sind die »Nerven«, ihre ersten Vertreter die französischen Maler Puvis de Chavannes und Edgar Degas, ferner Georges Bizet und der Belgier Maurice Maeterlinck. Man kann von einer Kunst des Augenblicks sprechen, die darauf aus ist, die flüchtige Impression, den momentanen Nervenreiz darzustellen, wobei sich darüber streiten läßt, inwieweit die von Bahr genannten Vertreter als »Impressionisten« zu bezeichnen sind. Der Aufsatz spricht auch nicht vom Impressionismus, sondern wählt als Epochenbegriff das Wort »Dekadence«, worunter er – wie der letzte Abschnitt erkennen läßt – ziemlich genau das versteht, was man heute als Jugendstil bezeichnet.*

Die Überwindung des Naturalismus

> »La vie dans l'Esprit, comme dans
> la Nature, échappe à la définition.
> Elle est chose sacrée et qui ne relève
> que de la Cause Inconnue.«
>
> Bourget[1]

Die Herrschaft des Naturalismus ist vorüber, seine Rolle ist
ausgespielt, sein Zauber ist gebrochen. In den breiten Massen der Unverständigen, welche hinter der Entwicklung
einhertrotten und jede Frage überhaupt erst wahrnehmen,
wenn sie längst schon wieder erledigt ist, mag noch von ihm
die Rede sein. Aber die Vorhut der Bildung, die Wissenden,
die Eroberer der neuen Werte wenden sich ab. Neue Schulen erscheinen, welche von den alten Schlagworten nichts
mehr wissen wollen. Sie wollen weg vom Naturalismus und
über den Naturalismus hinaus.
Es sind nun zwei Fragen, die sich nicht abweisen lassen.
Erstens die Frage, was das Neue sein wird, das den Naturalismus überwinden soll.
Zweitens die Frage nach dem künftigen Schicksal des Naturalismus. Wie dieser sich neben solcher Neuerung ausneh-
men, wofür er dem nächsten Geschlecht gelten und was er
am Ende in der Summe der Entwicklungen bedeuten
wird.
Spuren des Neuen sind manche vorhanden. Sie erlauben
viele Vermutungen. Eine Weile war es die Psychologie, welche den Naturalismus ablöste. Die Bilder der äußeren Welt
zu verlassen, um lieber die Rätsel der einsamen Seele aufzusuchen – dieses wurde die Losung: man forschte nach
den letzten Geheimnissen, welche im Grunde des Menschen
schlummern. Aber diese Zustände der Seele zu konstatieren
genügte dem unsteten Fieber der Entwicklung bald nicht
mehr, sondern sie verlangten lyrischen Ausdruck, durch

1. »Das Leben des Geistes, wie das der Natur, entzieht sich der Definition. Es ist etwas Heiliges, das sich nur aus unbekannter Ursache
wieder aufrichtet.«

welchen erst ihr Drang befriedigt werden könnte. So kam man von der Psychologie, zu welcher man durch einen konsequenten Naturalismus gekommen war, weil ihre Wirklichkeit allein von uns erfaßt werden kann – so kam man von der Psychologie, wie ihren Trieben nachgegeben wurde, notwendig am Ende zum Sturze des Naturalismus: das Eigene aus sich zu gestalten, statt das Fremde nachzubilden, das Geheime aufzusuchen, statt dem Augenschein zu folgen, und gerade dasjenige auszudrücken, worin wir uns anders fühlen und wissen als die Wirklichkeit. Es verbreitete sich am Ende der langen Wanderung nach der ewig flüchtigen Wahrheit wieder das alte Gefühl des petöfischen Liedes: »Die Träume, Mutter, lügen nimmer«; und wieder wurde die Kunst, die eine Weile die Markthalle der Wirklichkeit gewesen, der »Tempel des Traumes«, wie Maurice Maeterlinck sie genannt hat. Die Ästhetik drehte sich um. Die Natur des Künstlers sollte nicht länger ein Werkzeug der Wirklichkeit sein, um ihr Ebenbild zu vollbringen; sondern umgekehrt, die Wirklichkeit wurde jetzt wieder der Stoff des Künstlers, um seine Natur zu verkünden, in deutlichen und wirksamen Symbolen.

Auf den ersten Blick scheint das schlechtweg Reaktion: Rückkehr zum Klassizismus, den wir so böse verlästert, und zur Romantik. Die Gegner des Naturalismus behalten recht. Sein ganzer Aufwand ist nur eine Episode gewesen, eine Episode der Verirrung; und hätte man gleich die ehrlichen Warner gehört, welche nicht müde wurden, ihn zu verdächtigen und zu beklagen, man hätte sich die ganze Beschämung und manchen Katzenjammer erspart. Man wäre bei der alten Kunst geblieben und brauchte sie sich nicht erst jetzt als die allerneueste Kunst zu erwerben.

Man könnte freilich auch dann manche Verteidigung für ihn finden, manche Entschuldigung und beinahe etwas wie eine geschichtliche Rechtfertigung – selbst wenn der Naturalismus wirklich bloß eine Verirrung vom rechten Wege weg gewesen wäre. Man könnte sagen: Zugegeben, er war eine Verirrung, aber dann ist er eine von jenen notwendigen, unentbehrlichen und heilsamen Verirrungen gewesen, ohne welche die Kunst nicht weiter, nicht vorwärts kann. Freilich, ihr Ziel war immer und immer wird es ihr Ziel sein, eine künstlerische Natur auszudrücken und mit solcher Zwingkraft aus sich heraus zur Wirksamkeit über die anderen zu bringen, daß diese unterjocht und zur Gefolgschaft genötigt werden; aber um dieser Wirksamkeit willen gerade, zur Verbindung mit den anderen, bedarf sie des wirklichen Stoffes. Das ist in den alten Zeiten selbstverständlich gewesen; aber die philosophische Verbildung hat es verloren. Der beginnende Mensch, wie er es überhaupt unternahm, sein Inneres auszudrücken, konnte es nicht anders als in den Dingen, die eben sein Inneres formten; sonst hatte er nichts in sich. Er trug die Wirklichkeit, die Urgestalt der Wirklichkeit, so wie er sie empfing, unverwandelt in sich, und wenn er sich nach außen entlud, so konnte es bloß in Wirklichkeit sein; jeder Wunsch, jede Hoffnung, jeder Glaube war Mythologie. Als aber die philosophische Schulung über die Menschheit kam, die Lehre zum Denken, da wurden die gehäuften Erlebnisse der Seele an handsamen Symbolen verkürzt: es lernte der Mensch das Konkrete ins Abstrakte zu verwandeln und als Idee zu bewahren. Und nun hat der nachklassische Idealismus manchmal vergessen, daß, wenn eine Natur nach außen wirken will, sie zuvor den nämlichen Prozeß erst wieder zurückmachen muß, vom Abstrakten wieder zurück zum Konkreten, weil jenes, als Kürzung und Statthalter von diesem, nur auf denjenigen wirkt, der dieses schon lange besitzt. Daran ist der Naturalismus eine nützliche und unvermeidliche Mahnung gewesen. So könnte man ihn schon verteidigen, selbst wenn die neue Kunst wirklich zur alten zurückkehrt.

Aber es ist doch ein Unterschied zwischen der alten Kunst und der neuen – wie man sie nur ein bißchen eindringlicher prüft. Freilich: die alte Kunst will den Ausdruck des Menschen und die neue Kunst will den Ausdruck des Menschen;

darin stimmen sie überein gegen den Naturalismus. Aber
wenn der Klassizismus Mensch sagt, so meint er Vernunft
und Gefühl; und wenn die Romantik Mensch sagt, so meint
sie Leidenschaft und Sinne; und wenn die Moderne Mensch
sagt, so meint sie Nerven. Da ist die große Einigkeit schon
wieder vorbei.

Ich glaube also, daß der Naturalismus überwunden werden
wird durch eine nervöse Romantik; noch lieber möchte ich
sagen: durch eine Mystik der Nerven. Dann wäre freilich der
Naturalismus nicht bloß ein Korrektiv der philosophischen
Verbildung. Er wäre dann geradezu die Entbindung der Moderne: denn bloß in dieser dreißigjährigen Reibung der Seele
am Wirklichen konnte der Virtuose im Nervösen werden.

Man kann den Naturalismus als eine Besinnung des Idealismus auf die verlorenen Mittel betrachten.

Dem Idealismus war das Material der idealen Ausdrücke
ausgegangen. Jetzt ist die nötige Sammlung und Zufuhr
geschehen; es braucht bloß die alte Tradition wieder aufgenommen und fortgesetzt zu werden.

Oder man kann den Naturalismus als die hohe Schule der
Nerven betrachten: in welcher ganz neue Fühlhörner des
Künstlers entwickelt und ausgebildet werden, eine Sensibilität der feinsten und leisesten Nuancen, ein Selbstbewußtsein des Unbewußten, welches ohne Beispiel ist.

Der Naturalismus ist entweder eine Pause zur Erholung der
alten Kunst; oder er ist eine Pause zur Vorbereitung der
neuen: jedenfalls ist er Zwischenakt.

Die Welt hatte sich erneut; es war alles ganz anders geworden, ringsum. Draußen wurde es zuerst gewahrt. Dahin
wendete sich die unstete Neugier zuerst. Das Fremde schildern, das Draußen, eben das Neue. Erste Phase.

Aber gerade darum, damit, dadurch hatte sich auch der
Mensch erneut. Den gilt es jetzt: sagen, wie er ist – zweite
Phase. Und mehr noch, aussagen, was er will: das Drän-
gende, Ungestüme, Zügellose – das wilde Begehren, die vielen Fieber, die großen Rätsel.

Ja – auch die Psychologie ist wieder nur Auftakt und Vor-
gesang: sie ist nur das Erwachen aus dieser langen Selbst-
entfremdung des Naturalismus, das Wiederfinden der for-
schenden Freude an sich, das Horchen nach dem eigenen
Drang. Aber das wühlt tiefer: sich verkünden, das Selbsti-
sche, die seltsame Besonderheit, das wunderliche Neue. Und
dieses ist im Nervösen. – Dritte Phase der Moderne.

Der neue Idealismus ist von dem alten zweifach verschieden: sein Mittel ist das Wirkliche, sein Zweck ist der Befehl
der Nerven.

Der alte Idealismus ist richtiges Rokoko. Ja, er drückt
Naturen aus. Aber Naturen sind damals Vernunft, Gefühl
und Schnörkel: siehe Wilhelm Meister. Der romantische
Idealismus wirft die Vernunft hinaus, hängt das Gefühl an
die Steigbügel der durchgehenden Sinne und galoppiert
gegen die Schnörkel: er ist überall gotisch maskiert. Aber
weder der alte noch der romantische Idealismus denken
daran, sich erst aus sich heraus ins Wirkliche zu übersetzen:
sie fühlen sich ohne das, in der nackten Innerlichkeit, lebendig genug.

Der neue Idealismus drückt die neuen Menschen aus. Sie
sind Nerven; das andere ist abgestorben, welk und dürr.
Sie erleben nur mehr mit den Nerven, sie reagieren nur
mehr von den Nerven aus. Auf den Nerven geschehen ihre
Ereignisse, und ihre Wirkungen kommen von den Nerven.
Aber das Wort ist vernünftig oder sinnlich; darum können
sie es bloß als eine Blumensprache gebrauchen: ihre Rede
ist immer Gleichnis und Sinnbild. Sie können sie oft wech-
seln, weil sie bloß ungefähr und ohne Zwang ist; und immer bleibt es am Ende Verkleidung. Der Inhalt des neuen
Idealismus ist Nerven, Nerven, Nerven und – Kostüm: die
Decadence löst das Rokoko und die gotische Maskerade ab.
Die Form ist Wirklichkeit, die täglich äußere Wirklichkeit
von der Straße, die Wirklichkeit des Naturalismus.

Wo ist der neue Idealismus?

Aber seine Verkündigungen sind da: lange, zuverlässige,

ganz deutliche Verkündigungen. Da ist Puvis de Chavannes, da ist Degas, da ist Bizet, da ist Maurice Maeterlinck. Die Hoffnung braucht nicht zu zagen.

Wenn erst das Nervöse völlig entbunden und der Mensch, aber besonders der Künstler, ganz an die Nerven hingegeben sein wird, ohne vernünftige und sinnliche Rücksicht, dann kehrt die verlorene Freude in die Kunst zurück. Die Gefangenschaft im Äußeren und die Knechtschaft unter die Wirklichkeit machten den großen Schmerz. Aber jetzt wird eine jubelnde Befreiung und ein zuversichtlicher, schwingenkühner, junger Stolz sein, wenn sich das Nervöse alleinherrisch und zur tyrannischen Gestaltung seiner eigenen Welt fühlt. Es war ein Wehklagen des Künstlers im Naturalismus, weil er dienen mußte; aber jetzt nimmt er die Tafeln aus dem Wirklichen und schreibt darauf seine Gesetze.

Es wird etwas Lachendes, Eilendes, Leichtfüßiges sein. Die logische Last und der schwere Gram der Sinne sind weg; die schauerliche Schadenfreude der Wirklichkeit versinkt. Es ist ein Rosiges, ein Rascheln wie von grünen Trieben, ein Tanzen wie von Frühlingssonne im ersten Morgenwinde – es ist ein geflügeltes, erdenbefreites Steigen und Schweben in azurne Wollust, wenn die entzügelten Nerven träumen.

STEFAN GEORGE

## Einleitungen der Blätter für die Kunst

*Der Abgeschlossenheit von Georges Lebensführung (vgl. S. 172) entsprach die Esoterik seiner Dichtung. Dokumente seines künstlerischen Selbstbewußtseins wie seines strengen Willens zur Form sind bereits die frühen Äußerungen seiner Kunsttheorie, die er im Laufe der Jahre in den Einleitungen und in den »Merksprüchen« vor dem ausgewählten Publi-*

*kum seiner »Blätter für die Kunst« entfaltete. Hier schon proklamiert er den Grundsatz einer »kunst für die kunst« – aber anders als Heinrich Heine, der dieses Prinzip erstmals in voller Deutlichkeit formulierte, versteht George unter solcher autonomen Kunst zugleich eine kompetente Kunst. Heine hatte seine Maxime interpretiert durch den Zusatz: »Die großen Interessen des europäischen Lebens interessieren mich noch immer weit mehr als meine Bücher – – – que Dieu les prenne en sa sainte et digne garde!« Damit wird deutlich, welcher Art die Heinesche Kunstautonomie ist: Sie ist die Souveränität in einem Schattenreich, das neben der eigentlich interessierenden Wirklichkeit existiert. Für George sieht es genau umgekehrt aus: Kunst ist ihm der Ort, an dem sich die »glänzende wiedergeburt« vollziehen kann, zu der das »staatliche und gesellschaftliche« nicht in der Lage ist. Gundolf konstatiert in der Einleitung seines George-Buches, daß mit Heine die »Anarchie der deutschen Sprache« beginne, er schreibt sein Buch, um den Nachweis bemüht, daß George seine »erste geschichtliche Aufgabe in der Wiedergeburt der deutschen Sprache und des Dichtertums« gesehen und erfüllt habe. In der Schwierigkeit, diesen ungeheuren Anspruch aufrechtzuhalten, mag der Umstand begründet sein, daß George in seinen späteren Jahren immer weniger produzierte und daß er »kein Alterswerk, auch nicht eine Spätdichtung im traditionellen Sinne als krönenden Abschluß seiner dichterischen Entwicklung« (Michael Winkler) hinterlassen hat.*

*Georges Dichtung wie ihre theoretische Rechtfertigung können als deutsche Dokumente eines Symbolismus verstanden werden, dessen Vertreter George in Frankreich kennengelernt hatte und deren Prinzipien er für die deutsche Dichtung fruchtbar zu machen suchte.*

Erste Folge. Erstes Heft. 1892

Der name dieser veröffentlichung sagt schon zum teil was
sie soll: der kunst besonders der dichtung und dem schrifttum dienen, alles staatliche und gesellschaftliche ausschei-
dend.
Sie will die GEISTIGE KUNST auf grund der neuen fühlweise
und mache – eine kunst für die kunst – und steht deshalb
im gegensatz zu jener verbrauchten und minderwertigen
schule die einer falschen auffassung der wirklichkeit ent-
sprang. sie kann sich auch nicht beschäftigen mit weltver-
besserungen und allbeglückungsträumen in denen man
gegenwärtig bei uns den keim zu allem neuen sieht, die ja
sehr schön sein mögen aber in ein andres gebiet gehören als
das der dichtung.
Wir halten es für einen vorteil dass wir nicht mit lehrsätzen
beginnen sondern mit werken die unser wollen behellen und
an denen man später die regeln ableite.
Zwar werden wir auch belehrend und urteilend die neuen
strömungen der literatur im in- und ausland einführen, uns
dabei aber so sehr wie möglich aller schlagworte begeben*
die auch bei uns schon auftauchten und dazu angetan sind
die köpfe zu verwirren.
Es sei hervorgehoben dass wir jeder fehde abgeneigt sind:
wenn wir diese blätter verbreiten so geschieht es um zer-
streute noch unbekannte ähnlichgesinnte zu entdecken und
anzuwerben.
Welche gestalt das unternehmen (ob einfacher ob vergrös-
sert) gewinnt wird unsern lesern mitgeteilt.
Enthalte man sich auch allen streites und spottes über das
leben wobei – wie Goethe meint – nicht viel herauskommt.
In der kunst glauben wir an eine glänzende wiedergeburt.

---

* Symbolismus Dekadentismus Okkultismus usw.

*Melchior Lechter: Schlußblatt der »Blätter für die Kunst« (1901)*

Zweite Folge. Zweites Heft. 1894

Nicht bloss in zeiten des übergangs sind die schwankenden
bohrenden andeutenden sätze den schulmässig feststehenden
vorzuziehen: sie sind die sibyllinischen zeichen aus denen
die jugend ihre tiefste anregung empfängt.

NIEDERGANG (dekadenz) in verschiedener hinsicht ist eine
erscheinung die man unklugerweise zum einzigen ausfluss
UNSRER zeit machen wollte – die gewiss auch einmal in den
rechten händen künstlerische behandlung zulässt sonst aber
ins gebiet der heilkunde gehört.

Jede niedergangs-erscheinung zeugt auch wieder von höherem leben.

Das SINNBILD (symbol) ist so alt wie sprache und dichtung
selbst. es gibt sinnbild der einzelnen worte der einzelnen
teile und des gesamt-inhalts einer kunst-schöpfung. das lezte
nennt man auch die tiefere meinung die jedem bedeutenden
werk innewohnt.

Sinnbildliches sehen ist die natürliche folge geistiger reife
und tiefe.

Zwischen ÄLTERER UND HEUTIGER KUNST gibt es allerdings
einige unterschiede:

Wir wollen keine erfindung von geschichten sondern wiedergabe von stimmungen keine betrachtung sondern darstellung keine unterhaltung sondern eindruck.

Die älteren dichter schufen der mehrzahl nach ihre werke
oder wollten sie wenigstens angesehen haben als stütze einer
meinung: einer weltanschauung – wir sehen in jedem ereignis jedem zeitalter nur ein mittel künstlerischer erregung.
auch die freisten der freien konnten ohne den sittlichen
deckmantel nicht auskommen (man denke an die begriffe
von schuld usw.) der uns ganz wertlos geworden ist.

Drittens die kürze – rein ellenmässig – die kürze.

Das GEDICHT ist der höchste der endgültige ausdruck eines
geschehens: nicht wiedergabe eines gedankens sondern einer

stimmung. was in der malerei wirkt ist verteilung linie und
farbe, in der dichtung: auswahl maass und klang.

Viele die über ein zweck-gemälde oder ein zweck-tonstück
lächeln würden glauben trotz ihres leugnens doch an die
zweck-dichtung. auf der einen seite haben sie erkannt dass
das stoffliche bedeutungslos ist, auf der andern suchen sie
es beständig und fremd ist ihnen eine dichtung zu GE-
NIESSEN.

ERZÄHLUNG. Man verwechselt heute kunst (literatur) mit be-
richterstatterei (reportage) zu welch lezter gattung die meisten unsrer erzählungen (sogen. romane) gehören. ein gewisser zeitgeschichtlicher wert bleibt ihnen immerhin obgleich
er nicht dem der tagesblätter richtverhandlungen behörd-
lichen zählungen u. ä. gleichkommt.

Eine neubelebung der BÜHNE ist nur durch ein völliges in-
hintergrund-treten des schauspielers denkbar.

Warum gerade die bühnen-dichtung die HÖCHSTE sein soll?

KUNSTWERT besitzt die arbeit die menschen oder dingen irgend eine neue unbekannte seite abzugewinnen und als möglich darzustellen weiss.

Unsere KUNSTRICHTER (kritiker) bedeuten deshalb so wenig
weil sie meist verkümmerte künstler sind die andrer werke
bereden und tadeln in der ohnmacht eigne hervorzubringen.

Wenn wir alle FREMDWÖRTER auch die eingewurzelten – alle
schlagworte gehören hierzu – wegliessen so bliebe vieles
leere ungesagt. wenn ein satz der eines solchen wortes nicht
entbehren kann fortfällt so wird weder sprache noch gesellschaft dadurch einen verlust erfahren.

REIM ist ein teuer erkauftes spiel. hat ein künstler einmal
zwei worte miteinander gereimt so ist eigentlich das spiel
für ihn verbraucht und er soll es nie oder selten wiederholen.

Wir bemerken nun schon seit jahren: in keinem nebenstaate
– auch den stammverwandten nieder- und nordländischen
nicht – dürfen der gleichen leserstufe solche erzeugnisse als

dichtungen dargeboten werden wie bei uns. daraus ergibt
sich für die nächstfolgende zeit die verschiedenheit unsrer
kunstaufgabe von der unsrer nachbarn.


RICHARD DEHMEL

## Philosophische und poetische Weltanschauung

*Dehmels Ansprache macht nicht nur seine Stellung inner-
halb der zahlreichen miteinander konkurrierenden Tendenzen seiner Epoche sichtbar, er formuliert zugleich seine Auffassung vom Wesen und der Aufgabe der Kunst. Unter
Monismus versteht man eine Philosophie, die die Wirklichkeit auf ein einziges materielles oder geistiges Prinzip zu-
rückführt. Der 1906 gegründete Monistenbund entwickelte
den auf Darwins Abstammungslehre zurückgehenden Monismus Ernst Haeckels zu einer freidenkerischen, aufkläre-
rischen und religionsfeindlichen »Weltanschauung«. Die
Absage Dehmels an diese Doktrin ist zugleich eine Absage
an die anderen Lehren und Theoreme der Zeit, indem sie
die Dichtung auf »Glauben«, »Leidenschaft«, »Pathos« verweist. Die mit dem Wort »Gefühl« hier von Dehmel geprägten Komposita sind bezeichnend: »Gefühlsvorstellungen«, »Gefühlsgestalten«, »Gefühlskompaß« – solche Vo-
kabeln suggerieren die Dominanz der emotionalen menschlichen Vermögen über die rationalen; diese werden von
jenen eher beherrscht als eliminiert. Der Dichter verwandelt
Gedanken und Erkenntnisse in ein »bildhaftes Spiel«, das
seinerseits neutral ist. Diese Neutralität des Dichters ist
keine Gleichgültigkeit, sondern umfaßt alle Gegenstände
seiner Dichtung mit Liebe. Nur so kann er alle Menschen
ansprechen.
Dehmels Ausführungen, mit denen er eine Lesung seiner
Gedichte einleitet, sind nicht nur als Äußerung seines Tem-*

*peramentes zu verstehen, wie es in der Darstellung Stanis-*
*law Przybyszewskis deutlich wird: »Es ging durch das Deh-*
*melsche Leben und seine Dichtung ein klaffender Riß, den*
*er zeitlebens in härtesten Kämpfen zu überbrücken suchte,*
*er pendelte immer zwischen den äußersten Gegensätzen,*
*zwischen höchster Lebensbejahung und dem tiefsten Pessi-*
*mismus, den er aber nicht aufkommen ließ.« Es scheint*
*vielmehr dieses Chaos der Emotionen und Gedanken ein*
*zeittypisches Phänomen zu sein, das sich ähnlich in vielen*
*Dichtungen des Jugendstils artikuliert.*

*Wichtig ist an Dehmels Äußerung über die Kunst die da-*
*hinter stehende Auffassung vom Dichter als einem über den*
*praktischen Lebensinteressen und Wissenschaften stehenden,*
*gleichsam »höheren« Wesen, dessen Selbstbewußtsein und*
*Wahrheitsanspruch sich nicht aus der Realität, sondern aus*
*anderen Sphären herleitet: eine romantische Anschauung,*
*die als spätbürgerliche Kunstideologie bis in die Gegenwart*
*nachwirkt.*

## Philosophische und poetische Weltanschauung

### Ansprache im Monistenbund

Werte Zuhörer! Der Vorstand Ihres Vereins hat mich er-
sucht, die heutige Vorlesung meiner Dichtungen mit einer
kurzen Darlegung meiner Weltanschauung einzuleiten, indem er mir zugleich erklärte, ich sei ein besonders origineller Repräsentant des »esoterischen Monismus«. Ich habe den
Wunsch des Vorstandes abgelehnt, kann auch die schmei-
chelhafte Liebeserklärung nur mit Glacéhandschuhen annehmen, und möchte Sie eindringlichst davor warnen, aus
den Werken lebender Dichter und überhaupt zeitgenössi-
scher Künstler das herausfinden zu wollen, was man heute
unter Weltanschauung versteht, nämlich einen begrifflichen
Leitfaden, mit dem sich der zweiflerische, aber glaubens-

bedürftige Verstand im Labyrinth der Ursachen und Wirkungen einigermaßen zu orientieren sucht.

Der Künstler denkt nicht in Verstandesbegriffen, wenn er
bei seiner Arbeit ist; er denkt in Gefühlsvorstellungen. Er
will nicht erst zum Glauben gelangen, sondern er geht vom
Glauben aus. Er glaubt an alles, was da ist in der Welt; er
glaubt auch an die verschiedenen Weltanschauungen, die in
seiner Zeit miteinander kämpfen. Ich habe einmal einem
Politiker, einem Konservativen echten Schlages, der mich
fragte, was ich nun eigentlich sei, Sozialdemokrat oder Anarchist, nationalsozial oder liberal – dem habe ich geantwortet: »unter anderm auch konservativ!« Und so könnte
ich auch Ihnen sagen: ich bin unter anderm auch Monist,
d. h. unter Umständen auch Dualist, oder Trialist oder
Milliardist, oder sagen wir mal Polymonist.

Der Künstler umfaßt alle Welt mit Liebe. Selbst was er
persönlich haßt und verachtet im Leben: sobald es ihn reizt,
es in Kunst umzusetzen, ergreift ihn unwillkürlich die Liebe
zur Sache. Es kann also jeder Genießer aus jedem Kunstwerk die Philosophie, Moral, Religion herausdeuten, die
grade ihm die liebste ist. Das schließt schon aus, daß der
Dichter als Dichter eine originelle Philosophie oder Theosophie darbieten kann; denn die ist immer unduldsam gegen
anders gesinnte Originale, also im ernstesten Sinne unlie-
benswürdig. Er kann bestenfalls ein Echo sein all der welt-
bedeutenden Ideen, um die in seiner Zeit gekämpft wird.

Sehen wir uns einmal den Dichter an, der heute in Deutschland vorzugsweise als Weltanschauungsdichter gerühmt
wird: Goethe. Wir finden keine solche Idee bei ihm, die
wir nicht auch bei anderen Wortführern seiner Zeit und
Vorzeit finden können, bei den Humboldt, Schlegel,
Schleiermacher, Schelling, Kant, Lamarck, Spinoza usw.;
und wir finden viele Ideen bei ihm, die einander durchaus
widerstreiten. Nur weil er sie bei der Aneignung mit stärke-
rer Leidenschaft erfaßte, mit tieferer Liebe und höherem
Glauben im Augenblick der Wortschöpfung, nur deshalb

gilt er uns als der typische Repräsentant seiner Zeitgenossen; und nur weil wir die verschiednen Ideen, denen jene Männer ihr Lebenlang getrennt und einzeln nachhingen, in diesem Einen zusammengefaßt sehn, nur deshalb entnehmen wir daraus ein gemeinsames Gedankenband, die sogenannte einheitliche Weltanschauung jener sehr mannigfach denkerischen Zeit.

Denn eine einheitliche Weltanschauung hat es in Wirklichkeit niemals gegeben, zu keiner Zeit und in keinem Volke; es gibt auch heute keine zwei Menschen, die unter »Monismus« genau dasselbe verstehen. Nur wenn wir zurückblicken auf vergangene Zeiten, dünkt uns diese oder jene Gedankenverbindung die sieghaft überwiegende. Aber wenn sich die bei einigen Dichtern, wie z. B. auch bei Dante, Äschylos, Kalidasa, Rumi, Litaipe, mit besonders originellem Pathos ausspricht, dann wollen wir doch ja beachten, daß die Originalität nicht in den Gedanken steckt, sondern eben in dem Pathos, in dem mächtigen Aufruhr der Gefühle, der mit den Gedanken sein bildhaftes Spiel treibt.

Nehmen wir sogar einmal an, es könnte ein Allerweltsgenie geben, in dessen Schädel ein gleichermaßen origineller Philosoph und Poet beisammen hausten. Ich meine nicht jene Zwitterbegabung, bei der (wie z. B. in Nietzsche und Schiller) ein starkes Talent der einen Gattung mit einem schwächern der andern verkoppelt ist; sondern eben ein pures Genie, in dem beide Talente gleich kräftig wären. Wie ja manche Leute behaupten, daß Shakespeare und Bacon in der Tat dieselbe Person gewesen seien; worüber freilich jeder lächeln wird, der Bacons Novum Organon und Shakespeares Dramen gründlich kennt. Aber nehmen wir an, sie waren wirklich ein und dasselbe Wundertier: ja, dann hat eben dieses Wundertier, um seine originelle Philosophie, seine neue Gedankenwelt darzustellen, seine drei philosophischen Werke geschrieben –: in seinen poetischen Werken dagegen, das wird wohl selbst der abstrakteste Kommentator zugeben, da kam es ihm eben auf Poesie an, also durchaus nicht auf eine Gedankenwelt, sondern auf eine Welt von Gefühlsgestalten, in der die Gedanken nur dazu dienen, sich gegenseitig ins Bockshorn zu jagen, oder (tragisch betrachtet) einander den Hals umzudrehen.

Man braucht drum noch lange nicht zu folgern, der Dichter sei nur ein Rohr im Winde, jedem phantastischen Stimmungshauch unterworfen, und daher fürs wirkliche Menschenleben eigentlich unzurechnungsfähig. Wenn dem so wäre, dann bliebe wohl alle Dichtung außer Rechnung fürs Leben der Menschheit; und das bleibt sie doch keineswegs. Der Dichter hat freilich keine Gedankenkette, an der er sich selbst und andere Leute auf dem wilden Weltmeer verankern kann; aber er trägt einen Gefühlskompaß in sich, der ihm und andern die Richtung weist, wo in der Windrose der Augenblicksleidenschaften seine stärksten und liebsten Empfindungen zum dauernden Pol zusammenschießen, zum sichern Gesichtspunkt gegenüber der Welt. Das sittliche Wort dafür ist Selbstzucht.

*Das* ist der ideale Punkt, dem jeder Künstler in seinen Gebilden zustrebt, und zu dem er schließlich auch die hinbildet, die er bezaubert durch dies Streben, durch diese liebreiche Anziehungskraft. Das ist es auch, was Goethe meinte, als er seinen Prometheus sagen ließ: »Hier sitz ich, forme *Menschen!* ein Geschlecht, das *mir gleich* sei!« Und nach diesem weltumformenden Lebenszweck, ob er nun göttlich oder übermenschlich oder allgemein-menschlich genannt wird, mögen alle die unter meinen Hörern, denen der sogenannte rein künstlerische Genuß keine genügende Belohnung für die Anstrengung des Zuhörens ist, auch in meinen Dichtungen fahnden.

## HUGO VON HOFMANNSTHAL

Geb. 1. Februar 1874 in Wien, gest. 15. Juli 1929 in Rodaun bei Wien, Sohn eines Bankdirektors. 1884–92 Akademisches Gymnasium Wien, 1890 erste Veröffentlichungen unter dem Pseudonym Loris, Bekanntschaft mit Richard Beer-Hofmann, Felix Salten, Arthur Schnitzler, 1891 Begegnung mit Stefan George im Café Griensteidl. 1892–94 Studium der Jurisprudenz in Wien, 1894/95 Freiwilligenjahr beim k. u. k. Dragonerregiment 6 in Göding, 1895–98 Studium der romanischen Philologie, Reisen nach Venedig, Berlin, München, Paris. 1900/01 Habilitationsschrift *Studie über die Entwicklung des Dichters Victor Hugo*, 1901 Ehe mit Gertrud Schlesinger, Übersiedlung nach Rodaun, Zurückziehung des Gesuches um die Venia legendi an der Universität Wien. 1906 Begegnung mit Richard Strauss in Berlin. 1914 als Landsturmoffizier in Pisino (Istrien), dann im Pressehauptquartier und Kriegsarchiv in Wien, 1917 mit Max Reinhardt und Richard Strauss Gründung der Salzburger Festspielhausgemeinde. 1920 Aufführung des *Jedermann* auf dem Domplatz und Beginn der Festspiele. 13. Juli 1929 Freitod des Sohnes Franz (geb. 1903).

Werke: *Gestern* Dr. (1891); *Das Märchen der 672. Nacht* E. (1895); *Der Kaiser und die Hexe* Dr. (1900); *Der Tor und der Tod* Dr. (1900); *Der Tod des Tizian* Dr. (1902); *Ausgewählte Gedichte* (1903); *Das kleine Welttheater oder die Glücklichen* Dr. (1903); *Elektra* Dr. (1904); *Unterhaltung über literarische Gegenstände* Ess. (1904); *Das gerettete Venedig* Dr. (1905); *Ödipus und die Sphinx* Dr. (1906); *Der weiße Fächer* Dr. (1907); *Elektra* Libr. (1909); *Christinas Heimreise* K. (1910); *Der Rosenkavalier* K. (1911); *Jedermann* Dr. (1911); *Ariadne auf Naxos* Libr. (1912); *Die Frau ohne Schatten* E. (1919); *Reitergeschichte* E. (1920); *Der Schwierige* K. (1921); *Das Salzburger große Welttheater* Dr. (1922); *Florindo* K. (1923); *Der Unbestechliche* K. (1923); *Augenblicke in Griechenland* Ess. (1924); *Der Turm* Dr. (1925); *Das Schrifttum als geistiger Raum der Nation* Ess. (1927); *Die ägyptische Helena* Libr. (1928).

## Ein Brief

*Der vom Herausgeber der »Gesammelten Werke« auf 1901/02 datierte »Brief des Lord Chandos« wurde erstmals 1902 in der Berliner Zeitung »Der Tag« gedruckt, bevor er 1905 in dem Band »Das Märchen der 672. Nacht und andere Erzählungen« im Wiener Verlag erschien. Der Adressat des Briefes ist Francis Bacon, Lord Verulam and Viscount*

*St. Albans (1561–1626). Er wurde 1601 geadelt und er-
reichte den Höhepunkt seiner Laufbahn als Parlamentsmit-
glied und Staatsmann 1617 mit der Ernennung zum High
Chancellor von England. Kurz danach wegen Bestechung
angeklagt und schuldig gesprochen, wurde er seiner Ämter
entkleidet und verbannt. Er verbrachte die letzten Jahre
seines Lebens mit philosophischen und literarischen Studien
in Gorhambury (Hertford); als er von Charles I. rehabili-
tiert wurde, lehnte er seine Rückberufung an den Hof mit
der Begründung ab, er habe »von diesen Eitelkeiten genug«.
Der fiktive Briefschreiber, Philipp Lord Chandos, ist wie
Hofmannsthal selbst frühreifer Literat, Autor damals modi-
scher Poesie, höfischer Gebrauchsdichtung, eines Hochzeits-
gedichtes und mehrerer Schäferspiele. Er verfaßt seinen
Brief in Hofmannsthals damaligem Alter von sechsund-
zwanzig Jahren, und er hat, wie sein Autor, vor gut zwei
Jahren Venedig kennengelernt – häufig wiederkehrendes
Motiv in Hofmannsthals Werk, das Ernst Robert Curtius
ein »einziges Symbol für Hofmannsthals Verhältnis zur
Romanität« nennt.*
*Mit diesen Gemeinsamkeiten aber endet schon die Beziehung
zwischen Hofmannsthal und seinem Lord Chandos. Denn
anders als dieser verstummt jener nicht: die meisten und
vielleicht wichtigsten Werke Hofmannsthals sind um 1900
noch nicht geschrieben. Das vordergründige Thema des
Chandos-Briefes, das Verstummen eines Dichters nach ver-
heißungsvollen Anfängen, wäre zwar mit dieser Feststellung eskamotiert, das eigentliche Problem indes noch nicht
einmal berührt: das Problem der Sprache und ihrer Beziehung zur Wirklichkeit. »Wirklichkeit« wird hier zum doppelsinnigen Begriff: er meint einmal die Gegebenheiten des
Lebens, alles Sichtbare, Greifbare bis hin zu einer im alltäglichen Umgang gebräuchlichen Abstraktionshöhe, auf
der es gelingt, Eindrücke und Erfahrungen unter allgemein
sanktionierten Kategorien zu subsumieren. Nicht nur werden dem jugendlichen Schreiber des Briefes solche allge-*

*meinen Begriffe wie »böse«, »gut« und »haushälterisch«
»unbeweisbar« und »lügenhaft«, sondern er zweifelt, ob
die mit solchen Begriffen bezeichnete Wirklichkeit überhaupt die eigentliche, die wahre Wirklichkeit sei. Denn
auch die Weisheit, die Tradition antiken philosophischen
Denkens, in kühn ausgreifenden Plänen von dem jungen
Renaissancepoeten lustvoll ergriffen, ist ihm zur leeren
»Rhetorik« erstarrt, die das »unbegreifliche Innere« seiner
Erfahrung nicht zu fassen vermag. Er versteht sich im Bilde
des Tantalus, der, was ihn dicht umgibt, nicht zu greifen
vermag. Die Wirklichkeit zerfällt ihm folglich; was sich
ihm in gelegentlich »freudige[n] und belebende[n] Augenblicke[n]« offenbart, ist eine zweite, hinter den Erscheinungen liegende Wirklichkeit, ein Gegenstand fast mystischer
Erfahrung, die aber nicht religiöser Natur ist, sosehr auch
das hier zu Tage tretende Gefühl »göttlich« ist: an biblische
Cherubim glaubt er nicht mehr.*

*Hermann Broch interpretiert diese dem »Chandos-Brief«
zugrundeliegende Mystik in der 1951 veröffentlichten Hof-
mannsthal-Studie: »Er beruft sich auf die Augenblicke der
dichterischen Ekstase, auf jene Augenblicke, die er als die
›Erhöhung‹ bezeichnet, da in ihnen mit einem Schlag, unter
Auslöschung des Ichs, die Seins-Ganzheit erkannt oder
richtiger in wundersamer Längstbekanntheit wiedererkannt
wird, gleichsam in einem absoluten Erinnern an ein Vor-
Erlebtes, gleichsam in einem absoluten Gedächtnis, dessen
Ursprung (unverwechselbar mit dem des physiologischen
Generationsgedächtnisses) sich unzweideutig als eine metaphysische Präexistenz des Menschen kundtut. Es ist das
Stadium, in dem der Mensch zur vollkommenen Identifikation mit dem (als Welt ihm gegenübergestellten) Non-Ich
begabt worden ist, das Stadium, in dem er das göttliche
Geschenk der Übereinstimmung von Ding und Begriff und
Wort, kurzum die Grundlage aller Welt-Intuition, aller Erkenntnis und aller Sprache ein für allemal und unverlierbar
empfangen hat.«*

Was in Hofmannsthals Text zutage tritt, ist nicht nur esote-
risches Erlebnis eines höchst sensiblen einzelnen, nicht nur
eine »Schaffenskrise« Hofmannsthals (Walter H. Perl),
vielmehr Symptom für eine offenbar epochale Erfahrung,
die sich, nicht zufällig, um 1900 vor allem in der Literatur
Österreichs artikuliert. Musils Tagebuchnotizen »Monsieur
le vivisecteur« und »Die Verwirrungen des Zöglings Törleß« thematisieren sie ebenso wie Thomas Manns »Enttäuschung«. Es handelt sich um die Erkenntnis: Die offizielle
Repräsentation der Wirklichkeit gibt nur noch vor, sie zu
manifestieren, dem Anspruch entspricht keine Realität
mehr. Die Massen imperialer Architektur an der Wiener
Ringstraße sind eine trotzige Lüge, die sich der geschichtlichen Entwicklung verzweifelt entgegenstemmt. Es mag
scheinen, als habe sich gerade in Wien das Bewußtsein dieser Diskrepanz von offiziell praktiziertem Pathos und ge-
heimer Verzweiflung an dieser so prangenden Wirklichkeit
zuerst artikuliert: erinnert sei an die Entdeckungen Sigmund Freuds, dessen psychoanalytische Forschungen hinter
der Fassade eines scheinbar saturierten Bürgertums Neurosen und psychische Katastrophen aufspürten. In seinem
Vortrag »Der Dichter und diese Zeit« (1907 in der »Neuen
Rundschau« erschienen) hat Hofmannsthal seiner Zeit diese
Diagnose gestellt: »Sie ist voll von Dingen, die lebendig
scheinen und tot sind, und voll von solchen, die für tot
gelten und höchst lebendig sind. Von ihren Phänomenen
scheinen mir fast immer die außer dem Spiele, welche nach
der allgemeinen Annahme im Spiele wären, und die, welche
verleugnet werden, höchst gegenwärtig und wirksam. Diese
Zeit ist bis zur Krankheit voll unrealisierter Möglichkeiten
und zugleich ist sie starrend voll von Dingen, die nur um
ihres Lebensgehaltes willen zu bestehen scheinen und die
doch nicht Leben in sich tragen.« Dem Dichter, der diese
Möglichkeiten sehen und beschreiben will, ist die Wirklichkeit infolgedessen verschlossen – soziologisch greifbares Indiz dafür der Umstand, daß im Wien der Jahrhundert-

*wende der Künstler von den herrschenden Gesellschafts-*
*kreisen isoliert ist; anders als Mozart, Haydn, Beethoven*
*finden Brahms, Bruckner und Mahler – ganz zu schweigen*
*von Schnitzler, Hofmannsthal und Karl Kraus – kaum*
*Resonanz, geschweige Förderung bei Hof und Adel der*
*Donaumonarchie. Denn illusorisch und phantastisch muß*
*die selbstgewählte Aufgabe des Poeten jenen erscheinen, für*
*die sie eigentlich ergriffen wird, die Aufgabe, »sein Ich sich*
*selber gleich zu fühlen und sicher zu schweben im Sturz des*
*Daseins«.*

## Ein Brief

Dies ist der Brief, den Philipp Lord Chandos, jüngerer Sohn
des Earl of Bath, an Francis Bacon, später Lord Verulam
und Viscount St. Albans, schrieb, um sich bei diesem Freunde wegen des gänzlichen Verzichtes auf literarische Betätigung zu entschuldigen.

Es ist gütig von Ihnen, mein hochverehrter Freund, mein
zweijähriges Stillschweigen zu übersehen und so an mich zu
schreiben. Es ist mehr als gütig, Ihrer Besorgnis um mich,
Ihrer Befremdung über die geistige Starrnis, in der ich Ihnen
zu versinken scheine, den Ausdruck der Leichtigkeit und
des Scherzes zu geben, den nur große Menschen, die von
der Gefährlichkeit des Lebens durchdrungen und dennoch
nicht entmutigt sind, in ihrer Gewalt haben.
Sie schließen mit dem Aphorisma des Hippokrates: »Qui
gravi morbo correpti dolores non sentiunt, iis mens aegro-
tat«[1] und meinen, ich bedürfe der Medizin nicht nur, um
mein Übel zu bändigen, sondern noch mehr, um meinen
Sinn für den Zustand meines Innern zu schärfen. Ich
möchte Ihnen so antworten, wie Sie es um mich verdienen,

1. *Wer, von schwerer Krankheit befallen, keinen Schmerz verspürt,*
*dessen Geist ist krank.*

möchte mich Ihnen ganz aufschließen und weiß nicht, wie ich mich dazu nehmen soll. Kaum weiß ich, ob ich noch derselbe bin, an den Ihr kostbarer Brief sich wendet; bin denn ichs, der nun Sechsundzwanzigjährige, der mit neunzehn jenen »neuen Paris«, jenen »Traum der Daphne«, jenes »Epithalamium« hinschrieb, diese unter dem Prunk ihrer Worte hintaumelnden Schäferspiele, deren eine himmlische Königin und einige allzu nachsichtige Lords und Herren sich noch zu entsinnen gnädig genug sind? Und bin ichs wiederum, der mit dreiundzwanzig unter den steinernen Lauben des großen Platzes von Venedig in sich jenes Gefüge lateinischer Perioden fand, dessen geistiger Grundriß und Aufbau ihn im Innern mehr entzückte als die aus dem Meer auftauchenden Bauten des Palladio und Sansovin? Und konnte ich, wenn ich anders derselbe bin, alle Spuren und Narben dieser Ausgeburt meines angespanntesten Denkens so völlig aus meinem unbegreiflichen Innern verlieren, daß mich in Ihrem Brief, der vor mir liegt, der Titel jenes kleinen Traktates fremd und kalt anstarrt, ja daß ich ihn nicht als ein geläufiges Bild zusammengefaßter Worte sogleich auffassen, sondern nur Wort für Wort verstehen konnte, als träten mir diese lateinischen Wörter, so verbunden, zum ersten Male vors Auge? Allein ich bin es ja doch und es ist Rhetorik in diesen Fragen, Rhetorik, die gut ist für Frauen oder für das Haus der Gemeinen, deren von unserer Zeit so überschätzte Machtmittel aber nicht hinreichen, ins Innere der Dinge zu dringen. Mein Inneres aber muß ich Ihnen darlegen, eine Sonderbarkeit, eine Unart, wenn Sie wollen eine Krankheit meines Geistes, wenn Sie begreifen sollen, daß mich ein ebensolcher brückenloser Abgrund von den scheinbar vor mir liegenden literarischen Arbeiten trennt als von denen, die hinter mir sind und die ich, so fremd sprechen sie mich an, mein Eigentum zu nennen zögere.

Ich weiß nicht, ob ich mehr die Eindringlichkeit Ihres Wohlwollens oder die unglaubliche Schärfe Ihres Gedächtnisses bewundern soll, wenn Sie mir die verschiedenen kleinen Pläne wieder hervorrufen, mit denen ich mich in den gemeinsamen Tagen schöner Begeisterung trug. Wirklich, ich wollte die ersten Regierungsjahre unseres verstorbenen glorreichen Souveräns, des achten Heinrich, darstellen! Die hinterlassenen Aufzeichnungen meines Großvaters, des Herzogs von Exeter, über seine Negoziationen mit Frankreich und Portugal gaben mir eine Art von Grundlage. Und aus dem Sallust floß in jenen glücklichen, belebten Tagen wie durch nie verstopfte Röhren die Erkenntnis der Form in mich herüber, jener tiefen, wahren, inneren Form, die jenseits des Geheges der rhetorischen Kunststücke erst geahnt werden kann, die, von welcher man nicht mehr sagen kann, daß sie das Stoffliche anordne, denn sie durchdringt es, sie hebt es auf und schafft Dichtung und Wahrheit zugleich, ein Widerspiel ewiger Kräfte, ein Ding, herrlich wie Musik und Algebra. Dies war mein Lieblingsplan.

Was ist der Mensch, daß er Pläne macht!

Ich spielte auch mit anderen Plänen. Ihr gütiger Brief läßt auch diese heraufschweben. Jedweder vollgesogen mit einem Tropfen meines Blutes, tanzen sie vor mir wie traurige Mücken an einer düsteren Mauer, auf der nicht mehr die helle Sonne der glücklichen Tage liegt.

Ich wollte die Fabeln und mythischen Erzählungen, welche die Alten uns hinterlassen haben, und an denen die Maler und Bildhauer ein endloses und gedankenloses Gefallen finden, aufschließen als die Hieroglyphen einer geheimen, unerschöpflichen Weisheit, deren Anhauch ich manchmal, wie hinter einem Schleier, zu spüren meinte.

Ich entsinne mich dieses Planes. Es lag ihm ich weiß nicht welche sinnliche und geistige Lust zugrunde: Wie der gehetzte Hirsch ins Wasser, sehnte ich mich hinein in diese nackten, glänzenden Leiber, in diese Sirenen und Dryaden, diesen Narcissus und Proteus, Perseus und Aktäon: verschwinden wollte ich in ihnen und aus ihnen heraus mit Zungen reden. Ich wollte. Ich wollte noch vielerlei. Ich

gedachte eine Sammlung »Apophthegmata« anzulegen, wie
deren eine Julius Cäsar verfaßt hat: Sie erinnern die Erwähnung in einem Briefe des Cicero. Hier gedachte ich die
merkwürdigsten Aussprüche nebeneinanderzusetzen, welche
mir im Verkehr mit den gelehrten Männern und den geist-
reichen Frauen unserer Zeit oder mit besonderen Leuten aus
dem Volk oder mit gebildeten und ausgezeichneten Personen auf meinen Reisen zu sammeln gelungen wäre; damit
wollte ich schöne Sentenzen und Reflexionen aus den Werken der Alten und der Italiener vereinigen, und was mir
sonst an geistigen Zieraten in Büchern, Handschriften oder
Gesprächen entgegenträte; ferner die Anordnung besonders
schöner Feste und Aufzüge, merkwürdige Verbrechen und
Fälle von Raserei, die Beschreibung der größten und eigen-
tümlichsten Bauwerke in den Niederlanden, in Frankreich
und Italien und noch vieles andere. Das ganze Werk aber
sollte den Titel »Nosce te ipsum« führen.
Um mich kurz zu fassen: Mir erschien damals in einer Art
von andauernder Trunkenheit das ganze Dasein als eine
große Einheit: geistige und körperliche Welt schien mir keinen Gegensatz zu bilden, ebensowenig höfisches und tieri-
sches Wesen, Kunst und Unkunst, Einsamkeit und Gesellschaft; in allem fühlte ich Natur, in den Verirrungen des
Wahnsinns ebensowohl wie in den äußersten Verfeinerun-
gen eines spanischen Zeremoniells; in den Tölpelhaftigkei-
ten junger Bauern nicht minder als in den süßesten Allego-
rien; und in aller Natur fühlte ich mich selber; wenn ich
auf meiner Jagdhütte die schäumende laue Milch in mich
hineintrank, die ein struppiges Mensch einer schönen, sanft-
äugigen Kuh aus dem Euter in einen Holzeimer niedermolk,
so war mir das nichts anderes, als wenn ich, in der dem
Fenster eingebauten Bank meines studio sitzend, aus einem
Folianten süße und schäumende Nahrung des Geistes in
mich sog. Das eine war wie das andere; keines gab dem
andern weder an traumhafter überirdischer Natur, noch an
leiblicher Gewalt nach, und so gings fort durch die ganze

Breite des Lebens, rechter und linker Hand; überall war ich mitten drinnen, wurde nie ein Scheinhaftes gewahr: Oder es ahnte mir, alles wäre Gleichnis und jede Kreatur ein Schlüssel der andern, und ich fühlte mich wohl den, der imstande wäre, eine nach der andern bei der Krone zu packen und mit ihr so viele der andern aufzusperren, als sie aufsperren könnte. Soweit erklärt sich der Titel, den ich jenem enzyklopädischen Buche zu geben gedachte.

Es möchte dem, der solchen Gesinnungen zugänglich ist, als der wohlangelegte Plan einer göttlichen Vorsehung erscheinen, daß mein Geist aus einer so aufgeschwollenen Anmaßung in dieses Äußerste von Kleinmut und Kraftlosigkeit zusammensinken mußte, welches nun die bleibende Verfassung meines Innern ist. Aber dergleichen religiöse Auffassungen haben keine Kraft über mich; sie gehören zu den Spinnennetzen, durch welche meine Gedanken hindurchschießen, hinaus ins Leere, während soviele ihrer Gefährten dort hangenbleiben und zu einer Ruhe kommen. Mir haben sich die Geheimnisse des Glaubens zu einer erhabenen Allegorie verdichtet, die über den Feldern meines Lebens steht wie ein leuchtender Regenbogen, in einer stetigen Ferne, immer bereit, zurückzuweichen, wenn ich mir einfallen ließe hinzueilen und mich in den Saum seines Mantels hüllen zu wollen.

Aber, mein verehrter Freund, auch die irdischen Begriffe entziehen sich mir in der gleichen Weise. Wie soll ich es versuchen, Ihnen diese seltsamen geistigen Qualen zu schildern, dies Emporschnellen der Fruchtzweige über meinen ausgereckten Händen, dies Zurückweichen des murmelnden Wassers vor meinen dürstenden Lippen?

Mein Fall ist, in Kürze, dieser: Es ist mir völlig die Fähigkeit abhanden gekommen, über irgend etwas zusammenhängend zu denken oder zu sprechen.

Zuerst wurde es mir allmählich unmöglich, ein höheres oder allgemeineres Thema zu besprechen und dabei jene Worte in den Mund zu nehmen, deren sich doch alle Menschen ohne Bedenken geläufig zu bedienen pflegen. Ich empfand ein unerklärliches Unbehagen, die Worte »Geist«, »Seele« oder »Körper« nur auszusprechen. Ich fand es innerlich unmöglich, über die Angelegenheiten des Hofes, die Vorkommnisse im Parlament, oder was Sie sonst wollen, ein Urteil herauszubringen. Und dies nicht etwa aus Rücksichten irgendwelcher Art, denn Sie kennen meinen bis zur Leichtfertigkeit gehenden Freimut: sondern die abstrakten Worte, deren sich doch die Zunge naturgemäß bedienen muß, um irgendwelches Urteil an den Tag zu geben, zerfielen mir im Munde wie modrige Pilze. Es begegnete mir, daß ich meiner vierjährigen Tochter Katharina Pompilia eine kindische Lüge, deren sie sich schuldig gemacht hatte, verweisen und sie auf die Notwendigkeit, immer wahr zu sein, hinführen wollte und dabei die mir im Munde zuströmenden Begriffe plötzlich eine solche schillernde Färbung annahmen und so ineinander überflossen, daß ich den Satz, so gut es ging, zu Ende haspelnd, so wie wenn mir unwohl geworden wäre und auch tatsächlich bleich im Gesicht und mit einem heftigen Druck auf der Stirn, das Kind allein ließ, die Tür hinter mir zuschlug und mich erst zu Pferde, auf der einsamen Hutweide einen guten Galopp nehmend, wieder einigermaßen herstellte.

Allmählich aber breitete sich diese Anfechtung aus wie ein um sich fressender Rost. Es wurden mir auch im familiären und hausbackenen Gespräch alle die Urteile, die leichthin und mit schlafwandelnder Sicherheit abgegeben zu werden pflegen, so bedenklich, daß ich aufhören mußte, an solchen Gesprächen irgend teilzunehmen. Mit einem unerklärlichen Zorn, den ich nur mit Mühe notdürftig verbarg, erfüllte es mich, dergleichen zu hören, wie: diese Sache ist für den oder jenen gut oder schlecht ausgegangen; Sheriff N. ist ein böser, Prediger T. ein guter Mensch; Pächter M. ist zu bedauern, seine Söhne sind Verschwender; ein anderer ist zu beneiden, weil seine Töchter haushälterisch sind; eine Familie kommt in die Höhe, eine andere ist im Hinabsinken.

Dies alles erschien mir so unbeweisbar, so lügenhaft, so löcherig wie nur möglich. Mein Geist zwang mich, alle Dinge, die in einem solchen Gespräch vorkamen, in einer unheimlichen Nähe zu sehen: so wie ich einmal in einem Vergrößerungsglas ein Stück von der Haut meines kleinen Fingers gesehen hatte, das einem Blachfeld mit Furchen und Höhlen glich, so ging es mir nun mit den Menschen und ihren Handlungen. Es gelang mir nicht mehr, sie mit dem vereinfachenden Blick der Gewohnheit zu erfassen. Es zerfiel mir alles in Teile, die Teile wieder in Teile, und nichts mehr ließ sich mit einem Begriff umspannen. Die einzelnen Worte schwammen um mich; sie gerannen zu Augen, die mich anstarrten und in die ich wieder hineinstarren muß: Wirbel sind sie, in die hinabzusehen mich schwindelt, die sich unaufhaltsam drehen und durch die hindurch man ins Leere kommt.

Ich machte einen Versuch, mich aus diesem Zustand in die geistige Welt der Alten hinüberzuretten. Platon vermied ich; denn mir graute vor der Gefährlichkeit seines bildlichen Fluges. Am meisten gedachte ich mich an Seneca und Cicero zu halten. An dieser Harmonie begrenzter und geordneter Begriffe hoffte ich zu gesunden. Aber ich konnte nicht zu ihnen hinüber. Diese Begriffe, ich verstand sie wohl: ich sah ihr wundervolles Verhältnisspiel vor mir aufsteigen wie herrliche Wasserkünste, die mit goldenen Bällen spielen. Ich konnte sie umschweben und sehen, wie sie zueinander spielten; aber sie hatten es nur miteinander zu tun, und das Tiefste, das Persönliche meines Denkens, blieb von ihrem Reigen ausgeschlossen. Es überkam mich unter ihnen das Gefühl furchtbarer Einsamkeit; mir war zumut wie einem, der in einem Garten mit lauter augenlosen Statuen eingesperrt wäre; ich flüchtete wieder ins Freie.

Seither führe ich ein Dasein, das Sie, fürchte ich, kaum begreifen können, so geistlos, so gedankenlos fließt es dahin; ein Dasein, das sich freilich von dem meiner Nachbarn, meiner Verwandten und der meisten landbesitzenden Edel-

leute dieses Königreiches kaum unterscheidet und das nicht
ganz ohne freudige und belebende Augenblicke ist. Es wird
mir nicht leicht, Ihnen anzudeuten, worin diese guten
Augenblicke bestehen; die Worte lassen mich wiederum im
Stich. Denn es ist ja etwas völlig Unbenanntes und auch
wohl kaum Benennbares, das in solchen Augenblicken,
irgendeine Erscheinung meiner alltäglichen Umgebung mit
einer überschwellenden Flut höheren Lebens wie ein Gefäß
erfüllend, mir sich ankündet. Ich kann nicht erwarten, daß
Sie mich ohne Beispiel verstehen, und ich muß Sie um Nach-
sicht für die Albernheit meiner Beispiele bitten. Eine Gießkanne, eine auf dem Felde verlassene Egge, ein Hund in
der Sonne, ein ärmlicher Kirchhof, ein Krüppel, ein kleines
Bauernhaus, alles dies kann das Gefäß meiner Offenbarung
werden. Jeder dieser Gegenstände und die tausend anderen
ähnlichen, über die sonst ein Auge mit selbstverständlicher
Gleichgültigkeit hinweggleitet, kann für mich plötzlich in
irgendeinem Moment, den herbeizuführen auf keine Weise
in meiner Gewalt steht, ein erhabenes und rührendes Gepräge annehmen, das auszudrücken mir alle Worte zu arm
scheinen. Ja, es kann auch die bestimmte Vorstellung eines
abwesenden Gegenstandes sein, dem die unbegreifliche Aus-
erwählung zuteil wird, mit jener sanft und jäh steigenden
Flut göttlichen Gefühles bis an den Rand gefüllt zu werden.
So hatte ich unlängst den Auftrag gegeben, den Ratten in
den Milchkellern eines meiner Meierhöfe ausgiebig Gift zu
streuen. Ich ritt gegen Abend aus und dachte, wie Sie vermuten können, nicht weiter an die Sache. Da, wie ich im
tiefen, aufgeworfenen Ackerboden Schritt reite, nichts
Schlimmeres in meiner Nähe als eine aufgescheuchte Wach-
telbrut und in der Ferne über den welligen Feldern die
große sinkende Sonne, tut sich mir im Innern plötzlich dieser Keller auf, erfüllt mit dem Todeskampf dieses Volks
von Ratten. Alles war in mir: die mit dem süßlich scharfen
Geruch des Giftes angefüllte kühldumpfe Kellerluft und
das Gellen der Todesschreie, die sich an modrigen Mauern

brachen; diese ineinander geknäulten Krämpfe der Ohnmacht, durcheinander hinjagenden Verzweiflungen; das
wahnwitzige Suchen der Ausgänge; der kalte Blick der
Wut, wenn zwei einander an der verstopften Ritze begegnen. Aber was versuche ich wiederum Worte, die ich ver-
schworen habe! Sie entsinnen sich, mein Freund, der wundervollen Schilderung von den Stunden, die der Zerstörung
von Alba Longa vorhergehen, aus dem Livius? Wie sie die
Straßen durchirren, die sie nicht mehr sehen sollen ... wie
sie von den Steinen des Bodens Abschied nehmen. Ich sage
Ihnen, mein Freund, dieses trug ich in mir und das bren-
nende Karthago zugleich; aber es war mehr, es war gött-
licher, tierischer; und es war Gegenwart, die vollste er-
habenste Gegenwart. Da war eine Mutter, die ihre sterben-
den Jungen um sich zucken hatte und nicht auf die Ver-
endenden, nicht auf die unerbittlichen steinernen Mauern,
sondern in die leere Luft, oder durch die Luft ins Unendliche hin Blicke schickte und diese Blicke mit einem Knirschen begleitete! – Wenn ein dienender Sklave voll ohn-
mächtigen Schauders in der Nähe der erstarrenden Niobe
stand, der muß das durchgemacht haben, was ich durch-
machte, als in mir die Seele dieses Tieres gegen das ungeheure Verhängnis die Zähne bleckte.

Vergeben Sie mir diese Schilderung, denken Sie aber nicht,
daß es Mitleid war, was mich erfüllte. Das dürfen Sie ja
nicht denken, sonst hätte ich mein Beispiel sehr ungeschickt
gewählt. Es war viel mehr und viel weniger als Mitleid:
ein ungeheures Anteilnehmen, ein Hinüberfließen in jene
Geschöpfe oder ein Fühlen, daß ein Fluidum des Lebens
und Todes, des Traumes und Wachens für einen Augenblick
in sie hinüber geflossen ist – von woher? Denn was hätte es
mit Mitleid zu tun, was mit begreiflicher menschlicher Ge-
dankenverknüpfung, wenn ich an einem anderen Abend
unter einem Nußbaum eine halbvolle Gießkanne finde, die
ein Gärtnerbursche dort vergessen hat, und wenn mich diese
Gießkanne und das Wasser in ihr, das vom Schatten des

Baumes finster ist, und ein Schwimmkäfer, der auf dem
Spiegel dieses Wassers von einem dunklen Ufer zum andern
rudert, wenn diese Zusammensetzung von Nichtigkeiten
mich mit einer solchen Gegenwart des Unendlichen durchschauert, von den Wurzeln der Haare bis ins Mark der
Fersen mich durchschauert, daß ich in Worte ausbrechen
möchte, von denen ich weiß, fände ich sie, so würden sie
jene Cherubim, an die ich nicht glaube, niederzwingen, und
daß ich dann von jener Stelle schweigend mich wegkehre
und nach Wochen, wenn ich dieses Nußbaums ansichtig
werde, mit scheuem seitlichen Blick daran vorübergehe,
weil ich das Nachgefühl des Wundervollen, das dort um
den Stamm weht, nicht verscheuchen will, nicht vertreiben
die mehr als irdischen Schauer, die um das Buschwerk in
jener Nähe immer noch nachwogen. In diesen Augenblicken
wird eine nichtige Kreatur, ein Hund, eine Ratte, ein Käfer,
ein verkümmerter Apfelbaum, ein sich über den Hügel
schlängelnder Karrenweg, ein moosbewachsener Stein mir
mehr, als die schönste, hingebendste Geliebte der glücklich-
sten Nacht mir je gewesen ist. Diese stummen und manchmal unbelebten Kreaturen heben sich mir mit einer solchen
Fülle, einer solchen Gegenwart der Liebe entgegen, daß
mein beglücktes Auge auch ringsum auf keinen toten Fleck
zu fallen vermag. Es erscheint mir alles, alles, was es gibt,
alles, dessen ich mich entsinne, alles, was meine verworren-
sten Gedanken berühren, etwas zu sein. Auch die eigene
Schwere, die sonstige Dumpfheit meines Hirnes erscheint
mir als etwas; ich fühle ein entzückendes, schlechthin un-
endliches Widerspiel in mir und um mich, und es gibt unter
den gegeneinanderspielenden Materien keine, in die ich
nicht hinüberzufließen vermöchte. Es ist mir dann, als be-
stünde mein Körper aus lauter Chiffren, die mir alles aufschließen. Oder als könnten wir in ein neues, ahnungsvolles
Verhältnis zum ganzen Dasein treten, wenn wir anfingen,
mit dem Herzen zu denken. Fällt aber diese sonderbare
Bezauberung von mir ab, so weiß ich nichts darüber auszu-

sagen; ich könnte dann ebensowenig in vernünftigen Worten darstellen, worin diese mich und die ganze Welt durchwebende Harmonie bestanden und wie sie sich mir fühlbar gemacht habe, als ich ein Genaueres über die inneren Bewegungen meiner Eingeweide oder die Stauungen meines Blutes anzugeben vermöchte.

Von diesen sonderbaren Zufällen abgesehen, von denen ich übrigens kaum weiß, ob ich sie dem Geist oder dem Körper zurechnen soll, lebe ich ein Leben von kaum glaublicher Leere und habe Mühe, die Starre meines Innern vor meiner Frau und vor meinen Leuten die Gleichgültigkeit zu verbergen, welche mir die Angelegenheiten des Besitzes einflößen. Die gute und strenge Erziehung, welche ich meinem seligen Vater verdanke, und die frühzeitige Gewöhnung, keine Stunde des Tages unausgefüllt zu lassen, sind es, scheint mir, allein, welche meinem Leben nach außen hin einen genügenden Halt und den meinem Stande und meiner Person angemessenen Anschein bewahren.

Ich baue einen Flügel meines Hauses um und bringe es zustande, mich mit dem Architekten hie und da über die Fortschritte seiner Arbeit zu unterhalten; ich bewirtschafte meine Güter, und meine Pächter und Beamten werden mich wohl etwas wortkarger, aber nicht ungütiger als früher finden. Keiner von ihnen, der mit abgezogener Mütze vor seiner Haustür steht, wenn ich abends vorüberreite, wird eine Ahnung haben, daß mein Blick, den er respektvoll aufzufangen gewohnt ist, mit stiller Sehnsucht über die morschen Bretter hinstreicht, unter denen er nach den Regenwürmern zum Angeln zu suchen pflegt, durchs enge, vergitterte Fenster in die dumpfe Stube taucht, wo in der Ecke das niedrige Bett mit bunten Laken immer auf einen zu warten scheint, der sterben will, oder auf einen, der geboren werden soll; daß mein Auge lange an den häßlichen jungen Hunden hängt oder an der Katze, die geschmeidig zwischen Blumenscherben durchkriecht, und daß es unter all den ärmlichen und plumpen Gegenständen einer bäurischen Lebensweise nach jenem einem sucht, dessen unscheinbare Form, dessen von niemand beachtetes Daliegen oder -lehnen, dessen stumme Wesenheit zur Quelle jenes rätselhaften, wortlosen, schrankenlosen Entzückens werden kann. Denn mein unbenanntes seliges Gefühl wird eher aus einem fernen, einsamen Hirtenfeuer mir hervorbrechen als aus dem Anblick des gestirnten Himmels; eher aus dem Zirpen einer letzten, dem Tode nahen Grille, wenn schon der Herbstwind winterliche Wolken über die öden Felder hintreibt, als aus dem majestätischen Dröhnen der Orgel. Und ich vergleiche mich manchmal in Gedanken mit jenem Crassus, dem Redner, von dem berichtet wird, daß er eine zahme Muräne, einen dumpfen, rotäugigen, stummen Fisch seines Zierteiches, so über alle Maßen liebgewann, daß es zum Stadtgespräch wurde; und als ihm einmal im Senat Domitius vorwarf, er habe über den Tod dieses Fisches Tränen vergossen, und ihn dadurch als einen halben Narren hinstellen wollte, gab ihm Crassus zur Antwort: »So habe ich beim Tode meines Fisches getan, was Ihr weder bei Eurer ersten noch Eurer zweiten Frau Tod getan habt.«

Ich weiß nicht, wie oft mir dieser Crassus mit seiner Muräne als ein Spiegelbild meines Selbst, über den Abgrund der Jahrhunderte hergeworfen, in den Sinn kommt. Nicht aber wegen dieser Antwort, die er dem Domitius gab. Die Antwort brachte die Lacher auf seine Seite, so daß die Sache in einen Witz aufgelöst war. Mir aber geht die Sache nahe, die Sache, welche dieselbe geblieben wäre, auch wenn Domitius um seine Frauen blutige Tränen des aufrichtigsten Schmerzes geweint hätte. Dann stünde ihm noch immer Crassus gegenüber, mit seinen Tränen um seine Muräne. Und über diese Figur, deren Lächerlichkeit und Verächtlichkeit mitten in einem die erhabensten Dinge beratenden, weltbeherrschenden Senat so ganz ins Auge springt, über diese Figur zwingt mich ein unnennbares Etwas in einer Weise zu denken, die mir vollkommen töricht erscheint, im Augenblick, wo ich versuche sie in Worten auszudrücken.

Das Bild dieses Crassus ist zuweilen nachts in meinem Hirn, wie ein Splitter, um den herum alles schwärt, pulst und kocht. Es ist mir dann, als geriete ich selber in Gärung, würfe Blasen auf, wallte und funkelte. Und das Ganze ist eine Art fieberisches Denken, aber Denken in einem Material, das unmittelbarer, flüssiger, glühender ist als Worte. Es sind gleichfalls Wirbel, aber solche, die nicht wie die Wirbel der Sprache ins Bodenlose zu führen scheinen, sondern irgendwie in mich selber und in den tiefsten Schoß des Friedens.

Ich habe Sie, mein verehrter Freund, mit dieser ausgebreiteten Schilderung eines unerklärlichen Zustandes, der gewöhnlich in mir verschlossen bleibt, über Gebühr belästigt.

Sie waren so gütig, Ihre Unzufriedenheit darüber zu äußern, daß kein von mir verfaßtes Buch mehr zu Ihnen kommt, »Sie für das Entbehren meines Umganges zu entschädigen«. Ich fühlte in diesem Augenblick mit einer Bestimmtheit, die nicht ganz ohne ein schmerzliches Beigefühl war, daß ich auch im kommenden und im folgenden und in allen Jahren dieses meines Lebens kein englisches und kein lateinisches Buch schreiben werde: und dies aus dem einen Grund, dessen mir peinliche Seltsamkeit mit ungeblendetem Blick dem vor Ihnen harmonisch ausgebreiteten Reiche der geistigen und leiblichen Erscheinungen an seiner Stelle einzuordnen ich Ihrer unendlichen geistigen Überlegenheit überlasse: nämlich weil die Sprache, in welcher nicht nur zu schreiben, sondern auch zu denken mir vielleicht gegeben wäre, weder die lateinische noch die englische noch die italienische und spanische ist, sondern eine Sprache, von deren Worten mir auch nicht eines bekannt ist, eine Sprache, in welcher die stummen Dinge zu mir sprechen, und in welcher ich vielleicht einst im Grabe vor einem unbekannten Richter mich verantworten werde.

Ich wollte, es wäre mir gegeben, in die letzten Worte dieses voraussichtlich letzten Briefes, den ich an Francis Bacon schreibe, alle die Liebe und Dankbarkeit, alle die ungemessene Bewunderung zusammenzupressen, die ich für den größten Wohltäter meines Geistes, für den ersten Engländer meiner Zeit im Herzen hege und darin hegen werde, bis der Tod es bersten macht.

A. D. 1603, diesen 22. August.                    Phi. Chandos

*Joseph Olbrich: Zierstück aus »Ver sacrum«*

# III. Lyrik

*Die Lyrik um 1900 ist außerordentlich reich und mannig-
fach in Formen und Stilen, Gattungen und Möglichkeiten.
Es finden sich nebeneinander und gleichzeitig eine neu-
romantische Balladendichtung, die vor allem von Agnes
Miegel, Börries Freiherr von Münchhausen und Lulu von
Strauß und Torney kultiviert wird. Die Tradition dieser
Balladendichtung hat das Ende des Zweiten Weltkriegs
überdauert und reicht bis an die Schwelle der Gegenwart.
In nicht allzu großer geistiger Ferne existiert eine Art von
Naturpoesie, die Robert Musil 1926 so charakterisiert:
»Herz spricht zu Herzen, Gefühl zu Gefühl, Stimme des
Bluts zur Stimme des Bluts: das war der ästhetische Grund-
satz, auf dem viele Bücher damals ihre Zuversicht aufbau-
ten, und der Erfolg bestätigt sie.« Wortführer und Weg-
bereiter dieser keineswegs nur auf die Lyrik beschränkten
Heimatkunst war Julius Langbehn, dessen 1890 anonym
erschienenes Buch »Rembrandt als Erzieher. Von einem
Deutschen« als Appell an den Irrationalismus im Zeitalter
der Naturwissenschaften und des Naturalismus ungewöhn-
liches Aufsehen erregte.*

*Wichtiger in diesem Zusammenhang ist der breite Strom der
Jugendstil-Lyrik, für die hier stellvertretend einige Gedichte
Stefan Zweigs stehen; man mag über diese Auswahl streiten – sie hätten zweifellos durch Gedichte Max Dauthen-
deys, Hermann Hesses, Ricarda Huchs, Rudolf Alexander
Schröders, Karl Wolfskehls oder anderer, weniger bekann-
ter Poeten ersetzt werden können. Der Jugendstil hat sich
hier vielleicht am deutlichsten innerhalb der Literatur entfaltet: die Kleinform des lyrischen Gedichtes, die bisweilen
nur pointillistisch andeutende Berufung von Stimmungen
und ästhetischen Gegenständen kommt den Intentionen der
Jugendstildichter entgegen wie kaum eine andere Gattung.*

*Als zukunftsweisender indes, wenn auch nur für eine kurze
Zeit, die spätestens mit dem Tode Rudolf Borchardts,
wahrscheinlich aber mit dem Spätwerk Georges und Rilkes
endet, erwies sich der Symbolismus, der neben den erwähnten Lyrikern einen seiner wichtigsten Vertreter in Hofmannsthal fand: hier, so scheint es, hat die Lyrik um 1900
ihr Eigentliches geleistet. Gegenüber der vorwiegend durch
bestimmte Gegenstandsbereiche zu charakterisierenden Jugendstil-Lyrik wirkt der Symbolismus als die eigentlich
moderne Poesie, indem hier durchweg neue Aussageweisen
erprobt und verwirklicht werden. Er erreicht in seinen bedeutendsten Schöpfungen »das ungeheuer seltene Schauspiel
der Gestaltung durch innere Vollendung« (Musil).*

*Die beiden hier abgedruckten Gedichte Wedekinds mögen
als Beispiele für die satirisch-politische Dichtung des literarischen Kabaretts angesehen werden, wie es sich in München
(»Die elf Scharfrichter«) und Berlin (Ernst von Wolzogens
»Überbrettl«) 1901 etablierte.*

*Der letzte der hier vertretenen Autoren, Christian Morgen-
stern, macht die Problematik jeder literaturhistorischen Be-
griffsbildung erneut deutlich, wenn es dessen bedürfte: es
dürfte schwer, ja unmöglich sein, seine Poesie, die doch
auch wieder radikal die Wirklichkeit in Frage stellt, litera-
risch einzuordnen. Ohne sein Œuvre indes, das seine Leser-
gemeinde bis in die Gegenwart behalten hat, auch ohne
literarische Jubiläumsfeiern und repräsentative Gesamtaus-
gaben, wäre das Bild der deutschen Lyrik um 1900 unvoll-
ständiger, als wenn manches Gesamtwerk der Epoche übersehen würde.*

# RICHARD DEHMEL

Geb. 18. November 1863 in Wendisch-Hermsdorf (Spreewald), gest. 8. Februar 1920 in Hamburg-Blankenese, Sohn eines aus Schlesien stammenden Revierförsters, leidet bis zu seinem 20. Lebensjahr an epileptischen Anfällen. 1882–87 Studium der Volkswirtschaft, Soziologie, Philosophie und Naturwissenschaften, 1887 Dr. phil. Tätigkeit als Redakteur und im Versicherungswesen, gründet 1894 zusammen mit Otto Julius Bierbaum, Julius Meier-Graefe und anderen die Zeitschrift *Pan*, seit 1895 freier Schriftsteller. Umgang mit den Brüdern Hart, Otto Erich Hartleben, August Strindberg und Arno Holz, Freundschaft mit Detlev von Liliencron. 1902, nach Auslandsreisen (Italien, Griechenland, Schweiz, Holland, England), in Blankenese. 1914 Kriegsfreiwilliger (Leutnant), seit 1915 Venenleiden, das später zur tödlichen Thrombose führt.

*Dehmels lyrische Produktion umfaßt den epigrammatischen Vierzeiler wie die Ballade, Gedankenlyrik, politisch-soziale Gedichte wie Stimmungslyrik. Überblickt man dies Werk in seiner Gesamtheit, so wird der außerordentliche Erfolg Dehmels zu seinen Lebzeiten – Theodor Heuss nannte ihn einen »der wenigen großen repräsentativen Deutschen unserer Epoche« – ebenso einsichtig wie die damit zusammenhängende Problematik seiner literaturhistorischen Einordnung in eine der Rubriken Impressionismus, Symbolismus oder Jugendstil und wie vielleicht auch der Umstand, daß dieses formen- und facettenreiche Werk heute nahezu vergessen, zumindest an die Peripherie des literarischen Interesses gedrängt ist. Die Leidenschaftlichkeit seines Stils – bisweilen fast an das »O Mensch!«-Pathos des Expressionismus heranreichend – ist heute ebensowenig unmittelbar verständlich wie seine programmatische Verherrlichung des Lebens und Erlebens im »Denkzettel für den verehrten Leser«, womit Dehmel 1891 den Band »Erlösungen« eröffnete und den er auch 1913 an den Anfang seiner »Gesammelten Werke« stellte. Hier findet sich ein für den Jugendstil typisches Moment: der Kultus des Lebens, der Vitalität, die sich – von Nietzsche propagiert – um 1900 in den Faltenwurf einer*

*renaissancehaft emphatischen Rhetorik hüllt. In dem Ge-*
*dicht »Bekenntnis« klingen bereits 1891 erotische, ja sexuelle*
*Töne an, die dann in den Bänden »Aber die Liebe« (1893)*
*und »Verwandlungen der Venus« (1907) dominieren. In*
*diesen Zusammenhang des von Nietzsche beeinflußten*
*Lebenskultes gehört auch die Verherrlichung des Willens in*
*dem Spruchgedicht »Grundsatz«, das die für das Kunstver-*
*ständnis des ausgehenden 19. Jahrhunderts charakteristische*
*Gleichsetzung »Dichterkraft ist Gotteskraft« formuliert.*
*Daß Dehmel zugleich die konkreten sozialen Fragen seiner*
*Zeit aufnahm und poetisch zu gestalten versuchte, zeigen*
*die Ballade »Ein Märtyrer« und das Gedicht »Der Arbeits-*
*mann«, das sich noch lange in Schullesebüchern gehalten*
*hat (beide in »Aber die Liebe«). Während dieses Gedicht*
*die »Soziale Frage« aufgreift, wie es der Naturalismus des*
*jungen Gerhart Hauptmann im Drama tat, demonstriert die*
*Ballade die Problematik einer aus dem Bürgertum stam-*
*menden sozialen Dichtung: man kann die Gattung der*
*Ballade mit ihren Elementen des Unheimlichen, Übersinn-*
*lichen als unangemessene romantische Verkleidung des hier*
*berichteten Geschehens ansehen – mag sich auch sehr viel*
*Mitgefühl darin aussprechen.*

## Denkzettel für den verehrten Leser

Verehrter Leser! Mensch! ich beschwör dich:
lies mich richtig, Mensch, oder scher dich!
Nämlich das Lesen von Gedichten
ist zwar sehr einfach zu verrichten,
aber gerade die einfachen Sachen
pflegt bekanntlich der Mensch sich schwer zu machen.
Vor allem: such keinen »Grundgedanken«!
sonst kommen deine paar Sinne ins Wanken.
Will ich dir meine Gedanken reichen,
schreib ich Sprüche, Aufsätze und dergleichen.

Gedichte sind keine Abhandlungen;
meine Gedichte sind Seelenwandlungen.
Selbe vollziehen sich aus Gefühlen,
die den ganzen Menschen aufwühlen.
Solch ein Gefühl, das steigt dann zu Kopfe,
sträubt mir manchmal die Haare vom Schopfe,
setzt mir meine paar Sinne in Schrecken,
daß sie plötzliche Luftbilder hecken;
die greifen einander in buntem Lauf,
jagen wohl auch Gedanken mit auf,
die dann über dem Grunde schaukeln,
etwa wie Schmetterlinge gaukeln
um eine große glühende Blume
über dem Brodem der Ackerkrume,
und so fang ich sie auf im Nu,
weiß wohl wie, weiß nicht wozu,
ist eine planvoll zwecklose Geschichte,
kurz – ich erlebe meine Gedichte.
Und, merk dir's, kein Erleben geschieht aus Gedanken;
ach, die Gedanken sind nur Ranken,
die wir arabeskenhaft flechten
um Manifeste von grundlosen Mächten.
Denn das Leben hat kein Gehirn,
verwirrt dir höchstens dein Gehirn,
wird dir nur mit Schmerz oder Lust
als ein beseelender Wille bewußt,
der dich unsinnig treibt und lockt,
und den zu verdauen, Mensch, unverstockt,
mit unsern paar Sinnen, für Heid wie Christ
die wahre Seelenseligkeit ist.
Drum, verehrter Leser, Mensch, ich beschwör dich:
verdau mich ebenso! sonst scher dich!
Und verwirrt dich doch mal mein Gewühl,
so schieb's nur, bitte, aufs Grund*gefühl*!
Wie ich auch hier nur, möglichst hold,
einem törichten Ingrimm Luft machen wollt.

## Bekenntnis

Ich will ergründen alle Lust,
so tief ich dürsten kann;
ich will sie aus der ganzen Welt
schöpfen, und stürb' ich dran.

Ich will's mit all der Schöpferwut,
die in uns lechzt und brennt;
ich *will* nicht zähmen meiner Glut
heißhungrig Element.

Ward ich durch frommer Lippen Macht,
durch zahmer Küsse Tausch?
Ich ward erzeugt in wilder Nacht
und großem Wollustrausch!

Und will nun leben so der Lust,
wie mich die Lust erschuf.
Schreit nur den Himmel an um mich,
ihr Beter von Beruf!

## Grundsatz

Nicht zum Guten, nicht vom Bösen
wollen wir die Welt erlösen,
nur zum Willen, der da schafft;
Dichterkraft ist Gotteskraft.

## Ein Märtyrer

Jetzt sollt ihr hören ein *rauhes* Lied,
von Frieden und Erbarmen *leer*!
Der Winternachtsturm schreit im Ried

und peitscht das Schilf wie Heu umher;
vor seinem Schnauben erstarrt das Moor,
zerknicken die Binsen, zerbricht das Rohr.

Ein Häuschen umheult er am Heiderand
und schüttelt die Pfosten der rissigen Wand
und reißt an den Haspen und Sparren,
daß sie kreischen vor Frost und knarren
und drinnen am Ofen die Kinder erschauern
und dichter zum Schoße der Mutter kauern.

Die streckt, von Ängsten dumpf gerührt,
zum Vater, der finster mit hastiger Faust
Flugschriften zu Stößen und Ballen schnürt,
die bittenden zitternden Hände:
»Ach Mann, geh nicht durchs Moor! mir graust.«
Doch er, aus dem Ballen ein Blatt gezaust,
weist ihr die Worte am Ende:

Mensch preßte den Menschen in Schmach und Acht,
weil jeder nur immer sich selber bedacht.
So habt ihr euch selber zu Knechten gemacht.
Drum schart euch, ihr Schwachen, zusammen!
Stützt Rücken an Rücken zum rettenden Heer,
so schwellen die Wellen zum donnernden Meer,
die Fünkchen zu sausenden Flammen!

Die Backen zucken ihm, und er spricht:
Drum bettle nicht! drum quäl mich nicht!
ich hab's den Genossen geschworen.
Der Wahlruf muß heut noch hinüber ins Dorf,
sonst geht der Sieg uns verloren.

»Geh nicht, geh nicht! was schiert der Sieg
dein Weib und die jammernden Kleinen!
Geh nicht, geh nicht! Die zweite Nacht

erst steht das Eis; o Gott, es kracht,
es bricht! o sieh mich weinen!

Es schreit zum Himmel! dein Leben ist *mein*!«
Da braust er auf vor Zorn und Pein:
schrei lieber zu Teufel und Hölle!
und hebt mit grimmiger Wucht die Last
und fragt, schon tritt er die Schwelle:

Hat's etwa dein Herrgott zu Dank dir gemacht,
daß ich tagtäglich in den Schacht
meine Knochen für'n Hungerlohn trage!
und sollte mein Leben nicht Eine Nacht
für Glück und Gerechtigkeit wagen?!

Leb wohl! – Ins Schloß die Klinke knallt.
Die Windsbraut stöhnt und ächzt im Schlot.
Vom fahlen Horizont her droht
des Mondes Stirne blank und kalt.
Der Bergmann glüht; er trieft von Schweiß.
Der Mond legt übers dunkle Eis
eine bleiche Straße.

Der Bergmann glüht, der Bergmann keucht.
Doch bald: dann hat er das Ufer erreicht,
schon schimmern – da knistert's, da biegt es sich sacht.
Ein Hilfegestammel. Da knirscht es und kracht
und schollert; ein Aufschrei verbrodelt im Moor.
Schrill winselt's im Schilf, hohl röchelt's im Rohr.
Hui! zischt es und pfeift's in den Binsen.

O rauher, o rauher, mein rauhes Lied!
kein Witwengewimmer! kein Waisengestöhn!
nach Opfern schreit der Sturm im Ried.
Doch bald: dann kommt der Frühlingsföhn,
dann schießt in Halme die junge Saat,
der Tag der Auferstehung naht!

Dann schmilzt im Sturm das morsche Eis,
dann wühlt er die Opfer empor vom Grund,
die Helden alle, die niemand weiß;
und jedes Toten vermoderter Mund
wird klaffend nach Rache blecken
und tausend Lebendige wecken!


## Der Arbeitsmann

Wir haben ein Bett, wir haben ein Kind,
        mein Weib!
Wir haben auch Arbeit, und gar zu zweit,
und haben die Sonne und Regen und Wind.
Und uns fehlt nur eine Kleinigkeit,
um so frei zu sein, wie die Vögel sind:
        Nur Zeit.

Wenn wir sonntags durch die Felder gehn,
        mein Kind,
und über den Ähren weit und breit
das blaue Schwalbenvolk blitzen sehn,
oh, dann fehlt uns nicht das bißchen Kleid,
um so schön zu sein, wie die Vögel sind:
        Nur Zeit.

Nur Zeit! wir wittern Gewitterwind,
        wir Volk.
Nur eine kleine Ewigkeit;
uns fehlt ja nichts, mein Weib, mein Kind,
als all das, was durch uns gedeiht,
um so kühn zu sein, wie die Vögel sind.
        Nur Zeit!

*Dehmels Gedicht »Der Arbeitsmann« mit einer Zeichnung von Anetsberger aus dem »Simplicissimus« (Dezember 1896)*

STEFAN ZWEIG

*Innerhalb seines gesamten Œuvres nimmt Stefan Zweigs Lyrik nur schmalen Raum ein; außer dem ersten Band »Silberne Saiten« (1901), dem die hier wiedergegebenen Gedichte entnommen sind, erschienen noch »Die frühen Kränze« (1907) und »Die gesammelten Gedichte« 1924. Es verwundert nicht, daß nahezu die Hälfte des 1966 von Richard Friedenthal herausgegebenen Lyrikbandes mit Zweigs Nachdichtungen von Verhaeren, Baudelaire und Verlaine gefüllt ist. Und auch die eigene lyrische Produktion Zweigs erscheint als eine Versammlung wesentlicher Motive und Stilelemente der Poesie seiner Zeit eher denn als originäre Schöpfung eines Begründers neuer literarischer Formen. Eben dies rechtfertigt die Beschäftigung mit diesen Gedichten: sie sind typisch für den Jugendstil im weitesten Sinne.*

*»Das Lebenslied« entwickelt sich in den ersten zehn Verspaaren auf das zentrale Wort des Gedichtes hin; es heißt »Tod«. Damit wird ein zentrales Motiv der Zeit angesprochen: es ist die nur scheinbar paradoxe Erkenntnis der Verwobenheit von Tod und Leben, die in dieser Lyrik zu monistischer Identität verschmelzen. Denn der Tod, als Ziel- und Endpunkt des Lebens verstanden, bindet die auseinanderstrebenden Momente zusammen, er führt, beginnend im Pianissimo mit »heil'ge[r] Ruh«, zum bacchantischen Taumel, in dem Lebensrausch und mystische Entgrenzung der Existenz einander durchdringen. Der Eingang in die Natur oder exakter: in ihre ästhetische Erfahrung wird zum Palliativ, das »Gram«, »Schmerz« und »Leid« zu heilen scheint. In einer Art von panvitalistischem Monismus erlebt der Dichter »Einsamkeit« und Rausch aus jenen Blüten, Kelchen und Dolden, die aus der Ornamentik und Metaphorik des Jugendstils nicht wegzudenken sind, bis endlich – dies die »Pointe« des Gedichtes – die Ästhetisierung der Natur und der zuvor im »Weh« isolierten Seele*

und ihre Vereinigung vollendet scheinen. Wenn man die
Dichtung der Jahrhundertwende, ihre Wiederaufnahme
klassischer oder romantischer Themenstellungen gelegentlich epigonal genannt hat, dann nicht ohne Grund. »Nocturno« scheint diesen Verdacht, der zugleich ein absprе-
chendes Werturteil impliziert, zu bestätigen: man kann das
Gedicht als Wiederholung von Eichendorffs »Mondnacht«
lesen. Die Reminiszenz wird vor allem durch den ersten
Vers der dritten Strophe evoziert: »Und die Seele hebt ihre
Schwingen«; bei Eichendorff stehen die Verse »Und meine
Seele spannte / Weit ihre Flügel aus«. Indes geht das Gedicht Zweigs in der artistischen Verwendung symbolisti-
scher Synästhesien – möglicherweise unter dem Einfluß
Verhaerens – wesentlich weiter als Eichendorff. Die Land-
schaft wird hier zu einem ästhetischen Phänomen, das die
Sinne anspricht. Im Kontext des Gedichtes hat die Überschrift die Funktion, auf den historischen Abstand von der
Romantik zu verweisen. »Nocturno« ist nicht als Natur-
oder Mondgedicht, sondern wie ein von Chopin kompo-
niertes Stück Salonmusik zu lesen.

Die Gedichte »Morgenlicht« und »Ein Drängen ...« schei-
nen geeignet, »die Grundstimmung« zu charakterisieren, in
der Zweigs frühe Lyrik nach den Worten seines Biographen
Arnold Bauer entstand: »ständiges Schwanken zwischen
Melancholie und Aufbegehren, Verschmelzung von puber-
tärem Lebensgefühl und früher ästhetischer Perfektion«.
Die sich steigernde Intensität des morgendlichen Lichts, die
sich von Purpur über Gold zur Glut und in eins damit vom
Singen über den Jubel zum Brausen steigert, läßt an die
Darstellung verwandter Motive in der Malerei denken
etwa an Ludwig von Hofmanns »Frühlingssturm« oder an
Ferdinand Hodlers »Die Empfindung«. Sie artikulieren
jenes Lebensgefühl, das die Bezeichnung Jugendstil benennt.
Der Kult des Lebens verbalisiert sich als kämpferische
Aufbruchsstimmung, der man aber so recht nicht glauben
mag, denn das Leben findet seine Erfüllung im Tod

*»kampfbereites Fahnenschwingen« mündet in die Melancholie »heißer Nächte« voller »Tränen«.*
*In einem Bild des Jugendstildichters Stefan Zweig darf der Zug schwüler Sinnlichkeit nicht fehlen, wie sie in der ersten Strophe des Gedichtes »Begehren« erscheint. Sie bietet zugleich eine mögliche Deutung der Farbe Rot im Jugendstil. Sie erscheint vorzugsweise im Kontext von »Purpur« und »Blut«, sie verweist hier – wie auch andernorts häufig – auf erotische Wünsche, deren Realisierung die bürgerliche Wirklichkeit, befangen in den Moralvorstellungen des 19. Jahrhunderts, verbietet. Zweig selbst hat im Rückblick seiner Lebenserinnerungen diese Funktion der Sexualität um 1900 dargestellt; sie erscheint immer wieder in der Kunst der Zeit – erinnert sei an Franz von Stucks Gemälde »Die Sünde«. Man hat diese Form der Sinnlichkeit nicht ganz zu Unrecht als »pubertär« bezeichnet, zumal sie – wie hier in »Begehren« – unvermittelt umzuschlagen vermag in wehmütige Reminiszenzen an das entschwundene Paradies kindlicher Unschuld.*

## Das Lebenslied

. . . Und jedes Lebensmal, das ich gefühlt,
Hat in mir dunkle Klänge aufgewühlt.

Und doch, das eine will mir nie gelingen,
Mein Schicksal in ein Lebenslied zu zwingen,

Was mir die Welt in Tag und Nacht gegeben,
In einen reinen Einklang zu verweben.

Ein irres Schiff, allein auf fremden Meer,
Schwankt meine Seele steuerlos einher

Und sucht und sucht und findet dennoch nie
Den eig'nen Wiederklang der Weltenharmonie.

Und langsam wird sie ihrer Irrfahrt müd.
Sie weiß: Nur einer ist's, der löst ihr Lied,

Der fügt die Trauer, Glück und jeden Drang
In einen tiefen, ewig gleichen Sang.

Nur durch den *Tod*, der jede Wunde stillt,
Wird meiner Seele Wunschgebet erfüllt.

Denn einst, wenn müd mein Lebensstern versinkt,
Mit matten Lichtern nur der Tag noch winkt,

Da werd' ich sein Erlösungswort verspüren,
Er wird mir segnend an die Seele rühren,

Und in mir atmet plötzlich heil'ge Ruh ...
Mein Herz verstummt ... Er lächelt mild mir zu ...

Und hebt den Bogen ... Und die Saiten zittern
Wie Erntepracht vor drohenden Gewittern,

Und beben, beugen sich – und singen schon
Den ersten, sehnsuchtsweichen Silberton.

Wie eine scheue Knospe, die erblüht,
Reift aus dem ersten Klang ein süßes Lied.

Da wird mein tiefstes Sehnen plötzlich Wort,
Mein Lebenslied ein einziger Akkord,

Und Leid und Freude, Nacht und Sonnenglanz
Umfassen sich in reiner Konsonanz.

Und in die Tiefen, die noch keiner fand,
Greift seine wunderstarke Meisterhand.

Und was nur dumpfer Wesenstrieb gewesen,
Weiß er zu lichter Klarheit zu erlösen.

Und wilder wird sein Lied ... Wie heißes Blut
So rot und voll strömt seiner Töne Flut

Und braust dahin, wie schaumgekrönte Wellen,
Die trotzig an der eig'nen Kraft zerschellen,

Ein toller Sang lustlechzender Mänaden
Ertost es laut in jauchzenden Kaskaden.

Und wilder wird der Töne Bacchanal
Und wächst zur ungeahnten Sinnesqual

Und wird ein Schrei, der schrill zum Himmel gellt –
– Dann wirrt der wilde Strom und stirbt und fällt ...

Ein Schluchzen noch, das müde sich entringt ...
... Das Lied verstummt ... Der matte Bogen sinkt ...

Und meine Seele zittert von den Saiten
Zu sphärenklangdurchbebten Ewigkeiten ...

## Der Dichter

Ging einer in die helle Sommernacht.
Dem war schon längst die letzte Liebe tot;
Er klagte nicht. – Doch purpurn war entfacht
In seinem Herz der Wunden Narbenrot.

Im Auge flackerte ein fremder Glanz
Des tiefen Leides späte Schmerzenssaat ...
So schritt er stumm dahin ... Irrlichtertanz
War Führer ihm am blassen Dämmerpfad.

In reichem Frieden schimmerte das Land
Wie eine Brust, die selig atmend bebt ...
Da fühlt er, wie der Stille weiche Hand
Um seine heißen Pulse kühlend schwebt.

Und schwellend flog aus tausend Kelchen her
Ein Blühen, das von weiten Fernen kam;
Wie dunkle Weine war der Duft so schwer,
Der mild sein großes Weh gefangen nahm.

Und traumgewandet zieht die Einsamkeit
Ans Mutterherz den müden Träumer hin,
Bis er vergessen Wirklichkeit und Leid
Im Banne ihrer Rätselmelodien.

Und Blütendolden stäubten in sein Haar ...
Die Stimme aber sang und ruhte nicht,
Bis jeder Gramgedanke Traum nur war,
Und jeder Schmerz ein ewiges Gedicht ...

## Nocturno

Siehe die Nacht hat silberne Saiten
In die träumenden Saaten gespannt!
Weiche verzitternde Klänge gleiten
Über das selig atmende Land
Fernhin in schimmernde Weiten.

Sanft wie eine segnende Hand
Tönt und vertönt ihre Weise
Leise ... so leise ... so leise ...

Und die Seele hebt ihre Schwingen
– Silberne Klänge sind ihre Flügel –
Weit über duftumsponnene Hügel

Durch der Täler verdämmernden Schein
Schwebt sie auf sehnsuchtgewiesener Reise
Still ins strömende Mondlicht hinein . . .


## Morgenlicht

Nun wollen wir dem Licht entgegen,
Das um die Purpurwipfel rollt.
Das Leuchten flammt auf allen Wegen
Und wächst und wird zum Morgengold.

Die glutumlohten Tannen singen
Und Jubel bricht aus jedem Klang,
Wie kampfbereites Fahnenschwingen
Braust durch den Wald der Höhensang.

Und lauter werden alle Weisen
Und jedes Wesen sucht sein Lied,
Die Schaffenskraft des Lichts zu preisen,
Das nun ins volle Leben glüht.


## Ein Drängen . . .

Ein Drängen ist in meinem Herz, ein Beben
Nach einem großen, segnenden Erleben,
Nach einer Liebe, die die Seele weitet
Und jede fremde Regung niederstreitet.

Ich harre Tage, Stunden, lange Wochen,
Mein Herz bleibt stumm, die Worte ungesprochen
In müde Lieder flüchtet sich mein Sehnen,
Und heiße Nächte trinken meine Tränen . . .

## Begehren

An manchen Tagen faßt mich ein Begehren
Nach Glanz und Glück und wilder Rhythmen Glut
Nach Purpurrosen, tief und rot wie Blut
Und heißen Frauen, die mit liebesschweren
Sturmküssen dämmen meiner Wünsche Flut. –

Doch tief in diesem grellen Lustverlangen
Zittert ein einz'ger Wunsch allein
Nach einem großen, reichen Glücklichsein,
Nach Frieden, den mir stille Lieder sangen
In meiner Kindheit goldnem Sonnenschein.

STEFAN GEORGE

Geb. 12. Juli 1868 in Büdesheim bei Bingen, gest. 4. Dezember 1933 in
Muralto. Sohn eines Weinhändlers und Gastwirts. 1882–88 Gymnasium
Darmstadt, seitdem ohne festen Wohnsitz. Ausgedehnte Reisen (London,
Montreux, Mailand, Paris, Spanien). Bekanntschaft mit Stéphane Mallarmé, Albert Saint-Paul, Paul Verlaine, André Gide und Auguste
Rodin. 1889–91 Studium der Literaturwissenschaft in Berlin, unterbro-
chen von weiteren Reisen durch Europa. Dezember 1891 Begegnung mit
Hugo von Hofmannsthal in Wien. 1892 Freundschaft mit Ida Coblenz,
der späteren Frau Richard Dehmels, ab 1893 mit Karl Wolfskehl, 1895
mit Albert Verwey, 1899 mit Friedrich Gundolf. Seit 1900 streng zu-
rückgezogenes Leben in Deutschland (München, Berlin, Bingen, Darmstadt, Heidelberg). 1902 Begegnung mit Maximilian Kronberger (»Maxi-
min«), der 1904, 16jährig, stirbt. 1905 Bruch mit Hofmannsthal. Ge-
sundheitliche Krisen und Klinikaufenthalte 1918 und 1920 aufgrund
eines Nierenleidens (Operation 1924). 1920/21 Entfremdung und Tren-
nung von Gundolf. Wachsende Isolation in den letzten Lebensjahren.

*»Jahrestag«, 1893 entstanden, eröffnet das »Buch der Hir-
ten- und Preisgedichte«, das zusammen mit dem »Buch der
Sagen und Sänge« und dem »Buch der Hängenden Gärten«
als Privatdruck in 200 Exemplaren 1895 bei F. Cynamon*

*in Berlin erschien. »Wir schreiten auf und ab im reichen flitter« und »Wir werden heute nicht zum garten gehen« stehen in »Das Jahr der Seele«, einem Privatdruck von 206 Exemplaren aus dem Jahre 1897 bei O. v. Holten in Berlin. »Der Freund der Fluren« ist entnommen dem Band »Der Teppich des Lebens und die Lieder von Traum und Tod mit einem Vorspiel«, der mit der Jahreszahl 1900 im November 1899 bei v. Holten in 300 Exemplaren erschien. »Das Wort« erschien zuerst 1919 in der letzten Folge der »Blätter für die Kunst«, dann 1928 in »Das Neue Reich«, dem IX. Band der Gesamtausgabe (1927–34) bei Georg Bondi in Berlin.*

*In seiner 1896 unter dem Pseudonym Loris in der »Zeit« erschienenen Würdigung »Gedichte von Stefan George« konstatiert Hofmannsthal, hier rede »die hochgezogene Seele eines Dichters«, und er spricht von »Schamhaftigkeit und bescheidene[m] Hochmut« – differenzierte und distanzierte Formulierungen, in denen mehr als nur die »Stimmung« dieser frühen Gedichte Georges bezeichnet wird. Claus Victor Bock sieht in »Jahrestag« zugleich zurückreichende und vorausweisende Elemente von Georges Schaffen: Anklänge an die Antike (Horaz, Vergil) einerseits, »das fromme Gedächtnis eines Frühverstorbenen« andererseits, wie es dann im Maximin-Kult zur vollen Entfaltung gelangt (»darsteller einer allmächtigen jugend wie wir sie erträumt hatten«). – Die drei Gedichte »Wir schreiten auf und ab im reichen flitter«, »Wir werden heute nicht zum garten gehen« und »Der Freund der Fluren« sind nur scheinbar »Naturgedichte«, wie sie seit etwa 1770 als Artikulation der Identität natürlichen Werdens oder Vergehens mit menschlicher Empfindung und Erfahrung immer wieder geschrieben wurden. Paul Georg Klussmann erblickt im ersten dieser Gedichte »eine mit der Abdankung der wachstümlichen Naturmächte freiwerdende Formkraft«, und er legt in seiner Interpretation des »Freund der Fluren« besonderen Akzent auf die »Hippe« als »Symbol der Herr-*

schaft über die wild und planlos wuchernden Naturkräfte«.
Helmut Arntzen sieht in dem Herbstgedicht »Wir werden
heute nicht zum garten gehen« »die abstruse Qual eines Leidens« formuliert, »das nichts mit Heroismus und nichts mit
Tragik zu tun hat«. Daß Georges Lyrik derartige Interpretationen zu evozieren vermag, sollte davor warnen, sein
Werk als weltenthobenes Spiel jenseits der Wirklichkeit zu
diffamieren: die Esoterik von Georges Lyrik, die Abgeschlossenheit des sogenannten Georgekreises, hinderte nicht,
daß aus diesem Kreise Claus Graf Schenk von Stauffenberg
hervorging und daß George außerhalb seiner Manifeste in
den »Blättern für die Kunst« und in seiner Lyrik den dia-
gnostisch scharfen Blick für die politisch-gesellschaftliche
Realität hatte, der ihn während des Ersten Weltkrieges etwa
von der »maaslosen dummheit der deutschen Staatskunst«
sprechen ließ. Je intensiver die Einsicht in die reale geschichtliche Situation war, desto kompromißloser auch sein
Anspruch, durch die Macht seines Wortes in der Dichtung
die Welt zu erzeugen: »Kein ding sei wo das wort gebricht«. Adorno bestimmt seine geschichtliche Situation mit
den Worten: »Während Georges Dichtung, die eines herri-
schen Einzelnen, die individualistische bürgerliche Gesellschaft und den für sich seienden Einzelnen als Bedingung
ihrer Möglichkeit voraussetzt, ergeht über das bürgerliche
Element der einverstandenen Form nicht anders als über die
bürgerlichen Inhalte ein Bannfluch.«

## Jahrestag

O schwester nimm den krug aus grauem thon ·
Begleite mich! denn du vergassest nicht
Was wir in frommer wiederholung pflegten.
Heut sind es sieben sommer dass wirs hörten
Als wir am brunnen schöpfend uns besprachen:
Uns starb am selben tag der bräutigam.

Wir wollen an der quelle wo zwei pappeln
Mit einer fichte in den wiesen stehn
Im krug aus grauem thone wasser holen.


WIR SCHREITEN AUF UND AB IM REICHEN FLITTER
Des buchenganges beinah bis zum tore
Und sehen aussen in dem feld vom gitter
Den mandelbaum zum zweitenmal im flore.

Wir suchen nach den schattenfreien bänken
Dort wo uns niemals fremde stimmen scheuchten ·
In träumen unsre arme sich verschränken ·
Wir laben uns am langen milden leuchten

Wir fühlen dankbar wie zu leisem brausen
Von wipfeln strahlenspuren auf uns tropfen
Und blicken nur und horchen wenn in pausen
Die reifen früchte an den boden klopfen.


WIR WERDEN HEUTE NICHT ZUM GARTEN GEHEN ·
Denn wie uns manchmal rasch und unerklärt
Dies leichte duften oder leise wehen
Mit lang vergessner freude wieder nährt:

So bringt uns jenes mahnende gespenster
Und leiden das uns bang und müde macht.
Sieh unterm baume draussen vor dem fenster
Die vielen leichen nach der winde schlacht!

Vom tore dessen eisen-lilien rosten
Entfliegen vögel zum verdeckten rasen
Und andre trinken frierend auf den pfosten
Vom regen aus den hohlen blumen-vasen.

## Der Freund der Fluren

Kurz vor dem frührot sieht man in den fähren
Ihn schreiten · in der hand die blanke hippe
Und wägend greifen in die vollen ähren
Die gelben körner prüfend mit der lippe.

Dann sieht man zwischen reben ihn mit basten
Die losen binden an die starken schäfte
Die harten grünen herlinge betasten
Und brechen einer ranke überkräfte.

Er schüttelt dann ob er dem wetter trutze
Den jungen baum und misst der wolken schieben
Er gibt dem liebling einen pfahl zum schutze
Und lächelt ihm dem erste früchte trieben.

Er schöpft und giesst mit einem kürbisnapfe
Er beugt sich oft die quecken auszuharken
Und üppig blühen unter seinem stapfe
Und reifend schwellen um ihn die gemarken.

## Das Wort

Wunder von ferne oder traum
Bracht ich an meines landes saum

Und harrte bis die graue norn
Den namen fand in ihrem born –

Drauf konnt ichs greifen dicht und stark
Nun blüht und glänzt es durch die mark ...

Einst langt ich an nach guter fahrt
Mit einem kleinod reich und zart

Sie suchte lang und gab mir kund:
›So schläft hier nichts auf tiefem grund‹

Worauf es meiner hand entrann
Und nie mein land den schatz gewann ...

So lernt ich traurig den verzicht:
Kein ding sei wo das wort gebricht.


## HUGO VON HOFMANNSTHAL

*Nahezu die gesamte lyrische Produktion Hofmannsthals entstand zwischen 1890 und 1900; er schrieb sie als junger Mann zwischen dem sechzehnten und sechsundzwanzigsten Jahr: »Er entäußerte sich der Lyrik, als er die Fünfundzwanzig knapp überschritten hatte, also zu einer Zeit, in der gemeiniglich die poetische Stärke erst zur vollen Entfaltung gelangt« (Broch). Über die Gründe dafür mag man Vermutungen anstellen im Zusammenhang einer mit dem »Chandos-Brief« oft vermuteten Schaffenskrise.*

*Die ersten Verse des »Lebensliedes« werden von Robert Musil in einem Essay (»Literat und Literatur«, 1931) kommentiert: sie hätten »sicher für viele die Eigenschaften eines sinnlosen Gedichtes«, »weil es ohne Hilfsmittel durchaus nicht zu erraten ist, was der Dichter eigentlich sagen wollte, dessenungeachtet man sich der geistigen Mitbewegtheit nicht entziehen kann. Diese Verse sind in dieser Lage nicht schön, weil sich Hofmannsthal sicher etwas dabei gedacht hat, sondern sie sind es, obwohl man sich nichts denken kann, und wüßte man, was man dabei zu denken habe, so würden sie vielleicht noch schöner werden, vielleicht aber auch weniger schön, denn das, was man dazudenkt und -weiß, gehört bereits dem rationalen Denken an und erhält seine Bedeutung aus diesem.« Wolfdietrich Rasch hat in seiner*

*Interpretation des Gedichtes eine Deutung bereitgestellt. Er
zitiert einen Brief von Heinrich Gomperz aus Hofmannsthals Nachlaß, in dem es heißt:* »Hofmannsthal erzählte
mir, daß ihm meine Cousine Alice Morrison [...] folgendes
erzählte: Sie lebte einige Jahre in Indien [...] Eines Abends
war sie bei einer hochgestellten oder sehr reichen Persönlichkeit geladen, die ein palastartiges Gebäude bewohnte,
dem ein eigener Tierpark angeschlossen war. Es war ein sehr
heißer Abend und Alice trat auf einen Altan hinaus, von
dem aus man in den Tierpark hinabsah. Unten sah man in
unbestimmten Umrissen allerlei Getier – Vögel, Vierfüßer
und Kriechtiere, die sich in der warmen Abendluft hin und
her bewegten. Unter dem Eindruck der Wärme, der Nacht-
stimmung und dieses Anblicks überkam sie ein so heftiges
mystisch-pantheistisches Gefühl der Allverbundenheit, daß
sie in einem Drang, sich all diesem Leben noch inniger zu
verbinden, ein Flakon öffnete, das sie von ihrer Großmut-
ter (Sophie Todesco) ererbt hatte, und ein als besonders
kostbar geltendes Parfum, das darin geborgen war, auf die
Tiere hinabträufelte. Unter dem Eindruck dieser Erzählung
habe er das Gedicht verfaßt.«

»*Vor Tag*« *wird von Franz Norbert Mennemeier als ein*
»*Hofmannsthalsches Welttheater-Gedicht*« *gedeutet: die
auftretenden Gestalten haben repräsentative Bedeutung, der
hier gestaltete Augenblick der Morgendämmerung macht
den Übergang von der Nacht zum Tage thematisch, also die
Zeit. Sie ist auch Thema der* »*Ballade des äußeren Lebens*«.
*Das Gedicht treibt nur scheinbar Mißbrauch mit der Kon-
junktion* »*und*«; *in der Tat enthüllt sich in ihr eine Art von
wiedergewonnener Naivität, die sich eine bloße Aufreihung
von Phänomenen in einer vollständig durchorganisierten
und -gedeuteten Welt neuerlich gestattet. Dieses Leben* »*erscheint maskenhaft und fremd als* ›*äußeres Leben*‹« (*Mennemeier*).

*Die* »*Terzinen. Über Vergänglichkeit*« *entstanden im Juli
1894 unter dem Eindruck des Todes von Josephine von*

*Wertheimstein. Hofmannsthal schickte sie mit anderen Ge-
dichten zusammen 1896 an George, der sie im 2. Band der
III. Folge der »Blätter für die Kunst« erscheinen ließ.
Wichtiger aber als der Anlaß der »Terzinen« ist ihre Struktur: die Erfahrung des »erste[n] wahrhaft Schwere[n] und
Traurige[n]«, die Hofmannsthal machte und die sich in der
verzweifelten Vergänglichkeitsklage des zweiten Terzetts
im ersten Gedicht ausspricht, wird beantwortet durch die
Behauptung der mystischen Identität von »Mensch«, »Ding«
und »Traum«. Karl J. Naef hat bereits 1938 darauf hingewiesen, daß »die Hofmannsthalsche Frühmystik nicht als
primär religiös, vielmehr als eine durchweg ästhetisch orientierte, gewissermaßen weltliche Mystik« bezeichnet werden
müsse: das gilt nicht nur von den »Terzinen«, sondern auch
von den anderen Gedichten. Sie ist die Antwort auf die
Unmöglichkeit, sich in der gesellschaftlichen und kulturellen
Welt des ausgehenden 19. Jahrhunderts als Person zu erfahren und zu entfalten.*

## Lebenslied

Den Erben laß verschwenden
An Adler, Lamm und Pfau
Das Salböl aus den Händen
Der toten alten Frau!
Die Toten, die entgleiten,
Die Wipfel in dem Weiten –
Ihm sind sie wie das Schreiten
Der Tänzerinnen wert!

Er geht wie den kein Walten
Vom Rücken her bedroht.
Er lächelt, wenn die Falten
Des Lebens flüstern: Tod!
Ihm bietet jede Stelle

Geheimnisvoll die Schwelle;
Es gibt sich jeder Welle
Der Heimatlose hin.

Der Schwarm von wilden Bienen
Nimmt seine Seele mit;
Das Singen von Delphinen
Beflügelt seinen Schritt:
Ihn tragen alle Erden
Mit mächtigen Gebärden.
Der Flüsse Dunkelwerden
Begrenzt den Hirtentag!

Das Salböl aus den Händen
Der toten alten Frau
Laß lächelnd ihn verschwenden
An Adler, Lamm und Pfau:
Er lächelt der Gefährten. –
Die schwebend unbeschwerten
Abgründe und die Gärten
Des Lebens tragen ihn.

## Vor Tag

Nun liegt und zuckt am fahlen Himmelsrand
In sich zusammgesunken das Gewitter.
Nun denkt der Kranke: »Tag! jetzt werd ich schlafen!«
Und drückt die heißen Lider zu. Nun streckt
Die junge Kuh im Stall die starken Nüstern
Nach kühlem Frühduft. Nun im stummen Wald
Hebt der Landstreicher ungewaschen sich
Aus weichem Bett vorjährigen Laubes auf
Und wirft mit frecher Hand den nächsten Stein
Nach einer Taube, die schlaftrunken fliegt,
Und graust sich selber, wie der Stein so dumpf

Und schwer zur Erde fällt. Nun rennt das Wasser,
Als wollte es der Nacht, der fortgeschlichnen, nach
Ins Dunkel stürzen, unteilnehmend, wild
Und kalten Hauches hin, indessen droben
Der Heiland und die Mutter leise, leise
Sich unterreden auf dem Brücklein: leise,
Und doch ist ihre kleine Rede ewig
Und unzerstörbar wie die Sterne droben.
Er trägt sein Kreuz und sagt nur: »Meine Mutter!«
Und sieht sie an, und: »Ach, mein lieber Sohn!«
Sagt sie. – Nun hat der Himmel mit der Erde
Ein stumm beklemmend Zwiegespräch. Dann geht
Ein Schauer durch den schweren, alten Leib:
Sie rüstet sich, den neuen Tag zu leben.
Nun steigt das geisterhafte Frühlicht. Nun
Schleicht einer ohne Schuh von einem Frauenbett,
Läuft wie ein Schatten, klettert wie ein Dieb
Durchs Fenster in sein eigenes Zimmer, sieht
Sich im Wandspiegel und hat plötzlich Angst
Vor diesem blassen, übernächtigen Fremden,
Als hätte dieser selbe heute nacht
Den guten Knaben, der er war, ermordet
Und käme jetzt, die Hände sich zu waschen
Im Krüglein seines Opfers wie zum Hohn,
Und darum sei der Himmel so beklommen
Und alles in der Luft so sonderbar.
Nun geht die Stalltür. Und nun ist auch Tag.


## Ballade des äußeren Lebens

Und Kinder wachsen auf mit tiefen Augen,
Die von nichts wissen, wachsen auf und sterben,
Und alle Menschen gehen ihre Wege.

Und süße Früchte werden aus den herben
Und fallen nachts wie tote Vögel nieder
Und liegen wenig Tage und verderben.

Und immer weht der Wind, und immer wieder
Vernehmen wir und reden viele Worte
Und spüren Lust und Müdigkeit der Glieder.

Und Straßen laufen durch das Gras, und Orte
Sind da und dort, voll Fackeln, Bäumen, Teichen,
Und drohende, und totenhaft verdorrte ...

Wozu sind diese aufgebaut? und gleichen
Einander nie? und sind unzählig viele?
Was wechselt Lachen, Weinen und Erbleichen?

Was frommt das alles uns und diese Spiele,
Die wir doch groß und ewig einsam sind
Und wandernd nimmer suchen irgend Ziele?

Was frommts, dergleichen viel gesehen haben?
Und dennoch sagt der viel, der »Abend« sagt,
Ein Wort, daraus Tiefsinn und Trauer rinnt

Wie schwerer Honig aus den hohlen Waben.


## Terzinen

### I

### Über Vergänglichkeit

Noch spür ich ihren Atem auf den Wangen:
Wie kann das sein, daß diese nahen Tage
Fort sind, für immer fort, und ganz vergangen?

Dies ist ein Ding, das keiner voll aussinnt,
Und viel zu grauenvoll, als daß man klage:
Daß alles gleitet und vorüberrinnt.

Und daß mein eignes Ich, durch nichts gehemmt,
Herüberglitt aus einem kleinen Kind
Mir wie ein Hund unheimlich stumm und fremd.

Dann: daß ich auch vor hundert Jahren war
Und meine Ahnen, die im Totenhemd,
Mit mir verwandt sind wie mein eignes Haar,

So eins mit mir als wie mein eignes Haar.

## II

Die Stunden! wo wir auf das helle Blauen
Des Meeres starren und den Tod verstehn,
So leicht und feierlich und ohne Grauen,

Wie kleine Mädchen, die sehr blaß aussehn,
Mit großen Augen, und die immer frieren,
An einem Abend stumm vor sich hinsehn

Und wissen, daß das Leben jetzt aus ihren
Schlaftrunknen Gliedern still hinüberfließt
In Bäum und Gras, und sich matt lächelnd zieren

Wie eine Heilige, die ihr Blut vergießt.

## III

Wir sind aus solchem Zeug wie das zu Träumen,
Und Träume schlagen so die Augen auf
Wie kleine Kinder unter Kirschenbäumen,

Aus deren Krone den blaßgoldnen Lauf
Der Vollmond anhebt durch die große Nacht.
... Nicht anders tauchen unsre Träume auf,

Sind da und leben wie ein Kind, das lacht,
Nicht minder groß im Auf- und Niederschweben
Als Vollmond, aus Baumkronen aufgewacht.

Das Innerste ist offen ihrem Weben;
Wie Geisterhände in versperrtem Raum
Sind sie in uns und haben immer Leben.

Und drei sind Eins: ein Mensch, ein Ding, ein Traum.


## RAINER MARIA RILKE

Geb. 4. Dezember 1875 in Prag, gest. 29. Dezember 1926 in Valmont
bei Montreux. Die Eltern (der Vater war nach gescheiterter Offiziers-
laufbahn Eisenbahnbeamter, die Mutter, aus höherer sozialer Sphäre
stammend, voll unbefriedigten gesellschaftlichen Ehrgeizes) trennten sich
1884. 1886–91 Militärerziehungsanstalten St. Pölten und Mährisch-Weiß-
kirchen, 1895 Reifeprüfung in Prag, 1895–97 Studium der Kunst- und
Literaturgeschichte in Prag, München und Berlin. 1897 Bekanntschaft
mit Lou Andreas-Salomé. Entschluß, als freier Schriftsteller zu leben.
Reisen nach Italien und Rußland, Bekanntschaft mit Tolstoi. Läßt sich
1900 in Worpswede nieder, heiratet 1901 die Bildhauerin Clara West-
hoff, 1902 nach Paris, Reisen nach Italien, Schweden, Dänemark. Seit
1905 wieder in Paris, dort 1905/06 Privatsekretär von Auguste Rodin.
1910/11 Reise nach Ägypten und Nordafrika, 1912/13 Spanien. Während
des Ersten Weltkrieges zeitweilig im Wiener Kriegsarchiv. Nach Kriegs-
ende in der Schweiz. Rilke starb an Leukämie und wurde in Raron
(Wallis) bestattet.


*Rilke begann die Publikation seiner Lyrik bereits in den
neunziger Jahren mit dem Band »Leben und Lieder« (1894);
es folgten »Wegwarten« und »Larenopfer« (1896), »Traum-
gekrönt« (1897), »Advent« (1898) und »Mir zur Feier«*

*(1899). Diese frühe Produktion steht noch ganz im Zeichen unsicheren Beginns; man hat von der »provinziellen Verspätung« der Prager literarischen Szene gesprochen, von der Rilkes Anfänge geprägt sind. Erst nach der Jahrhundertwende beginnt sich der lyrische Stil Rilkes zu der Bedeutung zu entwickeln, die ihn neben seine großen Zeitgenossen stellt. Vor allem die beiden Bände »Neue Gedichte« (1907/08) – nach »Die frühen Gedichte« (1902), »Das Buch der Bilder« (1902) und »Das Stunden-Buch« (1905) – bezeichnen den ersten Höhepunkt in Rilkes Lyrik vor den nach einem Jahrzehnt der Produktionshemmung entstandenen »Duineser Elegien« (1923) und vor den »Sonetten an Orpheus« (1923).*

*Mit den zwischen 1903 und 1907 entstandenen »Neuen Gedichten« schuf Rilke den Typus des »Ding-Gedichtes«. Er stellt nicht Empfindungen und Gefühle dar, wie noch das Gedicht »Herbsttag«, das am 21. September 1902 in Paris entstand und in dem eine subjektive Erfahrung dessen, was Herbst bedeuten kann, angesprochen und umschrieben wird. Natur und Individuum treten hier in metaphorische Beziehung zueinander, und Rilke bewegt sich damit – obschon überzeugend – in konventionellen Bahnen. In den Ding-Gedichten hingegen versucht er, wie er in drei Briefen vom 8., 10. und 11. August 1903 an Lou Andreas-Salomé schreibt, eine objektive Kunst zu schaffen: »Das Ding ist bestimmt, das Kunst-Ding muß noch bestimmter sein; von allem Zufall fortgenommen, jeder Unklarheit entrückt, der Zeit enthoben und dem Raum gegeben, ist es dauernd geworden, fähig zur Ewigkeit. Das Modell scheint, das Kunst-Ding ist.« Kunst ist demnach »ganz getragen von Gesetz«.*

*Rilke entwickelt diese Theorie des Ding-Gedichtes in seiner Beschreibung der Arbeitsweise Rodins; er sieht sie in ähnlicher Weise im Werk Cézannes realisiert, über das er im Oktober 1907 an Clara Rilke schreibt. Das Kunstwerk ist demnach ein Resultat von »Disziplin«, »Arbeitenkönnen und Arbeitenmüssen«, das er sich wünscht: »Irgendwie muß auch ich dazu kommen, Dinge zu machen; nicht plastische, geschriebene Dinge – Wirklichkeiten, die aus dem Handwerk hervorgehen.«* Es scheint nicht unwichtig, auf dieses Moment hinzuweisen, zumal Rilkes Lyrik lange Zeit hindurch als maßgebliches Inspirationsereignis der modernen deutschen Literatur von einer großen Gemeinde gefeiert wurde.

*»Der Panther«,* in Paris 1903 oder auch schon 1902 geschrieben, ist das erste Gedicht, in dem Rilke seine Theorie realisiert sieht. Sentimentales oder auch »humanes« Mitleid wird hier nicht artikuliert; vielmehr wird eine mögliche Betroffenheit durch den Gegenstand des Gedichtes allein seiner Rezeption überlassen. Es handelt sich um *»Gegenstände«* im wörtlichen Sinne: zahlreiche Überschriften der *»Neuen Gedichte«* bezeichnen sie.

Das Gedicht *»Der Dichter«,* in Meudon im Winter 1905/06 niedergeschrieben, artikuliert die Erfahrung des lyrischen Subjektes mit diesen Ding-Gedichten: in der Konsequenz ihrer Theorie liegt es, den Poeten als biographisch faßbare Erscheinung auszulöschen, ihn zumindest zurücktreten zu lassen. *»Archaïscher Torso Apollos«,* im Frühsommer 1908 in Paris entstanden, hat zum Gegenstand eine unter der Bezeichnung *»Jünglingstorso aus Milet«* bekannte frühgriechische Plastik im Louvre. Das Gedicht mag, isoliert betrachtet, als Hypostasierung des Kunstwerkes verstanden werden, als vermöchte es den moralischen Appell allgemein zu formulieren *»Du mußt Dein Leben ändern«.* Unter dem Aspekt von Rilkes Theorie der Ding-Gedichte handelt es sich indes eher um einen produktionsethischen Appell an den Künstler, der sich einem Werk konfrontiert sieht, das *»nur von einem Arbeiter ausgehen«* konnte, der dabei *»ruhig die Inspiration leugnen«* darf. Auch *»Damen-Bildnis aus den Achtziger-Jahren«,* in Paris zwischen dem 22. August und dem 5. September 1907 entstanden, kann in zweifacher Weise als programmatisch verstanden werden: als die Artikulation jener Wendung gegen die offizielle Kunst,

*die die Generation des Jugendstils und des Symbolismus bei*
*allen Unterschieden verband, und darüber hinaus als Doku-*
*ment für Rilkes an der bildenden Kunst geschulte und in*
*den Ding-Gedichten sich formulierende Sehweise auf die*
*Gegenstände seiner »Neuen Gedichte«.*
*In seiner »Rede zur Rilke-Feier in Berlin am 16. Januar*
*1927« hat Robert Musil ihn als »den größten Lyriker« ge-*
*ehrt, »den die Deutschen seit dem Mittelalter besessen*
*haben«. Er begründet sein Urteil mit der Wahrnehmung:*
*»Es verhält sich bemerkenswert genug; das Metaphorische*
*wird hier in hohem Grade Ernst.«*

## Herbsttag

Herr: es ist Zeit. Der Sommer war sehr groß.
Leg deinen Schatten auf die Sonnenuhren,
und auf den Fluren laß die Winde los.

Befiehl den letzten Früchten voll zu sein;
gieb ihnen noch zwei südlichere Tage,
dränge sie zur Vollendung hin und jage
die letzte Süße in den schweren Wein.

Wer jetzt kein Haus hat, baut sich keines mehr.
Wer jetzt allein ist, wird es lange bleiben,
wird wachen, lesen, lange Briefe schreiben
und wird in den Alleen hin und her
unruhig wandern, wenn die Blätter treiben.

## Der Panther
Im Jardin des Plantes, Paris

Sein Blick ist vom Vorübergehn der Stäbe
so müd geworden, daß er nichts mehr hält.

Ihm ist, als ob es tausend Stäbe gäbe
und hinter tausend Stäben keine Welt.

Der weiche Gang geschmeidig starker Schritte,
der sich im allerkleinsten Kreise dreht,
ist wie ein Tanz von Kraft um eine Mitte,
in der betäubt ein großer Wille steht.

Nur manchmal schiebt der Vorhang der Pupille
sich lautlos auf –. Dann geht ein Bild hinein,
geht durch der Glieder angespannte Stille –
und hört im Herzen auf zu sein.

## Der Dichter

Du entfernst dich von mir, du Stunde.
Wunden schlägt mir dein Flügelschlag.
Allein: was soll ich mit meinem Munde?
mit meiner Nacht? mit meinem Tag?

Ich habe keine Geliebte, kein Haus,
keine Stelle auf der ich lebe.
Alle Dinge, an die ich mich gebe,
werden reich und geben mich aus.

## Archaïscher Torso Apollos

Wir kannten nicht sein unerhörtes Haupt,
darin die Augenäpfel reiften. Aber
sein Torso glüht noch wie ein Kandelaber,
in dem sein Schauen, nur zurückgeschraubt,

sich hält und glänzt. Sonst könnte nicht der Bug
der Brust dich blenden, und im leisen Drehen

der Lenden könnte nicht ein Lächeln gehen
zu jener Mitte, die die Zeugung trug.

Sonst stünde dieser Stein entstellt und kurz
unter der Schultern durchsichtigem Sturz
und flimmerte nicht so wie Raubtierfelle;

und bräche nicht aus allen seinen Rändern
aus wie ein Stern: denn da ist keine Stelle,
die dich nicht sieht. Du mußt dein Leben ändern.

## Damen-Bildnis aus den Achtziger-Jahren

Wartend stand sie an den schwergerafften
dunklen Atlasdraperien,
die ein Aufwand falscher Leidenschaften
über ihr zu ballen schien;

seit den noch so nahen Mädchenjahren
wie mit einer anderen vertauscht:
müde unter den getürmten Haaren,
in den Rüschen-Roben unerfahren
und von allen Falten wie belauscht

bei dem Heimweh und dem schwachen Planen,
wie das Leben weiter werden soll:
anders, wirklicher, wie in Romanen,
hingerissen und verhängnisvoll, –

daß man etwas erst in die Schatullen
legen dürfte, um sich im Geruch
von Erinnerungen einzulullen;
daß man endlich in dem Tagebuch

einen Anfang fände, der nicht schon
unterm Schreiben sinnlos wird und Lüge,

und ein Blatt von einer Rose trüge
in dem schweren leeren Medaillon,


welches liegt auf jedem Atemzug.
Daß man einmal durch das Fenster winkte;
diese schlanke Hand, die neuberingte,
hätte dran für Monate genug.


## FRANK WEDEKIND


Benjamin Franklin Wedekind, geb. 24. Juli 1864 in Hannover, gest
9. März 1918 in München. Der Vater, Arzt, war 1849 nach den USA
emigriert, hatte dort 1862 geheiratet und lebte seit 1862 wieder in
Deutschland. 1872 Übersiedlung auf die Lenzburg im Kanton Aargau
(Schweiz). 1884 Reifeprüfung an der Kantonsschule Aarau. Studium
der Germanistik und französischen Literatur in Lausanne, vom Winter
an in München (Jurisprudenz). 1886/87 Reklamechef der neugegründeten
Fa. Maggi, 1888 Wiederaufnahme des Jurastudiums. 1889 Übersiedlung
nach Berlin, später München, 1891–95 Paris, 1894 längerer Aufenthalt
in London, ab Sommer 1896 wieder in München, Mitarbeiter des *Simplicissimus*.    1896 Dramaturg und Schauspieler am Münchener Schauspielhaus, 1906 Heirat mit Mathilde Mewes. Tod nach einer Bruch
operation.
Werke: *Frühlings Erwachen* Dr. (1891); *Der Erdgeist* Dr. (1895); *Die
Fürstin Russalka* En. (1897); *Der Kammersänger* Dr. (1899); *Der Marquis von Keith* Dr. (1901); *König Nicolo oder So ist das Leben* Dr.
(1902); *Mine-Haha* E. (1903); *Die Büchse der Pandora* Dr. (1904)
*Hidalla oder Sein und Haben* Dr. (1904); *Die vier Jahreszeiten* G
(1905); *Totentanz* Dr. (1906); *Musik* Dr. (1908); *Die Zensur* Dr. (1909)
*Schloß Wetterstein* Dr. (1910); *Franziska* Dr. (1911); *Simson oder
Scham und Eifersucht* Dr. (1914); *Bismarck* Dr. (1915); *Herakles* Dr
(1917).


*Während des Pariser Aufenthaltes hatte Wedekind durch*
*seinen Freund und Mäzen Willy Grétor den jungen Verleger*
*Albert Langen kennengelernt, der zusammen mit dem Kari-*
*katuristen Thomas Theodor Heine 1896 die satirisch-*
*politische Wochenschrift »Simplicissimus« gründete, die bis*

*1944 und von 1954 bis 1967 bestand und an der neben
Heine und Wedekind auch Thomas Mann und Ludwig
Thoma mitwirkten. Hier erschienen die Gedichte »Meer-
fahrt« und »Im Heiligen Land« im Jahrgang 3 1898 (Nr. 31
und 32) unter Wedekinds Pseudonym Hieronymus Jobs.
Die Gedichte bezogen sich auf die Palästinareise Wilhelms II., und der Staatsanwalt beim Reichsgericht in Leip-
zig erstattete Strafanzeige wegen Majestätsbeleidigung. Die
Amtshilfe der bayrischen Behörden war so beschaffen, daß
Wedekind Gelegenheit zur Flucht erhielt, die er unmittelbar nach der Münchener Erstaufführung des »Erdgeist« am
30. Oktober antrat. Er hielt sich erst in der Schweiz, dann
in Paris auf. Nach Abschluß der Arbeit an dem Drama
»Der Marquis von Keith« stellte er sich im Juni 1899 den
Leipziger Behörden. In der Hauptverhandlung vor dem
Reichsgericht wurde er zu sieben Monaten Gefängnis verurteilt und zu Festungshaft begnadigt, die er vom September bis März 1900 auf der Festung Königstein in Sachsen
verbüßte.*

*Wedekind wird von seinen Biographen übereinstimmend als
unpolitisch bezeichnet. Artur Kutscher schreibt: »Er hatte
nur schwache politische Anlagen. Man darf ihn höchstens
als Stimmungspolitiker bezeichnen.« Und Günter Seehaus
urteilt: »Parteipolitische Bindungen – wie Thomas Theodor
Heine sie hatte – lagen ihm fern, die Person des Kaisers
war ihm im Grunde so gleichgültig wie dessen Marine-
Probleme.« Hinzu kommt, daß Wedekind sich zur Zeit seiner Mitarbeit am »Simplicissimus« in finanzieller Bedräng-
nis befand, so daß er sich möglicherweise genötigt sah, Beiträge nach den Erfordernissen des Blattes zu schreiben und
sie – da sie dem Umfang nach honoriert wurden – womög-
lich zu strecken; Kutscher glaubt, hier Wedekinds »häßlichen Januskopf« zu erkennen.*

*Gleichwohl sind die Gedichte »An Kunigunde. Ein politisch
Lied« und »Im Heiligen Land« – dessentwegen Wedekind
verurteilt wurde – in einem objektiven Sinne politisch: sie*

*machen Symptome sichtbar, die auch ein Unpolitischer er-
kennen konnte, ohne ihre politische Wurzel unbedingt dia-
gnostizieren zu müssen.*

*»An Kunigunde«* greift Wilhelms II. Wort auf *»Unsere
Zukunft liegt auf dem Wasser«*, das er anläßlich der Eröffnung des neuen Hafens in Stettin am 23. September 1898
prägte. Die Sentenz des Monarchen forderte natürlich, wie
viele ihresgleichen, wegen ihrer doppelsinnigen Formulierung zur Parodie auf; aus dieser Äquivokation holt das
Gedicht seine Wirkung. Die Variation der Metapher zu
*»Nebel«, »Lilien«, »Kröten und Reptilien«, »Amphibium«,*
die weiteren Assoziationen *»Wolken«* und *»Luft«:* all diese
Variationen über den Ausspruch des Kaisers sind gewiß
keine seriöse Analyse der gesellschaftlichen und politischen
Verhältnisse oder der Flottenbaupolitik; sie demonstrieren
aber doch insgesamt, in welcher Weise die politischen Bekundungen des deutschen Staatsoberhauptes dem Mißver-
ständnis ausgesetzt waren.

Deutlicher ist die Satire des Gedichtes *»Im Heiligen Land«,*
obschon auch sie nur persönliche Züge des Kaisers erfaßt,
Lächerlichkeiten und Schwächen wie Pomp und Gewicht
seines Auftretens, die Rede- und Reiselust, seine Selbstüberschätzung und seine Vorliebe für jede Art von militärischem
Kostüm. Das Motiv dieser Satire ist kaum politisch, sofern
es aus einer reflektierten antimonarchischen Gesinnung er-
wüchse. Andererseits aber verdankte der *»Simplicissimus«,*
ein wichtiges Organ der süddeutschen Opposition im Kai-
serreich, seinen Erfolg eben dieser karikaturistischen Tendenz, die deshalb auf Resonanz stieß, weil ihr ein breites
Mißbehagen an der Herrschaft Wilhelms II. entgegenkam.
Dieses unartikulierte und unpolitische Mißbehagen wurde
allgemein als *»Reichsverdrossenheit«* bezeichnet. Im Bericht
über ein Gespräch mit Ludwig Ganghofer am 12. November 1906 heißt es: *»Man komme doch mit einem gesunden
Stück Optimismus und mit einer helleren und vertrauens-
volleren Lebensanschauung sowohl im eigenen Leben wie*

*bei den Berufsarbeiten viel weiter, als wenn man alle Dinge
mit pessimistischem Auge ansehe, und in der Politik sei das
auch nicht anders. Das deutsche Volk habe eine Zukunft,
und da sei es ein Wort, das ihn immer kränke, sooft er es
höre, das sei das Wort ›Reichsverdrossenheit‹. Was hat man
von der Verdrossenheit? Lieber arbeiten und vorwärts-
schauen.«*

*Mag das Urteil von Seehaus auch zutreffen: »Wedekinds
prinzipielle Aufsässigkeit war an ein Zufallsthema geraten,
auf das die Justizbehörden ihn nun festnagelten« – objektiv, als Ausdruck der »Reichsverdrossenheit« unter Intellektuellen, die sich zunehmend von dem offiziell verordneten
Hurra-Patriotismus distanzierten, ist die Satire auch Wedekinds politisch, jenseits seiner individuellen Überzeugungen.*

## An Kunigunde
Ein politisch Lied

Siehst du's fern dort auf dem Wasser liegen,
Wo der Himmel mit der Flut verschwimmt,
Nebelhaft sich auf und nieder wiegen
Und verschwinden, wenn die Brise kimmt?
Nächstens wächst es bis ins Ungeheure,
Kleiner scheint es dir im Tageslicht.
Das ist Deutschlands Zukunft, meine teure
Kunigunde – oder glaubst du's nicht?

Deutschlands Zukunft, wenn mit den Verwandten
Der Beherrscher nach dem Ausland reist
Und das Zuchthaus jeden wutentbrannten
Deutschen Bürger froh willkommen heißt,
Wenn der deutschen Erde fromme Söhne
Abgestreift der Heimatliebe Wahn,
Dann liegt Deutschlands Zukunft, teure Schöne,
Draußen auf dem stolzen Ozean.

Die Vergangenheit, o welche Schande –
Blick zurück und schaudre, süße Maid –
Die Vergangenheit lag auf dem Lande,
Deutschlands herrliche Vergangenheit.
Von der Weichsel lag sie bis zur Elbe,
Von den Alpen bis zum Nordseestrand;
Gott sei Dank, daß künftig nun dieselbe
Auf dem Wasser liegt statt auf dem Land.

Halb im Wasser wachsen schon die Lilien,
Deren Weiß der Unschuld man vergleicht,
Dann gedeihn auch Kröten und Reptilien
Besser, wenn der Boden etwas feucht.
Dank der eingebornen Herrschertreue
Kehrt sich die Natur oft völlig um,
Und es wird der anfangs wasserscheue
Deutsche schließlich zum Amphibium.

Die Vergangenheit lag auf dem Lande,
Wie die Zukunft auf dem Wasser liegt;
Deutschland ist bekanntlich auch imstande,
Daß es oben in den Wolken fliegt.
Leider trägt der Himmel keine Zinsen,
Doch man fühlt sich dort so wundersam
Von der Welt bestaunt. Und in die Binsen
Geht ja schließlich doch der ganze Kram.

Wieder sind im Werden große Dinge,
Wie sie größer nie ein Hirn gebar.
Zieh gen Osten, holder Schatz, und bringe
Schleunigst deine Menschenwürde dar.
Hörst du nicht schon festliches Geläute,
Spürst du nicht den starken Weihrauchduft,
Und du fragst noch, Kind, was das bedeute? –
Deutschlands Gegenwart liegt in der Luft.

                                                    Hieronymus

# Im Heiligen Land

Der König David steigt aus seinem Grabe,
Greift nach der Harfe, schlägt die Augen ein
Und preist den Herrn, daß er die Ehre habe,
Dem Herrn der Völker einen Psalm zu weihn.
Wie einst zu Abisags von Sunem* Tagen
Hört wieder man ihn wild die Saiten schlagen,
Indes sein hehres Preis- und Siegeslied
Wie Sturmesbrausen nach dem Meere zieht.

Willkommen, Fürst, in meines Landes Grenzen,
Willkommen mit dem holden Ehgemahl,
Mit Geistlichkeit, Lakaien, Exzellenzen
Und Polizeibeamten ohne Zahl.
Es freuen rings sich die histor'schen Orte
Seit vielen Wochen schon auf deine Worte,
Und es vergrößert ihre Sehnsuchtspein
Der heiße Wunsch, photographiert zu sein.

Ist denn nicht deine Herrschaft auch so weise,
Daß du dein Land getrost verlassen kannst?
Nicht jeder Herrscher wagt sich auf die Reise
Ins alte Kanaan. Du aber fandst,
Du seist zu Hause momentan entbehrlich;
Der Augenblick ist völlig ungefährlich;
Und wer sein Land so klug wie du regiert,
Weiß immer schon im voraus, was passiert.

Es wird die rote Internationale,
Die einst so wild und ungebärdig war,
Versöhnen sich beim sanften Liebesmahle
Mit der Agrarier sanftgemuten Schar.
Frankreich wird seinen Dreyfus froh empfangen,

* 1. Könige 1, 1–4.

Als wär' auch er zum Heil'gen Land gegangen.
In Peking wird kein Kaiser mehr vermißt,
Und Ruhe hält sogar der Anarchist.

So sei uns denn noch einmal hoch willkommen
Und laß dir unsere tiefste Ehrfurcht weihn,
Der du die Schmach vom Heil'gen Land genommen,
Von dir bisher noch nicht besucht zu sein.
Mit Stolz erfüllst du Millionen Christen;
Wie wird von nun an Golgatha sich brüsten,
Das einst vernahm das letzte Wort vom Kreuz
Und heute nun das erste deinerseits.

Der Menschheit Durst nach Taten läßt sich stillen,
Doch nach Bewundrung ist ihr Durst enorm.
Der du ihr beide Durste zu erfüllen
Vermagst, sei's in der Tropenuniform,
Sei es in Seemannstracht, im Purpurkleide,
Im Rokokokostüm aus starrer Seide,
Sei es im Jagdrock oder Sportgewand,
Willkommen, teurer Fürst, im Heil'gen Land!

Hieronymus

## CHRISTIAN MORGENSTERN

Geb. 6. Mai 1871 in München, gest. 31. März 1914 in Meran. Entstammte einer Malerfamilie. Nach dem Tod der Mutter 1881 in Hamburg, 1882 Internat in Landshut, 1884 Breslau im Hause des wieder verheirateten Vaters, dort 1885–89 Besuch des Gymnasiums. 1889 Freundschaft mit Friedrich Kayßler, Besuch einer Militärvorbildungsschule bis 1890, 1890–92 Gymnasium Sorau, Studium der Nationalökonomie in Breslau (u. a. bei Felix Dahn) und München. 1893 Abbruch des Studiums wegen eines Lungenleidens. 1894 Entfremdung vom Vater nach dessen dritter Heirat, Übersiedlung nach Berlin. In den folgenden Jahren zahlreiche Reisen und Sanatoriumsaufenthalte (u. a. Nordsee, Oslo, Davos, Vierwaldstätter See, Arosa, Zürich, Mailand, Rapallo, Rom, Tirol und Gardasee). 1898/99 Begegnungen mit Henrik Ibsen und Edvard

Grieg, 1899 Beginn der Freundschaft mit Efraim Frisch. 1903 Lektor im
Verlag Bruno Cassirer. Zunehmende Affinität zur Mystik und (ab
1909) zur Anthroposophie Rudolf Steiners. 1910 Heirat mit Margareta
Gosebruch von Liechtenstein. Tod an Tuberkulose.
Werke: *In Phanta's Schloß* G. (1895); *Horatius travestitus* G. (1897);
*Auf vielen Wegen* G. (1897); *Ich und die Welt* G. (1898); *Ein Sommer*
G. (1900); *Und aber ründet sich ein Kranz* G. (1902); *Galgenlieder* G.
(1905); *Melancholie* G. (1906); *Palmström* G. (1910); *Einkehr* G. (1910);
*Ich und Du* G. (1911); *Wir fanden einen Pfad* G. (1914); *Palma Kun-
kel* G. (1916 posthum erschienen); *Stufen* Pr. (1918 posthum erschienen).

*Heute ist von Morgensterns Werk einem breiteren Publikum
vor allem seine groteske, parodistische oder ironische Poesie
bekannt: große Teile seiner Produktion wie die Übersetzun-
gen Ibsens, Strindbergs, Hamsuns oder Björnsons und
namentlich seine weltanschauliche Lyrik stehen jener gegenüber im Schatten. Diese Poesie läßt sich nicht unter einen
der geläufigen Stilbegriffe einordnen; auf den ersten Blick
ist man versucht, sie als Nonsens-Poesie zu bezeichnen und
ihr, neben den Bildergeschichten Wilhelm Buschs, ein Exi-
stenzrecht als Kinderlektüre einzuräumen.*
*Wolfgang Kayser indes spricht von einem »höhere[n] Blöd-
sinn«, »der nicht Wilhelm Busch, sondern Edward Lear als
Geistesverwandten heraufbeschwört«, und stellt fest: »Eine
Mehrschichtigkeit entsteht, bei der die Bewegung von einer
Ebene auf die andere gleitet, ohne Halt zu finden.« Diese
Bewegung von einer Ebene auf die andere, die die Realität
negiert (»Die unmögliche Tatsache«), die Unbelebtes belebt
(»Das Butterbrotpapier«), die aus dem Reim »aus / Maus«
eine gespensterhafte Variationenreihe entstehen läßt (»Der
Rock«) und die endlich den Begriff menschlicher Existenz
in schwankende Unsicherheit versetzt (»Die Behörde«) –
diese poetische Phantasie sollte man in ihren wörtlichen
Aussagen nicht zu ernst nehmen, mag sie auch gelegentlich
Sentenzen hervorbringen, die inzwischen zu geflügelten
Worten geworden sind, wie etwa die Verse »Weil, so
schließt er messerscharf, / nicht sein kann, was nicht sein*

*darf«. Es liegt nahe, hier einen »Abgrund von Tiefsinn«
(Beheim-Schwarzbach) zu vermuten; indes ist der Realitäts-
gehalt solcher poetischer Spielereien doch zu gering, allein
aufgrund ihres Umfanges, als daß man hier von einer fun-
dierten Zeit- und Gesellschaftskritik sprechen dürfte; dies
lag auch nicht in Morgensterns Absicht.
Der 15. Auflage der »Galgenlieder« stellte Morgenstern
1913 diese Sätze voran:*

*»Dem Kinde im Menschen*

*In jedem Menschen ist ein Kind verborgen, das heißt Bild-
nertrieb und will als liebstes Spiel- und Ernst-Zeug nicht
das bis auf den letzten Rest nachgearbeitete Miniatur-
Schiff, sondern die Walnußschale mit der Vogelfeder als
Segelmast und dem Kieselstein als Kapitän. Das will auch
in der Kunst mitspielen, mitschaffen dürfen und nicht so
sehr bloß bewundernder Zuschauer sein. Denn dieses ›Kind
im Menschen‹ ist der unsterbliche Schöpfer in ihm . . .«*

*Das ist eine Paraphrase von Nietzsches berühmtem Satz im
»Zarathustra« »Im echten Manne ist ein Kind versteckt:
das will spielen«, der sich einer früheren Ausgabe als Motto
vorangestellt fand. Dieser Appell an die produktive Phantasie, den die Gedichte Morgensterns enthalten, ist das
eigentlich Poetische an diesen Sprach- und Realitätsspielen.
Es ergibt sich nicht zuletzt aus ihrer knappen Fassung, die
vieles ungesagt läßt.
Dieses Moment des Spiels, das die Gedichte Morgensterns
enthalten, wird von Erwin Rotermund in den Zusammenhang mit Schillers Theorie des ästhetischen Spiels gerückt;
es wird von Morgenstern selbst mit einem Begriff von Freiheit und Befreiung in Beziehung gesetzt, der Autor und
Leser umfaßt; in dem Nachlaßband »Über die Galgenlieder« antwortet er 1910 einem Kritiker:*

*»Von einer Zeit umfangen, die im wesentlichen von Gelehr-
ten ihre Parolen empfängt und demgemäß auf allen Seiten
zur Sackgasse verurteilt ist, meint er vor solchen Versen
gleichsam aufzuatmen, als in einer Atmosphäre, in der die*

erdrückende Schwere und Schwerfälligkeit des sogenannten
physischen Plans, der heute mit dem ganzen bitteren Ernst
einer gott- und geistlos gewordenen Epoche als die alleinige
und alleinseligmachende Wirklichkeit dekretiert wird, hei-
ter behoben, durchbrochen, ja mitunter völlig auf den Kopf
gestellt zu sein scheint.«

*Aufgrund dieser Selbstinterpretation Morgensterns gelangt
Rotermund zu einer einleuchtenden Deutung von Morgensterns grotesk-parodistischer Lyrik:*

»Morgenstern hat das Groteske in seiner tiefsten Deutung
als die notwendige Einkörperung des Geistigen in die materielle Wirklichkeit aufgefaßt. [...] Morgensterns [...] Sa-
tiren [...] sind auf das menschliche und künstlerische Ideal
der Verinnerlichung und Spiritualisierung zu beziehen, das
Morgenstern bis in die anthroposophischen Spekulationen
seiner letzten Jahre hinein immer bestimmt hat.«

*Diese Interpretation bietet eine überzeugende Möglichkeit,
Morgensterns gesamte lyrische Produktion unter einem Gesichtspunkt zu begreifen: die christlich-mystische Poesie
und die »Nonsens«-Lyrik.*

## Die unmögliche Tatsache

Palmström, etwas schon an Jahren,
wird an einer Straßenbeuge,
und von einem Kraftfahrzeuge,
überfahren.

»Wie war« (spricht er, sich erhebend,
und entschlossen weiterlebend)
»möglich, wie dies Unglück, ja –:
daß es überhaupt geschah?

Ist die Staatskunst anzuklagen
in bezug auf Kraftfahrwagen?

Gab die Polizeivorschrift
hier dem Fahrer freie Trift?

Oder war vielmehr verboten,
hier Lebendige zu Toten
umzuwandeln, – kurz und schlicht:
*Durfte* hier der Kutscher nicht –?«

Eingehüllt in feuchte Tücher,
prüft er die Gesetzesbücher
und ist alsobald im klaren:
Wagen durften dort nicht fahren!

Und er kommt zu dem Ergebnis:
Nur ein Traum war das Erlebnis.
Weil, so schließt er messerscharf,
nicht sein *kann*, was nicht sein *darf*.

## Die Behörde

Korf erhält vom Polizeibüro
ein geharnischt Formular,
wer er sei und wie und wo.

Welchen Orts er bis anheute war,
welchen Stands und überhaupt,
wo geboren, Tag und Jahr.

Ob ihm überhaupt erlaubt,
hier zu leben und zu welchem Zweck,
wieviel Geld er hat und was er glaubt.

Umgekehrten Falls man ihn vom Fleck
in Arrest verführen würde, und
drunter steht: Borowsky, Heck.

Korf erwidert darauf kurz und rund:
»Einer hohen Direktion
stellt sich, laut persönlichem Befund,

untig angefertigte Person
als nichtexistent im Eigen-Sinn
bürgerlicher Konvention

vor und aus, und zeichnet, wennschonhin
mitbedauernd nebigen Betreff,
*Korf.* (An die Bezirksbehörde in –).«

Staunend liest's der anbetroffne Chef.


## Der Rock

Der Rock am Tage angehabt,
er ruht zur Nacht sich schweigend aus;
durch seine hohlen Ärmel trabt
die Maus.

Durch seine hohlen Ärmel trabt
gespenstisch auf und ab die Maus . .
Der Rock, am Tage angehabt,
er ruht zur Nacht sich aus.

Er ruht, am Tage angehabt,
im Schoß der Nacht sich schweigend aus,
er ruht, von seiner Maus durchtrabt,
sich aus.


## Das Butterbrotpapier

Ein Butterbrotpapier im Wald, –
da es beschneit wird, fühlt sich kalt . .

In seiner Angst, wiewohl es nie
an Denken vorher irgendwie

gedacht, natürlich, als ein Ding
aus Lumpen u. s. w., fing,

aus Angst, so sagte ich, fing an
zu denken, fing, hob an, begann,

zu denken, denkt euch, was das heißt,
bekam (aus Angst, so sagt' ich) – Geist,

und zwar, versteht sich, nicht bloß so
vom Himmel droben irgendwo,

vielmehr infolge einer ganz
exakt entstandnen Hirnsubstanz –

die aus Holz, Eiweiß, Mehl und Schmer,
(durch Angst), mit Überspringung der

sonst üblichen Weltalter, an
ihm Boden und Gefäß gewann –

[(mit Überspringung) in und an
ihm Boden und Gefäß gewann.]

Mithilfe dieser Hilfe nun
entschloß sich das Papier zum Tun, –

zum Leben, zum – gleichviel, es fing
zu gehn an – wie ein Schmetterling ..

zu kriechen erst, zu fliegen drauf,
bis übers Unterholz hinauf,

dann über die Chaussee und quer
und kreuz und links und hin und her –

wie eben solch ein Tier zur Welt
(je nach dem Wind) (und sonst) sich stellt.

Doch, Freunde! werdet bleich gleich mir! –:
Ein Vogel, dick und ganz voll Gier,

erblickt's (wir sind im Januar . .) –
und schickt sich an, mit Haut und Haar –

und schickt sich an, mit Haar und Haut –
(wer mag da endigen!) (mir graut) –

(Bedenkt, was alles nötig war!) –
und schickt sich an, mit Haut und Haar – –

Ein Butterbrotpapier im Wald
gewinnt – aus Angst – Naturgestalt . . .

Genug!! Der wilde Specht verschluckt
das unersetzliche Produkt . . . .

# IV. Erzählende Prosa

Die zwischen 1890 und 1910 erschienenen Werke erzählender Prosa – die Skizze, Erzählung, Novelle, der Roman sind es im wesentlichen – weisen ein derart breites Spektrum formaler und inhaltlicher Möglichkeiten auf, daß man geneigt ist, sich der Feststellung Armand Nivelles, die er im Blick auf den Roman trifft, anzuschließen und sie auf die Prosa insgesamt zu übertragen: er spricht von einer »kaum entwirrbare[n] Vielfalt von Persönlichkeiten und Stilen« und stellt fest, »daß die Literaturgeschichte vor diesem Problem ziemlich ratlos steht«. In der Tat: es fällt schwer, den Roman Rilkes »Die Aufzeichnungen des Malte Laurids Brigge«, deren enigmatische Symbolik die Interpreten bis zum heutigen Tage verwirrt, und Thomas Manns »Buddenbrooks«, deren ironischer Realismus sie bis zum heutigen Tage fasziniert, auf einen Begriff zu bringen; es scheint unmöglich, die gemeinhin als »neuromantisch« klassifizierte Erzählkunst Ricarda Huchs mit den oft ins Groteske hinüberspielenden Romanen Otto Julius Bierbaums einem einzigen Stil- und Epochenbegriff unterzuordnen – es sei denn, man entschlösse sich zu einem solchen Grad von abstrakter Allgemeinheit, daß ein solcher Stilbegriff wiederum jeden heuristischen Wert verlöre.
Es scheint daher geraten, auf einige in der Epoche anzutreffende neue Erzählstile hinzuweisen. Das bedeutet keine Flucht aus der Geschichte in einen sich selbst genügenden Ästhetizismus, wenn solcher Bemühung die Einsicht zugrunde liegt, daß neue Stile stets Artikulationsformen eines durch die Geschichte geprägten neuen Bewußtseins sind. Am eindringlichsten demonstriert das vielleicht Schnitzlers »Leutnant Gustl«: eine neue Darstellungsform erregt Aufsehen, weil sie sich als ein präziseres Instrument der Diagnose gesellschaftlicher Zustände erweist.

*Ähnliches gilt von der impressionistischen Prosaskizze: sie
konnte entstehen in einer Wirklichkeit, die sich zu solcher
Kompliziertheit entwickelt hatte, daß sie »unerzählerisch«
geworden war, wie Musils Mann ohne Eigenschaften bemerkt: die Realität des modernen Lebens ist in ihren Bedin-
gungszusammenhängen für ein einzelnes Bewußtsein un-
durchschaubar geworden, sie läßt sich folglich nicht mehr
im »naiv« ein Ereignis ans nächste reihenden epischen
Kunstwerk widerspiegeln, wie es noch der Realismus des
neunzehnten Jahrhunderts vermochte. Und endlich bewirkt
diese Fraglichkeit des modernen Bewußtseins den Ausweg
in den Traum, die Vision: Hofmannsthals »Märchen der
672. Nacht« steht hier stellvertretend für all jene als »eska-
pistisch« diffamierte Poesie, die sich in der Tat als Reaktion
auf eine unverständlich gewordene Welt begreifen läßt.*

*Was hier nur in wenigen Schlagworten angedeutet werden
kann, ist die Aufgabe einer soziologisch orientierten Litera-
turgeschichtsschreibung, die es bisher nur in Ansätzen und
Versuchen gibt. Ihre Aufgabe wäre, das Entstehen und Vergehen von Formen, Gattungen und Stilen als vermittelt
durch eine geschichtliche Wirklichkeit nachzuweisen. Viel
aber ist schon erreicht, wenn erkannt ist, daß poetisch-for-
male Neuerungen weder einem voluntaristischen Spieltrieb
des Künstlers noch seiner Genialität allein ihr Dasein verdanken.*

HUGO VON HOFMANNSTHAL

## Das Märchen der 672. Nacht

*Die Erzählung erschien 1895 in der »Zeit«; Hofmannsthal
hatte sie 1894, während seiner Militärdienstzeit, niedergeschrieben. Das »Märchen« macht deutlich, wie schwierig
eine strikte Unterscheidung zwischen Jugendstil und Sym-*

*bolismus ist: einerseits kann man die Geschichte des Kauf-
mannssohnes als Illustration der Bestimmung von Dominik
Jost verstehen: »Dem Jugendstil liegt die Urangst vor der
Wirklichkeit mit ihren Forderungen zugrunde. Die Wirklichkeit ist in der Jugendstilzeit das Fremde schlechthin,
das Andere, das essentiell Feindliche; eine Auseinanderset-
zung und Kraftprobe mit ihr kann nur in eine vernichtende
Niederlage münden.« Ein solches Verständnis ließe sich
durch den Kontrast der beiden Abschnitte der Erzählung
illustrieren: da ist zunächst die abgeschirmte Welt, die Ge-
borgenheit eines ererbten Besitztumes. Die Schönheit ästhetischer Gegenstände gerinnt zum Selbstzweck, sie offenbart
sodann geheime Bezüge und Verweisungen, die in sich selbst
zu kreisen scheinen, so daß sie eine Welt gelebter Erfahrung
ersetzen. Der Kaufmannssohn ist Erbe, ein Nachkömmling,
der sich – wie man es dem Jugendstil vorgeworfen hat –
eklektisch aus der Vergangenheit das ihm Passende zusam-
mensucht, der nicht mehr arbeitet, sondern das in früheren
Generationen Erarbeitete genießt, isoliert vom realen Le-
bensbezug zu anderen Menschen, die ihm nur noch in den
Repräsentanten der vier Menschenalter erscheinen, aber
nicht mehr in konkreten Beziehungen. In dem Augenblick,
da die Wirklichkeit in dieses preziöse Leben dringt, ist es
gefährdet; beim Versuch, ein tatsächliches Lebensproblem
zu lösen, gerät der Kaufmannssohn in den Tod.*
*Mit dieser Kontrastierung von ästhetischer Schein- und
realer Lebenswelt ist aber nur die eine Seite der Erzählung
gesehen. Sie verbirgt ein dichtes Beziehungsgeflecht. Marcel
Brion hat »Das Märchen der 672. Nacht« als »Reise in die
Unterwelt« interpretiert, er sieht es »als Schlüssel zu dem
Gesamtwerk Hofmannsthals und als Niederschlag einer der
ihn tief beunruhigenden Fragen«. Er legt Wert auf die Un-
ausweichlichkeit, mit der der Kaufmannssohn in den Tod
gerät, zugleich Vernichtung und Erfüllung dieser Existenz.*
*Fast zwei Jahrzehnte, bevor Kafkas erste Erzählungen er-
schienen, erzählt Hofmannsthal hier in einer Weise, die*

*stark an die Atmosphäre mancher Prosatexte Kafkas er-
innert. Da ist eine scheinbar reale, dann aber immer sonder-
barer und fremder werdende Kulisse eines bedrohlichen und
dunklen Schicksals, dessen geheime Gründe verborgen bleiben und nur erahnbar sind. Es ist die Atmosphäre eines
bedrückenden und unheildrohenden Traumes, die über der
Erzählung liegt. Sie hat möglicherweise Arthur Schnitzler
zu seiner prägnanten Analyse veranlaßt, die er am 26. November 1895 an Hofmannsthal schrieb:*

*»Die Geschichte hat nichts von der Wärme und dem Glanz
eines Märchens, wohl aber in wunderbarer Weise das fahle
Licht des Traums, dessen rätselhafte wie verwischte Über-
gänge und das eigene Gemisch von Deutlichkeit der geringen und Blässe der besonderen Dinge, das eben dem Traum
zukommt. Sobald ich mir die Erlebnisse des Kaufmannssohnes als Traum vorstelle, werden sie mir höchst ergrei-
fend; denn es gibt solche Träume, sie sind eigentlich auch
Schicksale, und man könnte verstehen, daß sich Menschen,
die von solchen Träumen geplagt werden, aus Verzweiflung
umbringen. Auch ist nicht zu vergessen: die Empfindungen
des Kaufmannssohnes sind wie im Traum geschildert; die
unsägliche Unheimlichkeit, die irgend ein Weg, ein Kinder-
gesicht, eine Tür annehmen kann, wenn man sie träumt,
finden kaum im wachen Leben ein Analogon. Ihre tiefere
Bedeutung verliert die Geschichte durchaus nicht, wenn der
Kaufmannssohn aus ihr erwacht, statt an ihr zu sterben;
ich würde ihn sogar mehr beklagen; denn das tödliche fühlen wir besser mit als den Tod.«*

*Die Erzählung wurde bald als eine der bedeutendsten Lei-
stungen Hofmannsthals gewürdigt; Rudolf Borchardt stellte
sie schon 1905 neben Goethes »Mann von vierzig Jahren«
(gemeint ist wohl »Der Mann von funfzig Jahren« in »Wilhelm Meisters Wanderjahre«), Kleists »Erdbeben in Chili«
und Tiecks »Blonden Eckbert«, »mit ganz beherrschter Ge-
bärde und kalter Meisterschaft in unverrückbaren Worten
erzählt«. Und selbst die von kritischen Einschränkungen*

*nicht freie Darstellung Samuel Lublinskis konzediert im Blick auf »Das Märchen der 672. Nacht«, »wenigstens eine solche Erzählung« sei Hofmannsthal »nicht mißlungen«.*

## Das Märchen der 672. Nacht

Ein junger Kaufmannssohn, der sehr schön war und weder Vater noch Mutter hatte, wurde bald nach seinem fünfundzwanzigsten Jahre der Geselligkeit und des gastlichen Lebens überdrüssig. Er versperrte die meisten Zimmer seines Hauses und entließ alle seine Diener und Dienerinnen, bis auf vier, deren Anhänglichkeit und ganzes Wesen ihm lieb war. Da ihm an seinen Freunden nichts gelegen war und auch die Schönheit keiner einzigen Frau ihn so gefangennahm, daß er es sich als wünschenswert oder nur als erträglich vorgestellt hätte, sie immer um sich zu haben, lebte er sich immer mehr in ein ziemlich einsames Leben hinein, welches anscheinend seiner Gemütsart am meisten entsprach. Er war aber keineswegs menschenscheu, vielmehr ging er gerne in den Straßen oder öffentlichen Gärten spazieren und betrachtete die Gesichter der Menschen. Auch vernachlässigte er weder die Pflege seines Körpers und seiner schönen Hände noch den Schmuck seiner Wohnung. Ja, die Schönheit der Teppiche und Gewebe und Seiden, der geschnitzten und getäfelten Wände, der Leuchter und Becken aus Metall, der gläsernen und irdenen Gefäße wurde ihm so bedeutungsvoll, wie er es nie geahnt hatte. Allmählich wurde er sehend dafür, wie alle Formen und Farben der Welt in seinen Geräten lebten. Er erkannte in den Ornamenten, die sich verschlingen, ein verzaubertes Bild der verschlungenen Wunder der Welt. Er fand die Formen der Tiere und die Formen der Blumen und das Übergehen der Blumen in die Tiere; die Delphine, die Löwen und die Tulpen, die Perlen und den Akanthus; er fand den Streit zwischen der Last der Säule und dem Widerstand des festen

Grundes und das Streben alles Wassers nach aufwärts und
wiederum nach abwärts; er fand die Seligkeit der Bewegung
und die Erhabenheit der Ruhe, das Tanzen und das Totsein; er fand die Farben der Blumen und Blätter, die Farben der Felle wilder Tiere und der Gesichter der Völker,
die Farbe der Edelsteine, die Farbe des stürmischen und des
ruhig leuchtenden Meeres; ja, er fand den Mond und die
Sterne, die mystische Kugel, die mystischen Ringe und an
ihnen festgewachsen die Flügel der Seraphim. Er war für
lange Zeit trunken von dieser großen, tiefsinnigen Schönheit, die ihm gehörte, und alle seine Tage bewegten sich
schöner und minder leer unter diesen Geräten, die nichts
Totes und Niedriges mehr waren, sondern ein großes Erbe,
das göttliche Werk aller Geschlechter.
Doch er fühlte ebenso die Nichtigkeit aller dieser Dinge
wie ihre Schönheit; nie verließ ihn auf lange der Gedanke
an den Tod, und oft befiel er ihn unter lachenden und lärmenden Menschen, oft in der Nacht, oft beim Essen.
Aber da keine Krankheit in ihm war, so war der Gedanke
nicht grauenhaft, eher hatte er etwas Feierliches und Prun-
kendes und kam gerade am stärksten, wenn er sich am Denken schöner Gedanken oder an der Schönheit seiner Jugend
und Einsamkeit berauschte. Denn oft schöpfte der Kaufmannssohn einen großen Stolz aus dem Spiegel, aus den
Versen der Dichter, aus seinem Reichtum und seiner Klug-
heit, und die finsteren Sprichwörter drückten nicht auf
seine Seele. Er sagte: »Wo du sterben sollst, dahin tragen
dich deine Füße«, und sah sich schön, wie ein auf der Jagd
verirrter König, in einem unbekannten Wald unter seltsamen Bäumen einem fremden wunderbaren Geschick ent-
gegengehen. Er sagte: »Wenn das Haus fertig ist, kommt
der Tod«, und sah jenen langsam heraufkommen über die
von geflügelten Löwen getragene Brücke des Palastes, des
fertigen Hauses, angefüllt mit der wundervollen Beute des
Lebens.
Er wähnte, völlig einsam zu leben, aber seine vier Diener

umkreisten ihn wie Hunde, und obwohl er wenig mit ihnen redete, fühlte er doch irgendwie, daß sie unausgesetzt daran dachten, ihm gut zu dienen. Auch fing er an, hie und da über sie nachzudenken.

Die Haushälterin war eine alte Frau; ihre verstorbene Tochter war des Kaufmannssohnes Amme gewesen; auch alle ihre anderen Kinder waren gestorben. Sie war sehr still, und die Kühle des Alters ging von ihrem weißen Gesicht und ihren weißen Händen aus. Aber er hatte sie gern, weil sie immer im Hause gewesen war und weil die Erinnerung an die Stimme seiner eigenen Mutter und an seine Kindheit, die er sehnsüchtig liebte, mit ihr herumging.

Sie hatte mit seiner Erlaubnis eine entfernte Verwandte ins Haus genommen, die kaum fünfzehn Jahre alt war, diese war sehr verschlossen. Sie war hart gegen sich und schwer zu verstehen. Einmal warf sie sich in einer dunkeln und jähen Regung ihrer zornigen Seele aus einem Fenster in den Hof, fiel aber mit dem kinderhaften Leib in zufällig aufgeschüttete Gartenerde, so daß ihr nur ein Schlüsselbein brach, weil dort ein Stein in der Erde gesteckt hatte. Als man sie in ihr Bett gelegt hatte, schickte der Kaufmannssohn seinen Arzt zu ihr; am Abend aber kam er selber und wollte sehen, wie es ihr ginge. Sie hielt die Augen geschlossen, und er sah sie zum ersten Male lange ruhig an und war erstaunt über die seltsame und altkluge Anmut ihres Gesichtes. Nur ihre Lippen waren sehr dünn, und darin lag etwas Unschönes und Unheimliches. Plötzlich schlug sie die Augen auf, sah ihn eisig und bös an und drehte sich mit zornig zusammengebissenen Lippen, den Schmerz überwindend, gegen die Wand, so daß sie auf die verwundete Seite zu liegen kam. Im Augenblick verfärbte sich ihr totenblasses Gesicht ins Grünlichweiße, sie wurde ohnmächtig und fiel wie tot in ihre frühere Lage zurück.

Als sie wieder gesund war, redete der Kaufmannssohn sie durch lange Zeit nicht an, wenn sie ihm begegnete. Ein paarmal fragte er die alte Frau, ob das Mädchen ungern in seinem Hause wäre, aber diese verneinte es immer. Den einzigen Diener, den er sich entschlossen hatte, in seinem Hause zu behalten, hatte er kennengelernt, als er einmal bei dem Gesandten, den der König von Persien in dieser Stadt unterhielt, zu Abend speiste. Da bediente ihn dieser und war von einer solchen Zuvorkommenheit und Umsicht und schien gleichzeitig von so großer Eingezogenheit und Bescheidenheit, daß der Kaufmannssohn mehr Gefallen daran fand, ihn zu beobachten, als auf die Reden der übrigen Gäste zu hören. Um so größer war seine Freude, als viele Monate später dieser Diener auf der Straße auf ihn zutrat, ihn mit demselben tiefen Ernst, wie an jenem Abend, und ohne alle Aufdringlichkeit grüßte und ihm seine Dienste anbot. Sogleich erkannte ihn der Kaufmannssohn an seinem düsteren, maulbeerfarbigen Gesicht und an seiner großen Wohlerzogenheit. Er nahm ihn augenblicklich in seinen Dienst, entließ zwei junge Diener, die er noch bei sich hatte, und ließ sich fortan beim Speisen und sonst nur von diesem ernsten und zurückhaltenden Menschen bedienen. Dieser Mensch machte fast nie von der Erlaubnis Gebrauch, in den Abendstunden das Haus zu verlassen. Er zeigte eine seltene Anhänglichkeit an seinen Herrn, dessen Wünschen er zuvorkam und dessen Neigungen und Abneigungen er schweigend erriet, so daß auch dieser eine immer größere Zuneigung für ihn faßte.

Wenn er sich auch nur von diesem beim Speisen bedienen ließ, so pflegte die Schüsseln mit Obst und süßem Backwerk doch eine Dienerin aufzutragen, ein junges Mädchen, aber doch um zwei oder drei Jahre älter als die Kleine. Dieses junge Mädchen war von jenen, die man von weitem, oder wenn man sie als Tänzerinnen beim Licht der Fackeln auftreten sieht, kaum für sehr schön gelten ließe, weil da die Feinheit der Züge verloren geht; da er sie aber in der Nähe und täglich sah, ergriff ihn die unvergleichliche Schönheit ihrer Augenlider und ihrer Lippen, und die trägen, freudlosen Bewegungen ihres schönen Leibes waren ihm die rät-

selhafte Sprache einer verschlossenen und wundervollen
Welt.

Wenn in der Stadt die Hitze des Sommers sehr groß wurde
und längs der Häuser die dumpfe Glut schwebte und in den
schwülen, schweren Vollmondnächten der Wind weiße
Staubwolken in den leeren Straßen hintrieb, reiste der Kaufmannssohn mit seinen vier Dienern nach einem Landhaus,
das er im Gebirg besaß, in einem engen, von dunklen Bergen
umgebenen Tal. Dort lagen viele solche Landhäuser der
Reichen. Von beiden Seiten fielen Wasserfälle in die Schluch-
ten herunter und gaben Kühle. Der Mond stand fast immer
hinter den Bergen, aber große weiße Wolken stiegen hinter
den schwarzen Wänden auf, schwebten feierlich über den
dunkelleuchtenden Himmel und verschwanden auf der anderen Seite. Hier lebte der Kaufmannssohn sein gewohntes
Leben in einem Haus, dessen hölzerne Wände immer von
dem kühlen Duft der Gärten und der vielen Wasserfälle
durchstrichen wurden. Am Nachmittag, bis die Sonne hinter den Bergen hinunterfiel, saß er in seinem Garten und
las meist in einem Buch, in welchem die Kriege eines sehr
großen Königs der Vergangenheit aufgezeichnet waren.
Manchmal mußte er mitten in der Beschreibung, wie die
Tausende Reiter der feindlichen Könige schreiend ihre
Pferde umwenden oder ihre Kriegswagen den steilen Rand
eines Flusses hinabgerissen werden, plötzlich innehalten,
denn er fühlte, ohne hinzusehen, daß die Augen seiner vier
Diener auf ihn geheftet waren. Er wußte, ohne den Kopf
zu heben, daß sie ihn ansahen, ohne ein Wort zu reden,
jedes aus einem anderen Zimmer. Er kannte sie so gut. Er
fühlte sie leben, stärker, eindringlicher, als er sich selbst
leben fühlte. Über sich empfand er zuweilen leichte Rüh-
rung oder Verwunderung, wegen dieser aber eine rätselhafte
Beklemmung. Er fühlte mit der Deutlichkeit eines Alp-
drucks, wie die beiden Alten dem Tod entgegenlebten, mit
jeder Stunde, mit dem unaufhaltsamen leisen Anderswerden
ihrer Züge und ihrer Gebärden, die er so gut kannte; und

wie die beiden Mädchen in das öde, gleichsam luftlose Leben hineinlebten. Wie das Grauen und die tödliche Bitterkeit eines furchtbaren, beim Erwachen vergessenen Traumes
lag ihm die Schwere ihres Lebens, von der sie selber nichts
wußten, in den Gliedern.

Manchmal mußte er aufstehen und umhergehen, um seiner
Angst nicht zu unterliegen. Aber während er auf den grellen Kies vor seinen Füßen schaute und mit aller Anstrengung darauf achtete, wie aus dem kühlen Duft von Gras
und Erde der Duft der Nelken in hellen Atemzügen zu ihm
aufflog und dazwischen in lauen, übermäßig süßen Wolken
der Duft der Heliotrope, fühlte er ihre Augen und konnte
an nichts anderes denken. Ohne den Kopf zu heben, wußte
er, daß die alte Frau an ihrem Fenster saß, die blutlosen
Hände auf dem von der Sonne durchglühten Gesims, das
blutlose, maskenhafte Gesicht eine immer grauenhaftere
Heimstätte für die hilflosen schwarzen Augen, die nicht
absterben konnten. Ohne den Kopf zu heben, fühlte er,
wenn der Diener für Minuten von seinem Fenster zurück-
trat und sich an einem Schrank zu schaffen machte; ohne
aufzusehen, erwartete er in heimlicher Angst den Augenblick, wo er wiederkommen werde. Während er mit beiden
Händen biegsame Äste hinter sich zurückfallen ließ, um
sich in der verwachsensten Ecke des Gartens zu verkrie-
chen, und alle Gedanken auf die Schönheit des Himmels
drängte, der in kleinen leuchtenden Stücken von feuchtem
Türkis von oben durch das dunkle Genetz von Zweigen
und Ranken herunterfiel, bemächtigte sich seines Blutes und
seines ganzen Denkens nur das, daß er die Augen der zwei
Mädchen auf sich gerichtet wußte, die der Größeren träge
und traurig, mit einer unbestimmten, ihn quälenden Forderung, die der Kleineren mit einer ungeduldigen, dann wieder höhnischen Aufmerksamkeit, die ihn noch mehr quälte.
Und dabei hatte er nie den Gedanken, daß sie ihn unmittelbar ansahen, ihn, der gerade mit gesenktem Kopfe umher-
ging, oder bei einer Nelke niederkniete, um sie mit Bast zu

binden, oder sich unter die Zweige beugte; sondern ihm
war, sie sahen sein ganzes Leben an, sein tiefstes Wesen,
seine geheimnisvolle menschliche Unzulänglichkeit.

Eine furchtbare Beklemmung kam über ihn, eine tödliche
Angst vor der Unentrinnbarkeit des Lebens. Furchtbarer,
als daß die ihn unausgesetzt beobachteten, war, daß sie ihn
zwangen, in einer unfruchtbaren und so ermüdenden Weise
an sich selbst zu denken. Und der Garten war viel zu klein,
um ihnen zu entrinnen. Wenn er aber ganz nahe von ihnen
war, erlosch seine Angst so völlig, daß er das Vergangene
beinahe vergaß. Dann vermochte er es, sie gar nicht zu beachten oder ruhig ihren Bewegungen zuzusehen, die ihm so
vertraut waren, daß er aus ihnen eine unaufhörliche, gleichsam körperliche Mitempfindung ihres Lebens empfing.

Das kleine Mädchen begegnete ihm nur hie und da auf der
Treppe oder im Vorhaus. Die drei anderen aber waren häufig mit ihm in einem Zimmer. Einmal erblickte er die Größere in einem geneigten Spiegel; sie ging durch ein erhöhtes
Nebenzimmer: in dem Spiegel aber kam sie ihm aus der
Tiefe entgegen. Sie ging langsam und mit Anstrengung, aber
ganz aufrecht: sie trug in jedem Arme eine schwere hagere
indische Gottheit aus dunkler Bronze. Die verzierten Füße
der Figuren hielt sie in der hohlen Hand, von der Hüfte bis
an die Schläfe reichten ihr die dunklen Göttinnen und lehn-
ten mit ihrer toten Schwere an den lebendigen zarten
Schultern; die dunklen Köpfe aber mit dem bösen Mund
von Schlangen, drei wilden Augen in der Stirn und un-
heimlichem Schmuck in den kalten, harten Haaren, bewegten sich neben den atmenden Wangen und streiften die
schönen Schläfen im Takt der langsamen Schritte. Eigentlich aber schien sie nicht an den Göttinnen schwer und
feierlich zu tragen, sondern an der Schönheit ihres eigenen
Hauptes mit dem schweren Schmuck aus lebendigem, dunk-
lem Gold, zwei großen gewölbten Schnecken zu beiden
Seiten der lichten Stirn, wie eine Königin im Kriege. Er
wurde ergriffen von ihrer großen Schönheit, aber gleichzei-

tig wußte er deutlich, daß es ihm nichts bedeuten würde, sie in seinen Armen zu halten. Er wußte es überhaupt, daß die Schönheit seiner Dienerin ihn mit Sehnsucht, aber nicht mit Verlangen erfüllte, so daß er seine Blicke nicht lange auf ihr ließ, sondern aus dem Zimmer trat, ja auf die Gasse, und mit einer seltsamen Unruhe zwischen den Häusern und Gärten im schmalen Schatten weiterging. Schließlich ging er an das Ufer des Flusses, wo die Gärtner und Blumenhändler wohnten, und suchte lange, obgleich er wußte, daß er vergeblich suchen werde, nach einer Blume, deren Gestalt und Duft, oder nach einem Gewürz, dessen verwehender Hauch ihm für einen Augenblick genau den gleichen süßen Reiz zu ruhigem Besitz geben könnte, welcher in der Schönheit seiner Dienerin lag, die ihn verwirrte und beunruhigte. Und während er ganz vergeblich mit sehnsüchtigen Augen in den dumpfen Glashäusern umherspähte und sich im Freien über die langen Beete beugte, auf denen es schon dunkelte, wiederholte sein Kopf unwillkürlich, ja schließlich gequält und gegen seinen Willen, immer wieder die Verse des Dichters: »In den Stielen der Nelken, die sich wiegten, im Duft des reifen Kornes erregtest du meine Sehnsucht; aber als ich dich fand, warst du es nicht, die ich gesucht hatte, sondern die Schwestern deiner Seele.«

II

In diesen Tagen geschah es, daß ein Brief kam, welcher ihn einigermaßen beunruhigte. Der Brief trug keine Unterschrift. In unklarer Weise beschuldigte der Schreiber den Diener des Kaufmannssohnes, daß er im Hause seines früheren Herrn, des persischen Gesandten, irgendein abscheuliches Verbrechen begangen habe. Der Unbekannte schien einen heftigen Haß gegen den Diener zu hegen und fügte viele Drohungen bei; auch gegen den Kaufmannssohn selbst bediente er sich eines unhöflichen, beinahe drohenden Tones. Aber es war nicht zu erraten, welches Verbrechen angedeu-

tet werde und welchen Zweck überhaupt dieser Brief für
den Schreiber, der sich nicht nannte und nichts verlangte,
haben könne. Er las den Brief mehrere Male und gestand
sich, daß er bei dem Gedanken, seinen Diener auf eine so
widerwärtige Weise zu verlieren, eine große Angst empfand.
Je mehr er nachdachte, desto erregter wurde er und desto
weniger konnte er den Gedanken ertragen, eines dieser Wesen zu verlieren, mit denen er durch die Gewohnheit und
andere geheime Mächte völlig zusammengewachsen war.
Er ging auf und ab, die zornige Erregung erhitzte ihn so,
daß er seinen Rock und Gürtel abwarf und mit Füßen trat.
Es war ihm, als wenn man seinen innersten Besitz beleidigt
und bedroht hätte und ihn zwingen wollte, aus sich selber
zu fliehen und zu verleugnen, was ihm lieb war. Er hatte
Mitleid mit sich selbst und empfand sich, wie immer in solchen Augenblicken, als ein Kind. Er sah schon seine vier
Diener aus seinem Hause gerissen, und es kam ihm vor, als
zöge sich lautlos der ganze Inhalt seines Lebens aus ihm,
alle schmerzhaftsüßen Erinnerungen, alle halbunbewußten
Erwartungen, alles Unsagbare, um irgendwo hingeworfen
und für nichts geachtet zu werden, wie ein Bündel Algen
und Meertang. Er begriff zum erstenmal, was ihn als Knabe
immer zum Zorn gereizt hatte, die angstvolle Liebe, mit der
sein Vater an dem hing, was er erworben hatte, an den
Reichtümern seines gewölbten Warenhauses, den schönen,
gefühllosen Kindern seines Suchens und Sorgens, den ge-
heimnisvollen Ausgeburten der undeutlichen tiefsten Wünsche seines Lebens. Er begriff, daß der große König der
Vergangenheit hätte sterben müssen, wenn man ihm seine
Länder genommen hätte, die er durchzogen und unterworfen hatte vom Meer im Westen bis zum Meer im Osten, die
er zu beherrschen träumte und die doch so unendlich groß
waren, daß er keine Macht über sie hatte und keinen Tribut
von ihnen empfing als den Gedanken, daß er sie unterworfen hatte und kein anderer als er ihr König war.
Er beschloß, alles zu tun, um diese Sache zur Ruhe zu brin-

gen, die ihn so ängstigte. Ohne dem Diener ein Wort von dem Brief zu sagen, machte er sich auf und fuhr allein nach der Stadt. Dort beschloß er vor allem das Haus aufzusuchen, welches der Gesandte des Königs von Persien bewohnte; denn er hatte die unbestimmte Hoffnung, dort irgendwie einen Anhaltspunkt zu finden.

Als er aber hinkam, war es spät am Nachmittag und niemand mehr zu Hause, weder der Gesandte, noch einer der jungen Leute seiner Begleitung. Nur der Koch und ein alter untergeordneter Schreiber saßen im Torweg im kühlen Halbdunkel. Aber sie waren so häßlich und gaben so kurze, mürrische Antworten, daß er ihnen ungeduldig den Rücken kehrte und sich entschloß, am nächsten Tage zu einer besseren Stunde wiederzukommen.

Da seine eigene Wohnung versperrt war – denn er hatte keinen Diener in der Stadt zurückgelassen –, so mußte er wie ein Fremder daran denken, sich für die Nacht eine Herberge zu suchen. Neugierig, wie ein Fremder, ging er durch die bekannten Straßen und kam endlich an das Ufer eines kleinen Flusses, der zu dieser Jahreszeit fast ausgetrocknet war. Von dort folgte er in Gedanken verloren einer ärmlichen Straße, wo sehr viele öffentliche Dirnen wohnten. Ohne viel auf seinen Weg zu achten, bog er dann rechts ein und kam in eine ganz öde, totenstille Sackgasse, die in einer fast turmhohen, steilen Treppe endigte. Auf der Treppe blieb er stehen und sah zurück auf seinen Weg. Er konnte in die Höfe der kleinen Häuser sehen; hie und da waren rote Vorhänge an den Fenstern und häßliche, verstaubte Blumen; das breite, trockene Bett des Flusses war von einer tödlichen Traurigkeit. Er stieg weiter und kam oben in ein Viertel, das er sich nicht entsinnen konnte, je gesehen zu haben. Trotzdem kam ihm eine Kreuzung niederer Straßen plötzlich traumhaft bekannt vor. Er ging weiter und kam zu dem Laden eines Juweliers. Es war ein sehr ärmlicher Laden, wie er für diesen Teil der Stadt paßte, und das Schaufenster mit solchen wertlosen Schmucksachen

angefüllt, wie man sie bei Pfandleihern und Hehlern zu-
sammenkauft. Der Kaufmannssohn, der sich auf Edelsteine
sehr gut verstand, konnte kaum einen halbwegs schönen
Stein darunter finden.

Plötzlich fiel sein Blick auf einen altmodischen Schmuck
aus dünnem Gold, mit einem Beryll verziert, der ihn irgendwie an die alte Frau erinnerte. Wahrscheinlich hatte er ein
ähnliches Stück aus der Zeit, wo sie eine junge Frau gewesen war, einmal bei ihr gesehen. Auch schien ihm der
blasse, eher melancholische Stein in einer seltsamen Weise
zu ihrem Alter und Aussehen zu passen; und die altmodi-
sche Fassung war von der gleichen Traurigkeit. So trat er
in den niedrigen Laden, um den Schmuck zu kaufen. Der
Juwelier war sehr erfreut, einen so gut gekleideten Kunden
eintreten zu sehen, und wollte ihm noch seine wertvolleren
Steine zeigen, die er nicht ins Schaufenster legte. Aus Höflichkeit gegen den alten Mann ließ er sich vieles zeigen,
hatte aber weder Lust, mehr zu kaufen, noch hätte er bei
seinem einsamen Leben eine Verwendung für derartige Ge-
schenke gewußt. Endlich wurde er ungeduldig und gleichzeitig verlegen, denn er wollte loskommen und doch den
Alten nicht kränken. Er beschloß, noch eine Kleinigkeit zu
kaufen und dann sogleich hinauszugehen. Gedankenlos betrachtete er über die Schulter des Juweliers hinwegsehend
einen kleinen silbernen Handspiegel, der halb erblindet war.
Da kam ihm aus einen anderen Spiegel im Innern das Bild
des Mädchens entgegen mit den dunklen Köpfen der eher-
nen Göttinnen zu beiden Seiten; flüchtig empfand er, daß
sehr viel von ihrem Reiz darin lag, wie die Schultern und
der Hals in demütiger kindlicher Grazie die Schönheit des
Hauptes trugen, des Hauptes einer jungen Königin. Und
flüchtig fand er es hübsch, ein dünnes goldenes Kettchen an
diesem Hals zu sehen, vielfach herumgeschlungen, kindlich
und doch an einen Panzer gemahnend. Und er verlangte,
solche Kettchen zu sehen. Der Alte machte eine Tür auf
und bat ihn, in einen zweiten Raum zu treten, ein niedriges

Wohnzimmer, wo aber auch in Glasschränken und auf offenen Gestellen eine Menge Schmucksachen ausgelegt waren. Hier fand er bald ein Kettchen, das ihm gefiel, und bat den Juwelier, ihm jetzt den Preis der beiden Schmucksachen zu sagen. Der Alte bat ihn noch, die merkwürdigen, mit Halbedelsteinen besetzten Beschläge einiger altertümlichen Sättel in Augenschein zu nehmen, er aber erwiderte, daß er sich als Sohn eines Kaufmannes nie mit Pferden abgegeben habe, ja nicht einmal zu reiten verstehe und weder an alten noch an neuen Sätteln Gefallen finde, bezahlte mit einem Goldstück und einigen Silbermünzen, was er gekauft hatte, und zeigte einige Ungeduld, den Laden zu verlassen. Während der Alte, ohne ein Wort zu sprechen, ein schönes Seidenpapier hervorsuchte und das Kettchen und den Beryllschmuck, jedes für sich, einwickelte, trat der Kaufmannssohn zufällig an das einzige niedrige vergitterte Fenster und schaute hinaus. Er erblickte einen offenbar zum Nachbarhaus gehörigen, sehr schön gehaltenen Gemüsegarten, dessen Hintergrund durch zwei Glashäuser und eine hohe Mauer gebildet wurde. Er bekam sogleich Lust, diese Glashäuser zu sehen, und fragte den Juwelier, ob er ihm den Weg sagen könne. Der Juwelier händigte ihm seine beiden Päckchen ein und führte ihn durch ein Nebenzimmer in den Hof, der durch eine kleine Gittertür mit dem benachbarten Garten in Verbindung stand. Hier blieb der Juwelier stehen und schlug mit einem eisernen Klöppel an das Gitter. Da es aber im Garten ganz still blieb, sich auch im Nachbarhaus niemand regte, so forderte er den Kaufmannssohn auf, nur ruhig die Treibhäuser zu besichtigen und sich, falls man ihn behelligen würde, auf ihn auszureden, der mit dem Besitzer des Gartens gut bekannt sei. Dann öffnete er ihm mit einem Griff durch die Gitterstäbe. Der Kaufmannssohn ging sogleich längs der Mauer zu dem näheren Glashaus, trat ein und fand eine solche Fülle seltener und merkwürdiger Narzissen und Anemonen und so seltsames, ihm völlig unbekanntes Blattwerk, daß er sich lange nicht sattsehen konnte.

Endlich aber schaute er auf und gewahrte, daß die Sonne ganz, ohne daß er es beachtet hatte, hinter den Häusern untergegangen war. Jetzt wollte er nicht länger in einem fremden, unbewachten Garten bleiben, sondern nur von außen einen Blick durch die Scheiben des zweiten Treibhauses werfen und dann fortgehen. Wie er so spähend an den Glaswänden des zweiten langsam vorüberging, erschrak er plötzlich sehr heftig und fuhr zurück. Denn ein Mensch hatte sein Gesicht an den Scheiben und schaute ihn an. Nach einem Augenblick beruhigte er sich und wurde sich bewußt, daß es ein Kind war, ein höchstens vierjähriges, kleines Mädchen, dessen weißes Kleid und blasses Gesicht gegen die Scheiben gedrückt waren. Aber als er jetzt näher hinsah, erschrak er abermals, mit einer unangenehmen Empfindung des Grauens im Nacken und einem leisen Zusammenschnüren in der Kehle und tiefer in der Brust. Denn das Kind, das ihn regungslos und böse ansah, glich in einer unbegreiflichen Weise dem fünfzehnjährigen Mädchen, das er in seinem Hause hatte. Alles war gleich, die lichten Augenbrauen, die feinen bebenden Nasenflügel, die dünnen Lippen; wie die andere zog auch das Kind eine der Schultern etwas in die Höhe. Alles war gleich, nur daß in dem Kind das alles einen Ausdruck gab, der ihm Entsetzen verursachte. Er wußte nicht, wovor er so namenlose Furcht empfand. Er wußte nur, daß er es nicht ertragen werde, sich umzudrehen und zu wissen, daß dieses Gesicht hinter ihm durch die Scheiben starrte.

In seiner Angst ging er sehr schnell auf die Tür des Glashauses zu, um hineinzugehen; die Tür war zu, von außen verriegelt; hastig bückte er sich nach dem Riegel, der sehr tief war, stieß ihn so heftig zurück, daß er sich ein Glied des kleinen Fingers schmerzlich zerrte, und ging, fast laufend, auf das Kind zu. Das Kind ging ihm entgegen, und ohne ein Wort zu reden stemmte es sich gegen seine Knie und suchte mit seinen schwachen kleinen Händen ihn hinauszudrängen. Er hatte Mühe, es nicht zu treten. Aber seine

Angst minderte sich in der Nähe. Er beugte sich über das Gesicht des Kindes, das ganz blaß war und dessen Augen vor Zorn und Haß bebten, während die kleinen Zähne des Unterkiefers sich mit unheimlicher Wut in die Oberlippe drückten. Seine Angst verging für einen Augenblick, als er dem Mädchen die kurzen, feinen Haare streichelte. Aber augenblicklich erinnerte er sich an das Haar des Mädchens in seinem Hause, das er einmal berührt hatte, als sie totenblaß, mit geschlossenen Augen, in ihrem Bette lag, und gleich lief ihm wieder ein Schauer den Rücken hinab, und seine Hände fuhren zurück. Sie hatte es aufgegeben, ihn wegdrängen zu wollen. Sie trat ein paar Schritte zurück und schaute gerade vor sich hin. Fast unerträglich wurde ihm der Anblick des schwachen, in einem weißen Kleidchen steckenden Puppenkörpers und des verachtungsvollen, grauenhaften blassen Kindergesichtes. Er war so erfüllt mit Grauen, daß er einen Stich in den Schläfen und in der Kehle empfing, als seine Hand in der Tasche an etwas Kaltes streifte. Es waren ein paar Silbermünzen. Er nahm sie heraus, beugte sich zu dem Kinde nieder und gab sie ihm, weil sie glänzten und klirrten. Das Kind nahm sie und ließ sie ihm vor den Füßen niederfallen, daß sie in einer Spalte des auf einem Rost von Brettern ruhenden Bodens verschwanden. Dann kehrte es ihm den Rücken und ging langsam fort. Eine Weile stand er regungslos und hatte Herzklopfen vor Angst, daß es wiederkommen werde und von außen auf ihn durch die Scheiben schauen. Jetzt hätte er gleich fortgehen mögen, aber es war besser, eine Weile vergehen zu lassen, damit das Kind aus dem Garten fortginge. Jetzt war es in dem Glashause schon nicht mehr ganz hell, und die Formen der Pflanzen fingen an, sonderbar zu werden. In einiger Entfernung traten aus dem Halbdunkel schwarze, sinnlos drohende Zweige unangenehm hervor, und dahinter schimmerte es weiß, als wenn das Kind dort stünde. Auf einem Brette standen in einer Reihe irdene Töpfe mit Wachsblumen. Um eine kleine Zeit zu übertäu-

ben, zählte er die Blüten, die in ihrer Starre lebendigen
Blumen unähnlich waren und etwas von Masken hatten,
heimtückischen Masken mit zugewachsenen Augenlöchern.
Als er fertig war, ging er zur Türe und wollte hinaus. Die
Tür gab nicht nach; das Kind hatte sie von außen verriegelt.
Er wollte schreien, aber er fürchtete sich vor seiner eigenen
Stimme. Er schlug mit den Fäusten an die Scheiben. Der
Garten und das Haus blieben totenstill. Nur hinter ihm
glitt etwas raschelnd durch die Sträucher. Er sagte sich, daß
es Blätter waren, die sich durch die Erschütterung der
dumpfen Luft abgetrennt hatten und niederfielen. Trotzdem hielt er mit dem Klopfen inne und bohrte die Blicke
durch das halbdunkle Gewirr der Bäume und Ranken. Da
sah er in der dämmerigen Hinterwand etwas wie ein Viereck dunkler Linien. Er kroch hin, jetzt schon unbekümmert,
daß er viele irdene Gartentöpfe zertrat und die hohen dünnen Stämme und rauschenden Fächerkronen über und hinter
ihm gespenstisch zusammenstürzten. Das Viereck dunkler
Linien war der Ausschnitt einer Tür, und sie gab dem
Drucke nach. Die freie Luft ging über sein Gesicht; hinter
sich hörte er die zerknickten Stämme und niedergedrückten
Blätter wie nach einem Gewitter sich leise raschelnd erheben.

Er stand in einem schmalen, gemauerten Gange; oben sah
der freie Himmel herein, und die Mauer zu beiden Seiten
war kaum über mannshoch. Aber der Gang war nach einer
Länge von beiläufig fünfzehn Schritten wieder vermauert,
und schon glaubte er sich abermals gefangen. Unschlüssig
ging er vor; da war die Mauer zur Rechten in Mannsbreite
durchbrochen, und aus der Öffnung lief ein Brett über leere
Luft nach einer gegenüberliegenden Plattform; diese war
auf der zugewendeten Seite von einem niedrigen Eisengitter
geschlossen, auf den beiden anderen von der Hinterseite
hoher bewohnter Häuser. Dort, wo das Brett wie eine
Enterbrücke auf dem Rand der Plattform aufruhte, hatte
das Gitter eine kleine Tür.

So groß war die Ungeduld des Kaufmannssohnes, aus dem Bereiche seiner Angst zu kommen, daß er sogleich einen, dann den anderen Fuß auf das Brett setzte und, den Blick fest auf das jenseitige Ufer gerichtet, anfing, hinüberzugehen. Aber unglücklicherweise wurde er sich doch bewußt, daß er über einem viele Stockwerke tiefen, gemauerten Graben hing; in den Sohlen und Kniebeugen fühlte er die Angst und Hilflosigkeit, schwindelnd im ganzen Leibe, die Nähe des Todes. Er kniete nieder und schloß die Augen; da stießen seine vorwärts tastenden Arme an die Gitterstäbe. Er umklammerte sie fest, sie gaben nach, und mit leisem Knirschen, das ihm, wie der Anhauch des Todes, den Leib durchschnitt, öffnete sich gegen ihn, gegen den Abgrund, die Tür, an der er hing; und im Gefühle seiner inneren Müdigkeit und großen Mutlosigkeit fühlte er voraus, wie die glatten Eisenstäbe seinen Fingern, die ihm erschienen wie die Finger eines Kindes, sich entwinden und er hinunterstürzt, längs der Mauer zerschellend. Aber das leise Aufgehen der Türe hielt inne, ehe seine Füße das Brett verloren, und mit einem Schwunge warf er seinen zitternden Körper durch die Öffnung hinein auf den harten Boden.

Er konnte sich nicht freuen; ohne sich umzusehen, mit einem dumpfen Gefühle, wie Haß gegen die Sinnlosigkeit dieser Qualen, ging er in eines der Häuser und dort die verwahrloste Stiege hinunter und trat wieder hinaus in eine Gasse, die häßlich und gewöhnlich war. Aber er war schon sehr traurig und müde und konnte sich auf gar nichts besinnen, was ihm irgendwelcher Freude wert schien. Seltsam war alles von ihm gefallen, und ganz leer und vom Leben verlassen ging er durch die Gasse und die nächste und die nächste. Er verfolgte eine Richtung, von der er wußte, daß sie ihn dorthin zurückbringen werde, wo in dieser Stadt die reichen Leute wohnten und wo er sich eine Herberge für die Nacht suchen könnte. Denn es verlangte ihn sehr nach einem Bette. Mit einer kindischen Sehnsucht erinnerte er sich an die Schönheit seines eigenen breiten Bettes, und auch die Betten fielen ihm ein, die der große König der Vergangenheit für sich und seine Gefährten errichtet hatte, als sie Hochzeit hielten mit den Töchtern der unterworfenen Könige, für sich ein Bett von Gold, für die anderen von Silber; getragen von Greifen und geflügelten Stieren. Indessen war er zu den niedrigen Häusern gekommen, wo die Soldaten wohnen. Er achtete nicht darauf. An einem vergitterten Fenster saßen ein paar Soldaten mit gelblichen Gesichtern und traurigen Augen und riefen ihm etwas zu. Da hob er den Kopf und atmete den dumpfen Geruch, der aus dem Zimmer kam, einen ganz besonders beklemmenden Geruch. Aber er verstand nicht, was sie von ihm wollten. Weil sie ihn aber aus seinem achtlosen Dahingehen aufgestört hatten, schaute er jetzt in den Hof hinein, als er am Tore vorbeikam. Der Hof war sehr groß und traurig, und weil es dämmerte erschien er noch größer und trauriger. Auch waren sehr wenige Menschen darin, und die Häuser, die ihn umgaben, waren niedrig und von schmutziggelber Farbe. Das machte ihn noch öder und größer. An einer Stelle waren in einer geraden Linie beiläufig zwanzig Pferde angepflöckt; vor jedem lag ein Soldat in einem Stallkittel aus schmutzigem Zwilch auf den Knien und wusch ihm die Hufe. Ganz in der Ferne kamen viele andere in ähnlichen Anzügen aus Zwilch zu zweien aus einem Tore. Sie gingen langsam und schlürfend und trugen schwere Säcke auf den Schultern. Erst als sie näher kamen, sah er, daß in den offenen Säcken, die sie schweigend schleppten, Brot war. Er sah zu, wie sie langsam in einem Torweg verschwanden und so wie unter einer häßlichen, tückischen Last dahingingen und ihr Brot in solchen Säcken trugen wie die, worin die Traurigkeit ihres Leibes gekleidet war.

Dann ging er zu denen, die vor ihren Pferden auf den Knien lagen und ihnen die Hufe wuschen. Auch diese sahen einander ähnlich und glichen denen am Fenster und denen, die Brot getragen hatten. Sie mußten aus benachbarten Dörfern gekommen sein. Auch sie redeten kaum ein Wort unter-

einander. Da es ihnen sehr schwer wurde, den Vorderfuß
des Pferdes zu halten, schwankten ihre Köpfe, und ihre
müden, gelblichen Gesichter hoben und beugten sich wie
unter einem starken Winde. Die Köpfe der meisten Pferde
waren häßlich und hatten einen boshaften Ausdruck durch
zurückgelegte Ohren und hinaufgezogene Oberlippen, welche die oberen Eckzähne bloßlegten. Auch hatten sie meist
böse, rollende Augen und eine seltsame Art, aus schiefge-
zogenen Nüstern ungeduldig und verächtlich die Luft zu
stoßen. Das letzte Pferd in der Reihe war besonders stark
und häßlich. Es suchte den Mann, der vor ihm kniete und
den gewaschenen Huf trockenrieb, mit seinen großen Zäh-
nen in die Schulter zu beißen. Der Mann hatte so hohle
Wangen und einen so todestraurigen Ausdruck in den müden Augen, daß der Kaufmannssohn von tiefem, bitterem
Mitleid überwältigt wurde. Er wollte den Elenden durch
ein Geschenk für den Augenblick aufheitern und griff in
die Tasche nach Silbermünzen. Er fand keine und erinnerte
sich, daß er die letzten dem Kinde im Glashause hatte
schenken wollen, das sie ihm mit einem so boshaften Blick
vor die Füße gestreut hatte. Er wollte eine Goldmünze
suchen, denn er hatte deren sieben oder acht für die Reise
eingesteckt.
In dem Augenblick wandte das Pferd den Kopf und sah
ihn an mit tückisch zurückgelegten Ohren und rollenden
Augen, die noch boshafter und wilder aussahen, weil eine
Blesse gerade in der Höhe der Augen quer über den häßlichen Kopf lief. Bei dem häßlichen Anblicke fiel ihm blitz-
artig ein längst vergessenes Menschengesicht ein. Wenn er
sich noch so sehr bemüht hätte, wäre er nicht imstande gewesen, sich die Züge dieses Menschen je wieder hervorzu-
rufen; jetzt aber waren sie da. Die Erinnerung aber, die
mit dem Gesicht kam, war nicht so deutlich. Er wußte nur,
daß es aus der Zeit von seinem zwölften Jahre war, aus
einer Zeit, mit deren Erinnerung der Geruch von süßen,
warmen, geschälten Mandeln irgendwie verknüpft war.

Und er wußte, daß es das verzerrte Gesicht eines häßlichen armen Menschen war, den er ein einziges Mal im Laden seines Vaters gesehen hatte. Und daß das Gesicht von Angst verzerrt war, weil die Leute ihn bedrohten, weil er ein großes Goldstück hatte und nicht sagen wollte, wo er es erlangt hatte.

Während das Gesicht schon wieder zerging, suchte sein Finger noch immer in den Falten seiner Kleider, und als ein plötzlicher, undeutlicher Gedanke ihn hemmte, zog er die Hand unschlüssig heraus und warf dabei den in Seidenpapier eingewickelten Schmuck mit dem Beryll dem Pferd unter die Füße. Er bückte sich, das Pferd schlug ihm den Huf mit aller Kraft nach seitwärts in die Lenden und er fiel auf den Rücken. Er stöhnte laut, seine Knie zogen sich in die Höhe, und mit den Fersen schlug er immerfort auf den Boden. Ein paar von den Soldaten standen auf und hoben ihn an den Schultern und unter den Kniekehlen. Er spürte den Geruch ihrer Kleider, denselben dumpfen, trostlosen, der früher aus dem Zimmer auf die Straße gekommen war, und wollte sich besinnen, wo er den vor langer, sehr langer Zeit schon eingeatmet hatte: dabei vergingen ihm die Sinne. Sie trugen ihn fort über eine niedrige Treppe, durch einen langen, halbfinsteren Gang in eines ihrer Zimmer und legten ihn auf ein niedriges eisernes Bett. Dann durchsuchten sie seine Kleider, nahmen ihm das Kettchen und die sieben Goldstücke, und endlich gingen sie, aus Mitleid mit seinem unaufhörlichen Stöhnen, einen ihrer Wundärzte zu holen.

Nach einer Zeit schlug er die Augen auf und wurde sich seiner quälenden Schmerzen bewußt. Noch mehr aber erschreckte und ängstigte ihn, allein zu sein in diesem trostlosen Raum. Mühsam drehte er die Augen in den schmerzenden Höhlen gegen die Wand und gewahrte auf einem Brett drei Laibe von solchem Brot, wie die es über den Hof getragen hatten.

Sonst war nichts in dem Zimmer als harte, niedrige Betten

und der Geruch von trockenem Schilf, womit die Betten gefüllt waren, und jener andere trostlose, dumpfe Geruch.

Eine Weile beschäftigten ihn nur seine Schmerzen und die erstickende Todesangst, mit der verglichen die Schmerzen eine Erleichterung waren. Dann konnte er die Todesangst für einen Augenblick vergessen und daran denken, wie alles gekommen war.

Da empfand er eine andere Angst, eine stechende, minder erdrückende, eine Angst, die er nicht zum ersten Male fühlte; jetzt aber fühlte er sie wie etwas Überwundenes. Und er ballte die Fäuste und verfluchte seine Diener, die ihn in den Tod getrieben hatten; der eine in die Stadt, die Alte in den Juwelierladen, das Mädchen in das Hinterzimmer und das Kind durch sein tückisches Ebenbild in das Glashaus, von wo er sich dann über grauenhafte Stiegen und Brücken bis unter den Huf des Pferdes taumeln sah. Dann fiel er zurück in große, dumpfe Angst. Dann wimmerte er wie ein Kind, nicht vor Schmerz, sondern vor Leid, und die Zähne schlugen ihm zusammen.

Mit einer großen Bitterkeit starrte er in sein Leben zurück und verleugnete alles, was ihm lieb gewesen war. Er haßte seinen vorzeitigen Tod so sehr, daß er sein Leben haßte, weil es ihn dahin geführt hatte. Diese innere Wildheit verbrauchte seine letzte Kraft. Ihn schwindelte, und für eine Weile schlief er wieder einen taumeligen schlechten Schlaf. Dann erwachte er und wollte schreien, weil er noch immer allein war, aber die Stimme versagte ihm. Zuletzt erbrach er Galle, dann Blut, und starb mit verzerrten Zügen, die Lippen so verrissen, daß Zähne und Zahnfleisch entblößt waren und ihm einen fremden, bösen Ausdruck gaben.

PETER ALTENBERG

Richard Engländer, geb. 9. März 1859 in Wien, gest. 8. Januar 1919 in
Wien, stammte aus kleinbürgerlichem Hause. Kurze Zeit Jura- und
Medizinstudium, Buchhändler, dann freier Schriftsteller.

# Wie wunderbar – – –

*Altenberg, der als Prototyp des Kaffeehausliteraten und
Bohemiens gelten kann (in »Kürschner's deutschem Litera-
turkalender« gibt er 1897 das Café Central als Adresse an),
charakterisiert sich selbst in einer fiktiven Anrede an seinen
Vater:*
*»Jawohl, edelster merkwürdigster aller Väter, lange habe
ich Dein göttliches Geschenk der Freiheit mißbraucht, habe
edle und ganz unedle Damen heiß geliebt, bin in Wäldern
herumgelungert, war Jurist, ohne Jus zu studieren, Medici-
ner ohne Medicin zu studieren, Buchhändler ohne Bücher
zu verkaufen, Liebhaber ohne je zu heiraten, und zuletzt
Dichter ohne Dichtungen hervorzubringen! Denn sind
meine kleinen Sachen Dichtungen?! Keineswegs. Es sind
Extracte! Extracte des Lebens. Das Leben der Seele und des
zufälligen Tages, in 2–3 Seiten eingedampft, vom Überflüs-
sigen befreit wie das Rind im Liebig-Tiegel! Dem Leser
bleibe es überlassen, diese Extracte aus eigenen Kräften
wieder aufzulösen, in genießbare Bouillon zu verwandeln,
aufkochen zu lassen im eigenen Geiste, mit einem Worte sie
dünnflüssig und verdaulich zu machen.«*
*Hiermit spricht er das Prinzip seiner Produktion aus; der
ersten Veröffentlichung, dem Band »Wie ich es sehe« (1896)
folgten weitere, die ihm ähneln: »Ashantee« (1897), »Was
der Tag mir zuträgt« (1900), »Prodromos« (1905), »Märchen
des Lebens« (1908) und andere.*
*Wenn die literarische Stilbezeichnung Impressionismus einen
Sinn hat, dann mit Bezug auf Altenbergs Prosa. Sie ist auf
den ersten Blick an der überaus großzügigen Verwendung*

*gehäufter Gedankenstriche zu erkennen. Sie deuten auf Un-
ausgesprochenes und Unaussprechbares hin. Ohne diese
Pausen wirkte der Text kurzatmig, lakonisch; durch die
Gedankenstriche aber wird auf Hintergründe verwiesen. Die
semiologische Struktur des einzelnen Satzes wird gleichsam
zur Kulisse, hinter der Gedanken und Empfindungen ihren
Auftritt erwarten. Thomas Mann charakterisierte diesen
Stil 1920: »Diese intellektuelle Lyrik mit der infantilen
Interpunktion [...] Mit dieser seligen Manier schien es
möglich, das Leben täglich und stündlich, restlos, ohne Verzicht und namentlich mühelos einzufangen und zu bewältigen.«*

*Das wird deutlich, wenn man das zwischen Skizze, Studie
und Kurzgeschichte balancierende Prosastück »Wie wunderbar – – –« auf seine Widmung für Olga Waissnix hin liest.
Sie war die Frau des Wirtes vom Thalhof bei Reichenau,
südlich von Wien. Durch die Edition ihres Briefwechsels
mit Arthur Schnitzler 1970 hat ihre Gestalt deutlichere
Konturen angenommen: Schnitzler war ihr im Sommer 1886
in Meran begegnet; sie wurde seine große Liebe. Peter Altenberg, der von sich bekennt »Ich habe nie irgend etwas Anderes im Leben für werthvoll gehalten als die Frauen-
schönheit, die Damen«, hat sie bei gelegentlichen Aufent-
halten im Thalhof kennengelernt. Sie starb, genau 35jährig,
am 4. November 1897. Altenbergs Text dichtet um eine
– möglicherweise erträumte – Beziehung zu ihr eine Geschichte, die deshalb der Gefahr der Sentimentalität ent-
geht, weil sie das Eigentliche der Phantasie überläßt; der
Leser muß den Text, dem saloppen Vergleich Altenbergs
entsprechend, für sich aufbereiten.*

*Egon Friedell nennt ihn einen »der charakteristischsten Ver-
treter seiner Zeit« und sagt über ihn: »Er ist der prägnan-
teste und subtilste Ausdruck dessen, was man mit dem sehr
verrufenen Wort ›Fin de siècle‹ bezeichnet hat. Er ist der
Typus jener ›Décadence‹ vom Ende des vorigen Jahrhunderts, die ziemlich kurzlebig war und in ihm allein heute*

*noch fortlebt.«* Der Umstand, daß Altenberg in der heutigen Schätzung seines Werkes im Schatten seiner Kaffee-
hausgenossen steht, mag in einem Charakteristikum seines
Werkes zu suchen sein, das Karl Kraus aus gleichem Anlaß
wie Friedell zum 50. Geburtstag Altenbergs in der »Fackel«
formulierte: »Seitdem und so oft er vom Leben zum Schreiben kam, stand das Problem dieser elementaren Absichts-
losigkeit, die heute leichtmütig eine Perle und morgen feierlich eine Schale bietet, in der Rätselecke des lesenden Philisters.« In der Tat liegt hier die Schwierigkeit einer Beschäftigung mit Altenberg: er lädt zur Kontemplation ein,
aber er ist wenigen Zwecken der Deutung unmittelbar dien-
lich.


Wie wunderbar – – –

(Einer edlen Verstorbenen, Madame Olga Waissnix, geweiht)


Es hat ein Ende – – –.
Er sitzt in seinem kleinen Hôtelzimmer, wo die Nussbäume
hereingrünen und das Forellenbrünnlein herauf glugluckt
und magert ab und isst nichts und trinkt nichts. Und wenn
er schläft, ist es so wie bei einem Kranken, Erschöpften.
Oft hört er Nachts den Bergwind in die Nussbäume fahren
und das Forellenbrünnlein seine Trillerketten in Alt sin-
gen.
Und eine Dame sendet ihm Bouillon, täglich, und lässt
sagen: »Essen Sie – – –! Mir zu Liebe – –.«
Eines Morgens fährt er weg. Er hat es versprochen.
Der Hof riecht nach Nadelwald und Bergwiese und alle
weissen Jalousieen sind herunter – – –.
Was hat sich verändert?!
Die lyrischen Dichter haben es gut. Sie können sagen: »Wie
ist das Herze mir so schwer – – –.«
Und dann reimen sie darauf: »nimmermehr –.«
Aber Der fährt ganz ohne Reim weg, einfach still weg, und

alle Jalousieen sind herunter – – –.

Dann packt sich das Leben mit halben Sachen voll, mit un-
nützen, mit Freundschaften und zarten Stimmungen, mit
kurzen tragischen Einaktern, wie sie heute dem Publikum
»Seele« passen, mit Morphiuminjektionen für Unerträglich-
keiten, und humpelt weiter –.

Das Leben ist kränklich geworden und braucht Morphiuminjektionen – – –.


Dann sehen sie sich wieder in einem grossen Garten voll
von Obstbäumen.

Die Abendluft riecht nach Nadelwald und Bergwiese. Sie
gehen langsam einen schmalen weissen Kiesweg zwischen
Stachelbeerstauden auf und ab und sprechen gescheidte
Sachen – – –.

Es duftet feuchtkühl nach Nadelwald und Bergwiese.

Er denkt: »Wie wunderbar! Es hat kein Ende –.«

Sie hüllt sich in ihren Schawl ein und fröstelt –.

Dann fährt sie weg. Sie hüllt sich in ihren Schawl ein und
der Wagen riecht nach Leder-Lack. Die Wagenlaternen
schimmern noch lange herüber wie zwei trübe Augen.


Dann sieht er sie einmal wieder in der Grossstadt.

Sie sitzt da in einer wunderbar eleganten Toilette, so in
einer müden Flirt-Stimmung. Er fühlt: »Violette de Parme,
E. Legrand – – –.«

Er blickt sie an mit seinem reinen tiefen Blick –:

»Arme, Müde –. Wie süss Du noch immer duftest –.«

Sie fühlt: »Wie wunderbar! Es hat kein Ende –.«

Aber diesmal bleibt eine Sehnsucht in ihm zurück wie bei
einem Baby, wenn die Mama Abends in's Theater geht oder
sonstwohin – –. Wie Thränen in den Nerven ist es. Man erbebt so. Aber das Baby muss schön brav sein, wenn es die
Mama lieb hat. Darum erbebt es nur so und Niemand merkt
es. »Mama, gute, süsse Mama – – –!«

Dann schreibt sie einmal – – –.
Er geht schon dahin wie auf Krücken, der Morphinist des
Lebens – – –.
Plötzlich kommt dieser liebe süsse Hauch von Freundlich-
keit – –.
Er richtet sich auf, kerzengerade, wie ein alter Invalide,
wenn Napoleon vorbei reitet – – –.«
Er salutirt gleichsam der Freundschaft – – –!
Und dann macht er ein Gedicht wie die lyrischen Dich-
ter – – –.
Es ist ganz kurz, so modern – – –.
Es lautet: »Wie wunderbar! Es hat kein Ende –!«

## HERMANN HESSE

Geb. 2. Juli 1877 in Calw (Württemberg), gest. 9. August 1962 in Montagnola (Tessin), Sohn eines Missionars. 1881–86 Basel, 1890/91 Latein-
schule Göppingen. Juli 1891 schwäbisches Landexamen, Seminarist in
Kloster Maulbronn, März 1892 Flucht, Gymnasium Bad Cannstatt. Be-
rufsversuche als Buchhändler- und Mechanikerlehrling, 1899–1903 Buchhändler und Antiquar in Basel, 1901 und 1903 Italienreisen. 1904 Ehe
mit Maria Bernoulli, 1904–12 freier Schriftsteller in Gaienhofen am
Bodensee, 1909 Besuch bei Wilhelm Raabe in Braunschweig, 1911 Indien-
reise mit Hans Sturzenegger, 1912–19 Bern, Freundschaft mit Romain
Rolland; während des Krieges Tätigkeit in der »Deutschen Gefangenen-
fürsorge Bern«. 1919 Übersiedlung nach Montagnola. 1923 Schweizer
Staatsbürger. 1924 Ehe mit Ruth Wenger. 1926 Aufnahme in die Preu-
ßische Dichterakademie, die er 1930 verläßt. 1931 Ehe mit Ninon Dol-
bin, geb. Ausländer. 1936 Gottfried Keller-Preis. 1946 Frankfurter
Goethe-Preis, Nobelpreis, 1947 Ehrendoktor in Bern, 1950 Wilhelm
Raabe-Preis, 1950 Friedenspreis des Deutschen Buchhandels, Friedens-
klasse des Ordens Pour le mérite.
Werke: *Romantische Lieder* G. (1899); *Peter Camenzind* R. (1904);
*Unterm Rad* R. (1906); *Unterwegs* G. (1911); *Roßhalde* R. (1914);
*Knulp* R. (1915); *Demian* R. (1919); *Der Steppenwolf* R. (1927); *Nar-
ziß und Goldmund* R. (1930); *Das Glasperlenspiel* R. (1943).

# Die Fiebermuse

*Die Studie erschien in einer der frühesten Veröffentlichungen Hesses, dem Prosaband »Eine Stunde hinter Mitternacht«, der 1898/99 in Tübingen entstanden war, 1899 bei Diederichs in Leipzig. Obschon der Band anerkennende Besprechungen von Wilhelm von Scholz und Rilke erfuhr, wurden im ersten Jahr nur 53 Exemplare verkauft.*

*Vorangestellt ist den neun Skizzen und Erzählungen die zweite Strophe des Gedichtes »Der Fremdling« von Novalis:*

> *Streute ewiger Lenz dort nicht auf stiller Flur*
> *Buntes Leben umher? spann nicht der Frieden dort*
> *    Feste Weben? und blühte*
> *    Dort nicht ewig, was einmal wuchs?*

*Das Gedicht spricht die Sehnsucht nach dem verlorenen »Vaterland« als dem Ort von »Unschuld und Liebe« aus; die Stücke des Bandes erzählen Träume, Märchen und Impressionen; sie beschwören die Schönheit von Frauen und Kunstwerken, »verzaubert von Erinnerung und Heimweh«, »erregt und schwer von Liedern und Sehnsüchten einer andern Zeit«. Eike Middell nennt Hesse neben Thomas Mann den »zweite[n] große[n] Repräsentanten der Bewahrung klassisch-romantischer Traditionen«.*

*Es wäre indes zu kurz gegriffen, wollte man in diesen Texten nur Dokumente einer epigonalen Neuromantik erkennen. Denn die Achtsamkeit auf die dem vergänglichen Augenblick verhafteten Nuancen und Valeurs, auf »brechende Farben und zerrinnende Laute«, die Erwähnung der Iris und die Beschreibung der fragilen Frauengestalt, der Muse mit rotem Mund, die Erwähnung von Botticellis »silbernen Träume[n]« und schließlich die gehäufte Verwendung des Epithetons »fein«: all das erlaubt eine nähere Definition dieses literarischen Impressionismus. Ebenso wie er einer neuromantischen Empfindungsweise verhaftet ist, kann man ihn auch dem literarischen Jugendstil zuweisen.*

*Er dokumentiert, neben Peter Altenbergs Prosaskizzen, eine
andere Möglichkeit der zwischen Neuromantik, Jugendstil,
Symbolismus und Impressionismus sich entfaltenden Kleinkunst. Einer ihrer bestimmenden Züge ist die Angst vor
einer noch unbegriffenen Wirklichkeit; ihre Absicht, »in
Schmutz und Geräusch ein[en] Schimmer von Schönheit
und Kunst« zu gießen.*

## Die Fiebermuse

Meine Fiebermuse ist heute bei mir. Sitzt ruhig und hält
sich stille, da doch sonst Gassenlaufen und Vagieren ihre
Art ist. Sie hat eine Anwandlung, zu sitzen und mir zu
schmeicheln wie vor Zeiten, da wir beide noch liebe Braut-
leute und Blondköpfe gewesen sind. Sie lehnt im tiefen
Polsterstuhl, hat den Kopf zurückgelegt und hängt mit
ihrem Blick an mir, mit dem blassen, allwissenden, fiebern-
den, der ihr seit vielen Jahren eigen ist. Dieser Blick ist über
vielen meiner Nächte gewesen seit jenem ersten Jugendraub
unserer Liebe, da wir beim Flackerlicht verbrennender Kna-
benlieder meinen Göttern Hohn sprachen und unsern Weg
durch ewige Wildnisse zu nehmen uns gelobten.
Dieser Blick weiß von allem, was verborgen, tief und kei-
mend ist, er erbricht alles Knospende und schändet jede
Heimlichkeit. Jenseits entgötterter Tempel und verwelkter
Liebesgärten erst beginnt dieser Blick das Spiel der Frage
und Antwort und Gegenfrage, er fiebert nach Geheimnissen, welche nie ein anderes Auge erforscht hat.
Wir haben meine Seele ergründet und sind bis dahin gestiegen, wo Horchen Mord ist. Wir waren mit scharf geschliffe-
nen Augen überall, wo brechende Farben und zerrinnende Laute sind, und waren begierig, die Gesetze des Zufalls zu finden. Die entgleisenden Wellen sterbender Töne und die blassen Irislichter sterbender Farben haben wir geliebt, und alle
Grenzpunkte, wo Zittern war, und Zweifel, und Agonie.

Aus brechenden Zittertönen und flüchtigen, irisschimmern-
den Fieberfarben erbauten wir unsere Welt, unsere wunderbare, unbegriffene, unmögliche Welt. Meine Muse aber
wurde blaß und hager, und schöner von Traum zu Traum.
Wenn sie in meinen Gedanken sich spiegelt, berückt ihr
blasses Bild mit der Schlankheit der zarten Glieder, mit den
schweren Hängelocken, mit den adligen Händen und Ge-
lenken, und mit dem tiefroten Munde. Zu allen Zeiten
haben wahnsinnige Maler in Augenblicken überirdischer
Empfängnis solche Bilder geträumt und mit verzaubertem
Pinsel die flüchtigste Oberfläche glänzender Farben in
scheuen, ahnenden Linien ängstlich erprobt. Ein solches
Bild, in scheuer Entrückung erschaut, verfolgte die silbernen Träume jenes Sandro Botticelli, und lockte aus ihm
eine feine, wunderbare Kunst, und trieb seine verfeinerte
Hand von Bild zu Bild, bis ihm Pinsel und Finger zerbrach.

Meine Muse lächelt, wenn sie sich seiner erinnert. Sie ist
hinter ihm gestanden und lockte durch ihren Blick aus seinen Bildern die flüchtige Glut sehnsüchtiger Lippen und
Augen. Sie lockte seine Kunst von Bild zu Bild, bis ihm
Pinsel und Finger zerbrach. Mir aber erzählte sie von ihm
und erklärte mir die unerhörten Wünsche seiner brennenden
Seele, und führte mich durch die sich schneidenden Kreise
seiner hageren Dantebilder.

In anderen Stunden lehnte sie neben der schmächtigen Gestalt eines kranken Klavierspielers und reizte seine ge-
schmeidigen Finger, nach dem Zartesten zu tasten, und
lehrte ihn feine, brechende Klänge, die das klopfende Herz
und den raschen Atem des Hörenden in ihre schwermütig
wilden Takte zwingen. Diesen schmächtigen, kranken Chopin lockte sie von Reiz zu Reiz, sie lehrte ihn sein Herz
belauschen und deuten und lehrte sein Herz in zitternd bewegten Takten schlagen, bis es in Müdigkeit und Sehnsucht
vor dem treibenden Stachel erlag. Mir aber erzählte sie von
ihm, ließ mein Herz in seinen müden, stachelnden Rhyth-

men schlagen und lehrte mich mein Herz belauschen und
deuten.
Nun sitzt sie hinter mir, spricht leise zu mir und schmei-
chelt, und hüllt mich in ihren blassen, allwissenden Blick.
Sie lockt meine Heimlichkeiten aus ihren Verstecken und
entzündet meine Wünsche zu farbigen Spielen. Diese Muse
tastet an das Zittern meines Blutes und stachelt mein dursti-
ges Auge von Sehnsucht zu Sehnsucht und lächelt dazu, bis
mir Blick und Herzschlag zerbricht.
Als sie zum ersten Male zu mir kam, trug sie schwarze
Kleider und liebte Rieselbäche in spätsommerfarbenen Ge-
hölzen und Schaukelkähne an laubüberwölbten Seerändern.
Da hing zitternd mein Herz am zerrissenen Faden einer
knabenhaften Liebe, da rief meine Sehnsucht einen lieblichen
Namen in widertönende Wälder, und meine Liebe wiederholte zärtlich in Flüsterlauten ein trauriges Liebesgespräch.
Damals kam meine Fiebermuse zu mir, an einem silbernen
Bach, spielte Freundschaft mit mir und gab mir die schwarze Laute zu schlagen. Dann half sie mir ein verbotenes
Schloß erbauen, das rote Liebesschloß, vor dessen Fenstern
wir im Dunkeln froren, während Hochzeiten und klingende
Feste hinter seidenen Gardinen lärmten und geläutete Kri-
stallbecher und fiebernde Geigenreigen. Sie zog Schleier
und keusche Decken von der Schatzkammer meiner Seele,
sie reizte mein Auge und erweckte in mir eine plagende
Begierde, Schlösser und fabelhafte Herrlichkeiten zu bauen
und mich im Golde zu spiegeln. Wir schufen rote, flackern-
de Märchen, Lustgärten und Wildnisse und bevölkerten
südliche Landschaften mit schlanken, fürstlichen Wandel-
paaren.
Ich lernte meine Traurigkeit in lassen Vers-Takten wiegen
und in dunklen Reimen spiegeln. Ich lernte spitz zulaufende
Jambengänge fügen und schwere Versbrücken, deren Pfeiler
dunkle Molosser waren. Darauf begannen wir Fabeln zu
ersinnen, in welchen alles Leben umgewendet war wie in
einem Höllenspiegel, geborene Greise, welche sich jung leb-

ten und am Ende als Kinder ängstlich dem Ende ins Auge sahen, unselige Liebesschicksale und Geschichten, die voll von Grausamkeiten waren.

Später, nachdem ich in einer Angstnacht meiner Muse in Untreue entlaufen war und mich auf die grünen Plane der Sonnenseite geschlagen hatte, kam sie noch manchmal, wie heute, und führte mich durch geisterbleiche Nächte, und heftete das schöne, allmächtige Auge voll List und Liebe auf mich, begierig, die grausame Wollust unserer früheren Träume zu erneuern.

Oft auch sehen wir uns verständig und traurig an wie geschiedene Liebende und wissen nicht, wer von uns der Dieb oder der Bestohlene ist. Dann öffnet sie leis die blutroten Lippen, regt die Hand und beschwört in mir das Bild des fensterroten Liebesschlosses und das verzweifelte Jauchzen lustgestachelter Geigenreigen. Sie sieht auch jetzt, was ich geschrieben habe, und seufzt und hat den bleichen Tod im Blick.

# ARTHUR SCHNITZLER

Geb. 15. Mai 1862 in Wien, gest. 21. Oktober 1931 in Wien, Sohn eines Kehlkopfspezialisten, des Begründers der Wiener Poliklinik, 1879–85 Studium der Medizin in Wien, Assistent des Vaters und praktischer Arzt, später Facharzt für Nervenkrankheiten und Kehlkopfspezialist, dann freier Schriftsteller. Verkehrte im Café Griensteidl, war befreundet mit Hugo von Hofmannsthal, Richard Beer-Hofmann und Hermann Bahr.

Werke: *Anatol* Dr. (1893); *Das Märchen* Dr. (1894); *Sterben* E. (1895); *Liebelei* Dr. (1895); *Die Frau des Weisen* Nn. (1897); *Paracelsus, Die Gefährtin, Der grüne Kakadu* Dr. (1899); *Der Schleier der Beatrice* Dr. (1901); *Frau Bertha Garlan* E. (1901); *Der blinde Geronimo und sein Bruder* E. (1902); *Der einsame Weg* Dr. (1904); *Der Weg ins Freie* R. (1908); *Das weite Land* Dr. (1911); *Professor Bernhardi* Dr. (1912); *Frau Beate und ihr Sohn* E. (1913); *Casanovas Heimfahrt* E. (1918); *Die Schwestern oder Casanova in Spa* Dr. (1919); *Fräulein Else* E. (1924); *Die Frau des Richters* E. (1925); *Traumnovelle* E. (1926); *Spiel im Morgengrauen* E. (1927).

# Leutnant Gustl

*Die Erzählung entstand nach einer Skizze vom 27. Mai
zwischen dem 13. und 17. Juli 1900. Sie erschien in der
Weihnachtsausgabe der »Neuen Freien Presse« in Wien am
25. Dezember 1900, im folgenden Jahr mit Illustrationen
von M. Coschell bei S. Fischer in Berlin. Sogleich nach der
Publikation begann ein ehrenrätliches Verfahren des K. K.
Landwehroberkommandos gegen Schnitzler. Mit Beschluß
vom 26. April 1901 wurde der »Oberarzt im Verhältnis der
Evidenz« des K. K. Landwehr Infanterie Regiments Kla-
genfurt Nr. 4 Arthur Schnitzler seines »Offizierscharakters
für verlustig erklärt«, da er »als dem Offiziersstande ange-
hörig, eine Novelle verfaßte und in einem Weltblatte veröffentlichte, durch deren Inhalt die Ehre und das Ansehen
der österr. ung. Armee geschädigt und herabgesetzt wurde,
sowie daß er gegen die persönlichen Angriffe der Zeitung
›Reichswehr‹ keinerlei Schritte unternommen hat«.
Sensationell und skandalös hätte diese Novelle keineswegs
allein ihres Inhaltes wegen zu wirken vermocht; hinzutreten mußte die hier von Schnitzler erstmals in der deutschen
Literatur konsequent verwendete Form des inneren Monologs. Der Franzose Édouard Dujardin hatte sich dieses
Darstellungsmittels bereits zuvor bedient: in seiner Novelle
»Les lauriers sont coupés«. In einer 1931 veröffentlichten
Darstellung dieser literarischen Erfindung beansprucht er
mit Recht die Priorität für sich und zitiert einen Brief von
Stéphane Mallarmé vom 8. April 1888: »Vous avez là fixé
un mode de notation virevoltant et cursif« – eine Beschreibung des inneren Monologs, die sich auf seine Möglichkeit
bezieht, synchrone (virevoltant) und diachrone (cursif) Be-
wußtseinsverläufe präzise festzuhalten. Er sei geeignet,
fährt Mallarmé fort, das so wertvolle Alltägliche festzuhalten. In der Tat hat Dujardin sich darum in »Les lauriers
sont coupés« bemüht; die Novelle darf mit gewissem Recht
als impressionistisch bezeichnet werden, wenn man darunter*

Arthur Schnitzler
Leutnant Gustl

S. Fischer, Verlag, Berlin

Umschlagtitel der Erstausgabe (Foto: Deutsches Literaturarchiv /
Schiller-Nationalmuseum, Marbach am Neckar)

*einen Stil versteht, der den Augenblick zum Gegenstand
hat.*
*Davon unterscheidet sich Schnitzlers Intention in »Leutnant
Gustl«; in einem Brief an den dänischen Literaturhistoriker
Georg Brandes schreibt er am 11. Juni 1901, Dujardin habe
»für seine Form nicht den rechten Stoff zu finden« gewußt.
Denn bei Dujardin handelt es sich um die Darstellung eines
an seiner unerfüllten Liebe leidenden Studenten. Schnitzler
aber verfaßt eine realistische Studie über einen Einzelfall,
dessen psychopathologische Züge symptomatisch sind für
den Zustand einer Gesellschaft.*

Leutnant Gustl

Wie lange wird denn das noch dauern? Ich muß auf die
Uhr schauen ... schickt sich wahrscheinlich nicht in einem
so ernsten Konzert. Aber wer sieht's denn? Wenn's einer
sieht, so paßt er gerade so wenig auf, wie ich, und vor dem
brauch' ich mich nicht zu genieren ... Erst viertel auf
zehn? ... Mir kommt vor, ich sitz' schon drei Stunden in
dem Konzert. Ich bin's halt nicht gewohnt ... Was ist es
denn eigentlich? Ich muß das Programm anschauen ... Ja,
richtig: Oratorium? Ich hab' gemeint: Messe. Solche Sachen
gehören doch nur in die Kirche. Die Kirche hat auch das
Gute, daß man jeden Augenblick fortgehen kann. – Wenn
ich wenigstens einen Ecksitz hätt'! – Also Geduld, Geduld!
Auch Oratorien nehmen ein End'! Vielleicht ist es sehr
schön, und ich bin nur nicht in der Laune. Woher sollt' mir
auch die Laune kommen? Wenn ich denke, daß ich herge-
kommen bin, um mich zu zerstreuen ... Hätt' ich die Karte
lieber dem Benedek geschenkt, dem machen solche Sachen
Spaß; er spielt ja selber Violine. Aber da wär' der Kopetzky beleidigt gewesen. Es war ja sehr lieb von ihm, wenigstens gut gemeint. Ein braver Kerl, der Kopetzky! Der einzige, auf den man sich verlassen kann ... Seine Schwester

singt ja mit unter denen da oben. Mindestens hundert Jung-
frauen, alle schwarz gekleidet; wie soll ich sie da heraus-
finden? Weil sie mitsingt, hat er auch das Billett gehabt, der
Kopetzky ... Warum ist er denn nicht selber gegangen? –
Sie singen übrigens sehr schön. Es ist sehr erhebend – sicher!
Bravo! bravo! ... Ja, applaudieren wir mit. Der neben mir
klatscht wie verrückt. Ob's ihm wirklich so gut gefällt? –
Das Mädel drüben in der Loge ist sehr hübsch. Sieht sie
mich an oder den Herrn dort mit dem blonden Vollbart? ...
Ah, ein Solo! Wer ist das? Alt: Fräulein Walker, Sopran:
Fräulein Michalek ... das ist wahrscheinlich Sopran ...
Lang' war ich schon nicht in der Oper. In der Oper unter-
halt' ich mich immer, auch wenn's langweilig ist. Übermorgen könnt' ich eigentlich wieder hineingeh'n, zur »Tra-
viata«. Ja, übermorgen bin ich vielleicht schon eine tote
Leiche! Ah, Unsinn, das glaub' ich selber nicht! Warten S'
nur, Herr Doktor, Ihnen wird's vergeh'n, solche Bemerkun-
gen zu machen! Das Nasenspitzel hau' ich Ihnen herunter ...
Wenn ich die in der Loge nur genau sehen könnt'! Ich
möcht' mir den Operngucker von dem Herrn neben mir
ausleih'n, aber der frißt mich ja auf, wenn ich ihn in seiner
Andacht stör' ... In welcher Gegend die Schwester vom
Kopetzky steht? Ob ich sie erkennen möcht'? Ich hab' sie
ja nur zwei- oder dreimal gesehen, das letztemal im Offi-
zierskasino ... Ob das lauter anständige Mädeln sind, alle
hundert? O jeh! ... »Unter Mitwirkung des Singvereins!« –
Singverein ... komisch! Ich hab' mir darunter eigentlich
immer so was Ähnliches vorgestellt, wie die Wiener Tanz-
sängerinnen, das heißt, ich hab' schon gewußt, daß es was
anderes ist! ... Schöne Erinnerungen! Damals beim »Grünen Tor« ... Wie hat sie nur geheißen? Und dann hat sie
mir einmal eine Ansichtskarte aus Belgrad geschickt ...
auch eine schöne Gegend! – Der Kopetzky hat's gut, der
sitzt jetzt längst im Wirtshaus und raucht seine Virginia! ...

Was guckt mich denn der Kerl dort immer an? Mir scheint, der merkt, daß ich mich langweil' und nicht herg'hör'... Ich möcht' Ihnen raten, ein etwas weniger freches Gesicht zu machen, sonst stell' ich Sie mir nachher im Foyer! – Schaut schon weg!... Daß sie alle vor meinem Blick so eine Angst hab'n... »Du hast die schönsten Augen, die mir je vorgekommen sind!« hat neulich die Steffi gesagt... O Steffi, Steffi, Steffi! – Die Steffi ist eigentlich schuld, daß ich dasitz' und mir stundenlang vorlamentieren lassen muß. – Ah, diese ewige Abschreiberei von der Steffi geht mir wirklich schon auf die Nerven! Wie schön hätt' der heutige Abend sein können. Ich hätt' große Lust, das Brieferl von der Steffi zu lesen. Da hab' ich's ja. Aber wenn ich die Brieftasche herausnehm', frißt mich der Kerl daneben auf! – Ich weiß ja, was drinsteht... sie kann nicht kommen, weil sie mit »ihm« nachtmahlen gehen muß... Ah, das war komisch vor acht Tagen, wie sie mit ihm in der Gartenbaugesellschaft gewesen ist, und ich vis-a-vis mit'm Kopetzky; und sie hat mir immer die Zeichen gemacht mit den Augerln, die verabredeten. Er hat nichts gemerkt – unglaublich! Muß übrigens ein Jud' sein! Freilich, in einer Bank ist er, und der schwarze Schnurrbart... Reserveleutnant soll er auch sein! Na, in mein Regiment sollt' er nicht zur Waffenübung kommen! Überhaupt, daß sie noch immer so viel Juden zu Offizieren machen – da pfeif' ich auf'n ganzen Antisemitismus! Neulich in der Gesellschaft, wo die G'schicht' mit dem Doktor passiert ist bei den Mannheimers... die Mannheimer selber sollen ja auch Juden sein, getauft natürlich... denen merkt man's aber gar nicht an – besonders die Frau... so blond, bildhübsch die Figur... War sehr amüsant im ganzen. Famoses Essen, großartige Zigarren... Na ja, wer hat's Geld?...
Bravo, bravo! Jetzt wird's doch bald aus sein? – Ja, jetzt steht die ganze G'sellschaft da droben auf... sieht sehr gut aus – imposant! – Orgel auch?... Orgel hab' ich sehr gern... So, das laß' ich mir g'fall'n – sehr schön! Es ist

wirklich wahr, man sollt' öfter in Konzerte gehen ... Wunderschön ist's g'wesen, werd' ich dem Kopetzky sagen ... Werd' ich ihn heut' im Kaffeehaus treffen? – Ah, ich hab' gar keine Lust, ins Kaffeehaus zu geh'n; hab' mich gestern so gegiftet! Hundertsechzig Gulden auf einem Sitz verspielt – zu dumm! Und wer hat alles gewonnen? Der Ballert, grad' der, der's nicht notwendig hat ... Der Ballert ist eigentlich schuld, daß ich in das blöde Konzert hab' geh'n müssen ... Na ja, sonst hätt' ich heut' wieder spielen können, vielleicht doch was zurückgewonnen. Aber es ist ganz gut, daß ich mir selber das Ehrenwort gegeben hab', einen Monat lang keine Karte anzurühren ... Die Mama wird wieder ein G'sicht machen, wenn sie meinen Brief bekommt! – Ah, sie soll zum Onkel geh'n, der hat Geld wie Mist; auf die paar hundert Gulden kommt's ihm nicht an. Wenn ich's nur durchsetzen könnt', daß er mir eine regelmäßige Sustentation gibt ... aber nein, um jeden Kreuzer muß man extra betteln. Dann heißt's wieder: Im vorigen Jahr war die Ernte schlecht! ... Ob ich heuer im Sommer wieder zum Onkel fahren soll auf vierzehn Tag'? Eigentlich langweilt man sich dort zum Sterben ... Wenn ich die ... wie hat sie nur geheißen? ... Es ist merkwürdig, ich kann mir keinen Namen merken! ... Ah, ja: Etelka! ... Kein Wort deutsch hat sie verstanden, aber das war auch nicht notwendig ... hab' gar nichts zu reden brauchen! ... Ja, es wird ganz gut sein, vierzehn Tage Landluft und vierzehn Nächt' Etelka oder sonstwer ... Aber acht Tag' sollt' ich doch auch wieder beim Papa und bei der Mama sein ... Schlecht hat sie ausg'seh'n heuer zu Weihnachten ... Na, jetzt wird die Kränkung schon überwunden sein. Ich an ihrer Stelle wär' froh, daß der Papa in Pension gegangen ist. – Und die Klara wird schon noch einen Mann kriegen ... Der Onkel kann schon was hergeben ... Achtundzwanzig Jahr, das ist doch nicht so alt ... Die Steffi ist sicher nicht jünger ... Aber es ist merkwürdig: *die* Frauenzimmer erhalten sich länger jung. Wenn man so bedenkt:

die Maretti neulich in der »Madame Sans-Gêne« – sieben-
unddreißig Jahr ist sie sicher, und sieht aus... Na, ich
hätt' nicht Nein g'sagt! – Schad', daß sie mich nicht g'fragt
hat...
Heiß wird's! Noch immer nicht aus? Ah, ich freu' mich so
auf die frische Luft! Werd' ein bißl spazieren geh'n, übern
Ring... Heut' heißt's: früh ins Bett, morgen nachmittag
frisch sein! Komisch, wie wenig ich daran denk', so egal ist
mir das! Das erstemal hat's mich doch ein bißl aufgeregt.
Nicht, daß ich Angst g'habt hätt'; aber nervös bin ich gewesen in der Nacht vorher... Freilich, der Oberleutnant
Bisanz war ein ernster Gegner. – Und doch, nichts ist mir
g'scheh'n!... Auch schon anderthalb Jahr her. Wie die Zeit
vergeht! Und wenn mir der Bisanz nichts getan hat, der
Doktor wird mir schon gewiß nichts tun! Obzwar, gerade
diese ungeschulten Fechter sind manchmal die gefährlich-
sten. Der Doschintzky hat mir erzählt, daß ihn ein Kerl,
der das erstemal einen Säbel in der Hand gehabt hat, auf
ein Haar abgestochen hätt'; und der Doschintzky ist heut
Fechtlehrer bei der Landwehr. Freilich – ob er damals
schon so viel können hat... Das Wichtigste ist: kaltes Blut.
Nicht einmal einen rechten Zorn hab' ich mehr in mir, und
es war doch eine Frechheit – unglaublich! Sicher hätt' er
sich's nicht getraut, wenn er nicht Champagner getrunken
hätt' vorher... So eine Frechheit! Gewiß ein Sozialist! Die
Rechtsverdreher sind doch heutzutag' alle Sozialisten! Eine
Bande... am liebsten möchten sie gleich 's ganze Militär
abschaffen; aber wer ihnen dann helfen möcht', wenn die
Chinesen über die kommen, daran denken sie nicht. Blödi-
sten! – Man muß gelegentlich ein Exempel statuieren. Ganz
recht hab' ich g'habt. Ich bin froh, daß ich ihn nimmer auslassen hab' nach der Bemerkung. Wenn ich dran denk',
werd' ich ganz wild! Aber ich hab' mich famos benommen;
der Oberst sagt auch, es war absolut korrekt. Wird mir
überhaupt nützen, die Sache. Ich kenn' manche, die den
Burschen hätten durchschlüpfen lassen. Der Müller sicher,

der wär' wieder objektiv gewesen oder so was. Mit dem
Objektivsein hat sich noch jeder blamiert ... »Herr Leutnant!« ... schon die Art, wie er »Herr Leutnant« gesagt
hat, war unverschämt! ... »Sie werden mir doch zugeben
müssen« ... – Wie sind wir denn nur d'rauf gekommen?
Wieso hab' ich mich mit dem Sozialisten in ein Gespräch
eingelassen? Wie hat's denn nur angefangen? ... Mir scheint,
die schwarze Frau, die ich zum Büfett geführt hab', ist auch
dabei gewesen ... und dann dieser junge Mensch, der die
Jagdbilder malt – wie heißt er denn nur? ... Meiner Seel',
der ist an der ganzen Geschichte schuld gewesen! Der hat
von den Manövern geredet; und dann erst ist dieser Doktor
dazugekommen und hat irgendwas g'sagt, was mir nicht ge-
paßt hat, von Kriegsspielerei oder so was – aber wo ich
noch nichts hab' reden können ... Ja, und dann ist von
den Kadettenschulen gesprochen worden ... ja, so war's ...
und ich hab' von einem patriotischen Fest erzählt ... und
dann hat der Doktor gesagt – nicht gleich, aber aus dem
Fest hat es sich entwickelt – »Herr Leutnant, Sie werden
mir doch zugeben, daß nicht alle Ihre Kameraden zum
Militär gegangen sind, ausschließlich um das Vaterland zu
verteidigen!« So eine Frechheit! Das wagt so ein Mensch
einem Offizier ins Gesicht zu sagen! Wenn ich mich nur
erinnern könnt', was ich d'rauf geantwortet hab'? ... Ah
ja, etwas von Leuten, die sich in Dinge dreinmengen, von
denen sie nichts versteh'n ... Ja, richtig ... und dann war
einer da, der hat die Sache gütlich beilegen wollen, ein älterer Herr mit einem Stockschnupfen ... Aber ich war zu
wütend! Der Doktor hat das absolut in dem Ton gesagt, als
wenn er direkt mich gemeint hätt'. Er hätt' nur noch sagen
müssen, daß sie mich aus dem Gymnasium hinausg'schmis-
sen haben, und daß ich deswegen in die Kadettenschul' gesteckt worden bin ... Die Leut' können eben unserein'n
nicht versteh'n, sie sind zu dumm dazu ... Wenn ich mich
so erinner', wie ich das erstemal den Rock angehabt hab', so
was erlebt eben nicht ein jeder ... Im vorigen Jahr bei den

Manövern – ich hätt' was drum gegeben, wenn's plötzlich
Ernst gewesen wär' ... Und der Mirovic hat mir g'sagt, es
ist ihm ebenso gegangen. Und dann, wie Seine Hoheit die
Front abgeritten sind, und die Ansprache vom Obersten –
da muß einer schon ein ordentlicher Lump sein, wenn ihm
das Herz nicht höher schlägt ... Und da kommt so ein
Tintenfisch daher, der sein Lebtag nichts getan hat, als hinter den Büchern gesessen, und erlaubt sich eine freche Bemerkung! ... Ah, wart' nur, mein Lieber – bis zur Kampf-
unfähigkeit ... jawohl, du sollst so kampfunfähig werden ...
Ja, was ist denn? Jetzt muß es doch bald aus sein? ... »Ihr,
seine Engel, lobet den Herrn« ... – Freilich, das ist der
Schlußchor ... Wunderschön, da kann man gar nichts
sagen. Wunderschön! – Jetzt hab' ich ganz die aus der Loge
vergessen, die früher zu kokettieren angefangen hat. Wo ist
sie denn? ... Schon fortgegangen ... Die dort scheint auch
sehr nett zu sein ... Zu dumm, daß ich keinen Operngucker
bei mir hab'! Der Brunnthaler ist ganz gescheit, der hat sein
Glas immer im Kaffeehaus bei der Kassa liegen, da kann
einem nichts g'scheh'n ... Wenn sich die Kleine da vor mir
nur *ein*mal umdreh'n möcht'! So brav sitzt s' alleweil da.
Das neben ihr ist sicher die Mama. – Ob ich nicht doch
einmal ernstlich ans Heiraten denken soll? Der Willy war
nicht älter als ich, wie er hineingesprungen ist. Hat schon
was für sich, so immer gleich ein hübsches Weiberl zu Haus
vorrätig zu haben ... Zu dumm, daß die Steffi grad heut'
keine Zeit hat! Wenn ich wenigstens wüßte, wo sie ist,
möcht' ich mich wieder vis-a-vis von ihr hinsetzen. Das
wär' eine schöne G'schicht', wenn ihr der draufkommen
möcht', da hätt' *ich* sie am Hals ... Wenn ich so denk', was
dem Fließ sein Verhältnis mit der Winterfeld kostet! Und
dabei betrügt sie ihn hinten und vorn. Das nimmt noch einmal ein Ende mit Schrecken ... Bravo, bravo! Ah, aus! ...
So, das tut wohl, aufsteh'n können, sich rühren ... Na, viel-

leicht! Wie lang' wird der da noch brauchen, um sein Glas
ins Futteral zu stecken?
»Pardon, pardon, wollen mich nicht hinauslassen?«
Ist das ein Gedränge! Lassen wir die Leut' lieber vorbeipas-
sieren ... Elegante Person ... ob das echte Brillanten
sind? ... Die da ist nett ... Wie sie mich anschaut! ... O
ja, mein Fräulein, ich möcht' schon! ... O, die Nase! –
Jüdin ... Noch eine ... Es ist doch fabelhaft, da sind auch
die Hälfte Juden ... nicht einmal ein Oratorium kann man
mehr in Ruhe genießen ... So, jetzt schließen wir uns an ...
Warum drängt denn der Idiot hinter mir? Das werd' ich
ihm abgewöhnen ... Ah, ein älterer Herr! ... Wer grüßt
mich denn dort von drüben? ... Habe die Ehre, habe die
Ehre! Keine Ahnung hab' ich, wer das ist ... das Einfachste
wär', ich ging gleich zum Leidinger hinüber nachtmahlen ...
oder soll ich in die Gartenbaugesellschaft? Am End' ist die
Steffi auch dort? Warum hat sie mir eigentlich nicht geschrieben, wohin sie mit mir geht? Sie wird's selber noch
nicht gewußt haben. Eigentlich schrecklich, so eine abhän-
gige Existenz ... Armes Ding! – So, da ist der Ausgang ...
Ah, die ist aber bildschön! Ganz allein? Wie sie mich an-
lacht. Das wär' eine Idee, der geh' ich nach! ... So, jetzt
die Treppen hinunter ... Oh, ein Major von Fünfundneun-
zig ... Sehr liebenswürdig hat er gedankt ... Bin doch
nicht der einzige Offizier hier gewesen ... Wo ist denn das
hübsche Mädel? Ah, dort ... am Geländer steht sie ... So,
jetzt heißt's noch zur Garderobe ... Daß mir die Kleine
nicht auskommt ... Hat ihm schon! So ein elender Fratz!
Laßt sich da von einem Herrn abholen, und jetzt lacht sie
noch auf mich herüber! – Es ist doch keine was wert ...
Herrgott, ist das ein Gedränge bei der Garderobe! ... Warten wir lieber noch ein bissel ... So! Ob der Blödist meine
Nummer nehmen möcht'? ...
»Sie, zweihundertvierundzwanzig! Da hängt er! Na, hab'n
Sie keine Augen? Da hängt er! Na, Gott sei Dank! ... Also

bitte!« ... Der Dicke da verstellt einem schier die ganze
Garderobe ... »Bitte sehr!« ...

»Geduld, Geduld!«

Was sagt der Kerl?

»Nur ein bissel Geduld!«

Dem muß ich doch antworten ... »Machen Sie doch
Platz!«

»Na, Sie werden's auch nicht versäumen!«

Was sagt er da? Sagt er das zu mir? Das ist doch stark! Das
darf ich mir nicht gefallen lassen! »Ruhig!«

»Was meinen Sie?«

Ah, so ein Ton? Da hört sich doch alles auf!

»Stoßen Sie nicht!«

»Sie, halten Sie das Maul!« Das hätt' ich nicht sagen sollen,
ich war zu grob ... Na, jetzt ist's schon g'scheh'n!

»Wie meinen?«

Jetzt dreht er sich um ... Den kenn' ich ja! – Donnerwetter, das ist ja der Bäckermeister, der immer ins Kaffeehaus
kommt ... Was macht denn der da? Hat sicher auch eine
Tochter oder so was bei der Singakademie ... Ja, was ist
denn das? Ja, was macht er denn? Mir scheint gar ... ja,
meiner Seel', er hat den Griff von meinem Säbel in der
Hand ... Ja, ist der Kerl verrückt? ... »Sie Herr ...«

»Sie, Herr Leutnant, sein S' jetzt ganz stad.«

Was sagt er da? Um Gottes willen, es hat's doch keiner gehört? Nein, er red't ganz leise ... Ja, warum laßt er denn
meinen Säbel net aus? ... Herrgott noch einmal ... Ah, da
heißt's rabiat sein ... ich bring' seine Hand vom Griff
nicht weg ... nur keinen Skandal jetzt! ... Ist nicht am
End' der Major hinter mir? ... Bemerkt's nur niemand, daß
er den Griff von meinem Säbel hält? Er red't ja zu mir!
Was red't er denn?

»Herr Leutnant, wenn Sie das geringste Aufsehen machen,
so zieh' ich den Säbel aus der Scheide, zerbrech' ihn und
schick' die Stück' an Ihr Regimentskommando. Versteh'n
Sie mich, Sie dummer Bub?«

Was hat er g'sagt? Mir scheint, ich träum'! Red't er wirklich zu mir? Ich sollt' was antworten... Aber der Kerl macht ja Ernst – der zieht wirklich den Säbel heraus. Herrgott – er tut's!... Ich spür's, er reißt schon dran. Was red't er denn?... Um Gottes willen, nur kein' Skandal – – Was red't er denn noch immer?

»Aber ich will Ihnen die Karriere nicht verderben... Also, schön brav sein!... So, hab'n S' keine Angst, 's hat niemand was gehört... es ist schon alles gut... so! Und damit keiner glaubt, daß wir uns gestritten haben, werd' ich jetzt sehr freundlich mit Ihnen sein! – Habe die Ehre, Herr Leutnant, hat mich sehr gefreut – habe die Ehre.«

Um Gottes willen, hab' ich geträumt?... Hat er das wirklich gesagt?... Wo ist er denn?... Da geht er... Ich müßt' ja den Säbel ziehen und ihn zusammen hauen – – Um Gottes willen, es hat's doch niemand gehört?... Nein, er hat ja nur ganz leise geredet, mir ins Ohr... Warum geh' ich denn nicht hin und hau' ihm den Schädel auseinander?... Nein, es geht ja nicht, es geht ja nicht... gleich hätt' ich's tun müssen... Warum hab' ich's denn nicht gleich getan?... Ich hab's ja nicht können... er hat ja den Griff nicht auslassen, und er ist zehnmal stärker als ich... Wenn ich noch ein Wort gesagt hätt', hätt' er mir wirklich den Säbel zerbrochen... Ich muß ja noch froh sein, daß er nicht laut geredet hat! Wenn's ein Mensch gehört hätt', so müßt' ich mich ja *stante pede* erschießen... Vielleicht ist es doch ein Traum gewesen... Warum schaut mich denn der Herr dort an der Säule so an? – hat der am End' was gehört?... Ich werd' ihn fragen... Fragen? – Ich bin ja verrückt! – Wie schau' ich denn aus? – Merkt man mir was an? – Ich muß ganz blaß sein. – Wo ist der Hund?... Ich muß ihn umbringen!... Fort ist er... Überhaupt schon ganz leer... Wo ist denn mein Mantel?... Ich hab' ihn ja schon angezogen... Ich hab's gar nicht gemerkt... Wer hat mir denn geholfen?... Ah, der da... dem muß ich ein Sechserl geben... So!... Aber was ist

denn das? Ist es denn wirklich gescheh'n? Hat wirklich
einer so zu mir geredet? Hat mir wirklich einer »dummer
Bub« gesagt? Und ich hab' ihn nicht auf der Stelle zu-
sammengehauen?... Aber ich hab' ja nicht können ... er
hat ja eine Faust gehabt wie Eisen ... ich bin ja dagestanden wie angenagelt... Nein, ich muß den Verstand verloren gehabt haben, sonst hätt' ich mit der anderen
Hand... Aber da hätt' er ja meinen Säbel herausgezogen
und zerbrochen, und aus wär's gewesen – alles wär' aus gewesen! Und nachher, wie er fortgegangen ist, war's zu
spät ... ich hab' ihm doch nicht den Säbel von hinten in
den Leib rennen können.

Was, ich bin schon auf der Straße? Wie bin ich denn da
herausgekommen? – So kühl ist es ... ah, der Wind, der ist
gut ... Wer ist denn das da drüben? Warum schau'n denn
die zu mir herüber? Am Ende haben die was gehört...
Nein, es kann niemand was gehört haben ... ich weiß ja,
ich hab' mich gleich nachher umgeschaut! Keiner hat sich
um mich gekümmert, niemand hat was gehört ... Aber gesagt hat er's, wenn's auch niemand gehört hat; gesagt hat
er's doch. Und ich bin dagestanden und hab' mir's gefallen
lassen, wie wenn mich einer vor den Kopf geschlagen
hätt'!... Aber ich hab' ja nichts sagen können, nichts tun
können; es war ja noch das einzige, was mir übrig geblieben
ist: stad sein, stad sein!... 's ist fürchterlich, es ist nicht
zum Aushalten; ich muß ihn totschlagen, wo ich ihn treff'!
... Mir sagt das einer! Mir sagt das so ein Kerl, so ein
Hund! Und er kennt mich... Herrgott noch einmal, er
kennt mich, er weiß, wer ich bin!... Er kann jedem Menschen erzählen, daß er mir das g'sagt hat!... Nein, nein,
das wird er ja nicht tun, sonst hätt' er auch nicht so leise
geredet ... er hat auch nur wollen, daß ich es allein hör'!
... Aber wer garantiert mir, daß er's nicht doch erzählt,
heut' oder morgen, seiner Frau, seiner Tochter, seinen Bekannten im Kaffeehaus. – – Um Gottes willen, morgen seh'
ich ihn ja wieder! Wenn ich morgen ins Kaffeehaus komm',

sitzt er wieder dort wie alle Tag' und spielt seinen Tapper
mit dem Herrn Schlesinger und mit dem Kunstblumen-
händler... Nein, nein, das geht ja nicht, das geht ja
nicht... Wenn ich ihn seh', so hau' ich ihn zusammen...
Nein, das darf ich ja nicht... gleich hätt' ich's tun müssen,
gleich!... Wenn's nur gegangen wär'! Ich werd' zum Obersten geh'n und ihm die Sache melden... ja, zum Obersten... Der Oberst ist immer sehr freundlich – und ich
werd' ihm sagen: Herr Oberst, ich melde gehorsamst, er hat
den Griff gehalten, er hat ihn nicht aus'lassen; es war genau
so, als wenn ich ohne Waffe gewesen wäre... – Was wird
der Oberst sagen? – Was er sagen wird? – Aber da gibt's
ja nur eins: quittieren mit Schimpf und Schand' – quittieren!... Sind das Freiwillige da drüben?... Ekelhaft, bei
der Nacht schau'n sie aus, wie Offiziere... sie salutieren! –
Wenn die wüßten – wenn die wüßten!... – Da ist das
Café Hochleitner... Sind jetzt gewiß ein paar Kameraden
drin... vielleicht auch einer oder der andere, den ich
kenn'... Wenn ich's dem ersten Besten erzählen möcht',
aber so, als wär's einem andern passiert?... – Ich bin ja
schon ganz irrsinnig... Wo lauf' ich denn da herum? Was
tu' ich denn auf der Straße? – Ja, aber wo soll ich denn
hin? Hab' ich nicht zum Leidinger wollen? Haha, unter
Menschen mich niedersetzen... ich glaub', ein jeder müßt'
mir's anseh'n... Ja, aber irgendwas muß doch gescheh'n...
Was soll denn gescheh'n?... Nichts, nichts – es hat ja niemand was gehört... es weiß ja niemand was... in dem
Moment weiß niemand was... Wenn ich jetzt zu ihm in
die Wohnung ginge und ihn beschwören möchte, daß er's
niemandem erzählt?... – Ah, lieber gleich eine Kugel vor
den Kopf, als so was!... Wär' so das Gescheiteste!... Das
Gescheiteste? Das Gescheiteste? – Gibt ja überhaupt nichts
anderes... gibt nichts anderes... Wenn ich den Oberst
fragen möcht', oder den Kopetzky – oder den Blany –
oder den Friedmair: – jeder möcht' sagen: Es bleibt dir
nichts anderes übrig!... Wie wär's, wenn ich mit dem Ko-

petzky spräch'? ... Ja, es wär' doch das Vernünftigste ...
schon wegen morgen ... Ja, natürlich – wegen morgen ...
um vier in der Reiterkasern' ... ich soll mich ja morgen um
vier Uhr schlagen ... und ich darf's ja nimmer, ich bin
satisfaktionsunfähig ... Unsinn! Unsinn! Kein Mensch weiß
was, kein Mensch weiß was! – Es laufen viele herum, denen
ärgere Sachen passiert sind, als mir ... Was hat man nicht
alles von dem Deckener erzählt, wie er sich mit dem Rede-
row geschossen hat ... und der Ehrenrat hat entschieden,
das Duell darf stattfinden ... Aber wie möcht' der Ehrenrat bei mir entscheiden? – Dummer Bub – dummer Bub ...
und ich bin dagestanden –! heiliger Himmel, es ist doch
ganz egal, ob ein anderer was weiß! ... *ich* weiß es doch,
und das ist die Hauptsache! *Ich* spür', daß ich jetzt wer
anderer bin, als vor einer Stunde – *Ich* weiß, daß ich satisfaktionsunfähig bin, und darum muß ich mich totschießen ... Keine ruhige Minute hätt' ich mehr im Leben ...
immer hätt' ich die Angst, daß es doch einer erfahren
könnt', so oder so ... und daß mir's einer einmal ins Gesicht sagt, was heut' abend gescheh'n ist! – Was für ein
glücklicher Mensch bin ich vor einer Stund' gewesen ...
Muß mir der Kopetzky die Karte schenken – und die
Steffi muß mir absagen, das Mensch! – Von so was hängt
man ab ... Nachmittag war noch alles gut und schön, und
jetzt bin ich ein verlorener Mensch und muß mich totschießen ... Warum renn' ich denn so? Es lauft mir ja
nichts davon ... Wieviel schlagt's denn? ... 1, 2, 3, 4, 5, 6,
7, 8, 9, 10, 11 ... elf, elf ... ich sollt' doch nachtmahlen
geh'n! Irgendwo muß ich doch schließlich hingeh'n ... ich
könnt' mich ja in irgendein Beisl setzen, wo mich kein
Mensch kennt – schließlich, essen muß der Mensch, auch
wenn er sich nachher gleich totschießt ... Haha, der Tod
ist ja kein Kinderspiel ... wer hat das nur neulich gesagt? ... Aber das ist ja ganz egal ...
Ich möcht' wissen, wer sich am meisten kränken möcht'? ...
die Mama, oder die Steffi? ... die Steffi ... Gott, die

Steffi ... die dürft' sich ja nicht einmal was anmerken lassen, sonst gibt »er« ihr den Abschied ... Arme Person! –
Beim Regiment – kein Mensch hätt' eine Ahnung, warum
ich's getan hab' ... sie täten sich alle den Kopf zerbrechen ... warum hat sich denn der Gustl umgebracht? –
Darauf möcht' keiner kommen, daß ich mich hab' totschießen müssen, weil ein elender Bäckermeister, so ein nieder-
trächtiger, der zufällig stärkere Fäust' hat ... es ist ja zu
dumm, zu dumm! – Deswegen soll ein Kerl wie ich, so ein
junger, fescher Mensch ... Ja, nachher möchten's gewiß
alle sagen: das hätt' er doch nicht tun müssen, wegen so
einer Dummheit; ist doch schad'! ... Aber wenn ich jetzt
wen immer fragen tät', jeder möcht' mir die gleiche Antwort geben ... und ich selber, wenn ich mich frag' ... das
ist doch zum Teufelholen ... ganz wehrlos sind wir gegen
die Zivilisten ... Da meinen die Leut', wir sind besser dran,
weil wir einen Säbel haben ... und wenn schon einmal
einer von der Waffe Gebrauch macht, geht's über uns her,
als wenn wir alle die geborenen Mörder wären ... In der
Zeitung möcht's auch steh'n: ... »Selbstmord eines jungen
Offiziers« ... Wie schreiben sie nur immer? ... »Die Motive
sind in Dunkel gehüllt« ... Haha! ... »An seinem Sarge
trauern« ... – Aber es ist ja wahr ... mir ist immer, als
wenn ich mir eine Geschichte erzählen möcht' ... aber es
ist wahr ... ich muß mich umbringen, es bleibt mir ja nichts
anderes übrig – ich kann's ja nicht drauf ankommen lassen,
daß morgen früh der Kopetzky und der Blany mir ihr
Mandat zurückgeben und mir sagen: wir können dir nicht
sekundieren! ... Ich wär' ja ein Schuft, wenn ich's ihnen
zumuten möcht' ... So ein Kerl wie ich, der dasteht und
sich einen dummen Buben heißen läßt ... morgen wissen's
ja alle Leut' ... das ist zu dumm, daß ich mir einen Moment einbilde, so ein Mensch erzählt's nicht weiter ... überall wird er's erzählen ... seine Frau weiß's jetzt schon ...
morgen weiß es das ganze Kaffeehaus ... die Kellner
werd'n's wissen ... der Herr Schlesinger – die Kassierin – –

Und selbst wenn er sich vorgenommen hat, er red't nicht davon, so sagt er's übermorgen ... und wenn er's übermorgen nicht sagt, in einer Woche ... Und wenn ihn heut nacht der Schlag trifft, so weiß ich's ... ich weiß es ... und ich bin nicht der Mensch, der weiter den Rock trägt und den Säbel, wenn ein solcher Schimpf auf ihm sitzt! ... So, ich muß es tun, und Schluß! – Was ist weiter dabei? – Morgen nachmittag könnt' mich der Doktor mit 'm Säbel erschlagen ... so was ist schon einmal dagewesen ... und der Bauer, der arme Kerl, der hat eine Gehirnentzündung 'kriegt und war in drei Tagen hin ... und der Brenitsch ist vom Pferd gestürzt und hat sich 's Genick gebrochen ... und schließlich und endlich: es gibt nichts anderes – für mich nicht, für mich nicht! – Es gibt ja Leut', die's leichter nähmen ... Gott, was gibt's für Menschen! ... Dem Ringeimer hat ein Fleischselcher, wie er ihn mit seiner Frau erwischt hat, eine Ohrfeige gegeben, und er hat quittiert und sitzt irgendwo auf'm Land und hat geheiratet ... Daß es Weiber gibt, die so einen Menschen heiraten! ... – Meiner Seel', ich gäb' ihm nicht die Hand, wenn er wieder nach Wien käm' ... Also, hast's gehört, Gustl: – aus, aus, abgeschlossen mit dem Leben! Punktum und Streusand drauf! ... So, jetzt weiß ich's, die Geschichte ist ganz einfach ... So! Ich bin eigentlich ganz ruhig ... Das hab' ich übrigens immer gewußt: wenn's einmal dazu kommt, werd' ich ruhig sein, ganz ruhig ... aber daß es so dazu kommt, das hab' ich doch nicht gedacht ... daß ich mich umbringen muß, weil so ein ... Vielleicht hab' ich ihn doch nicht recht verstanden ... am End' hat er ganz was anderes gesagt ... Ich war ja ganz blöd von der Singerei und der Hitz' ... vielleicht bin ich verrückt gewesen, und es ist alles gar nicht wahr? ... Nicht wahr, haha, nicht wahr! – Ich hör's ja noch ... es klingt mir noch immer im Ohr ... und ich spür's in den Fingern, wie ich seine Hand vom Säbelgriff hab' wegbringen wollen ... Ein Kraftmensch ist er, ein Jagendorfer ... Ich bin doch auch kein Schwächling ...

der Franziski ist der einzige im Regiment, der stärker ist als
ich . . .
Die Aspernbrücke . . . Wie weit renn' ich denn noch? –
Wenn ich so weiterrenn', bin ich um Mitternacht in Ka-
gran . . . Haha! – Herrgott, froh sind wir gewesen, wie wir
im vorigen September dort eingerückt sind. Noch zwei
Stunden, und Wien . . . todmüd' war ich, wie wir angekom-
men sind . . . den ganzen Nachmittag hab' ich geschlafen
wie ein Stock, und am Abend waren wir schon beim Ron-
acher . . . der Kopetzky, der Ladinser und . . . wer war
denn nur noch mit uns? – Ja, richtig, der Freiwillige, der
uns auf dem Marsch die jüdischen Anekdoten erzählt
hat . . . Manchmal sind's ganz nette Burschen, die Einjähri-
gen . . . aber sie sollten alle nur Stellvertreter werden – denn
was hat das für einen Sinn? Wir müssen uns jahrelang plagen, und so ein Kerl dient ein Jahr und hat genau dieselbe
Distinktion wie wir . . . es ist eine Ungerechtigkeit! – Aber
was geht mich denn das alles an? – Was scher' ich mich
denn um solche Sachen? – Ein Gemeiner von der Verpflegs-
branche ist ja jetzt mehr als ich . . . ich bin ja überhaupt
nicht mehr auf der Welt . . . es ist ja aus mit mir . . . Ehre
verloren, alles verloren! . . . Ich hab' ja nichts anderes zu
tun, als meinen Revolver zu laden und . . . Gustl, Gustl, mir
scheint, du glaubst noch immer nicht recht dran? Komm'
nur zur Besinnung . . . es gibt nichts anderes . . . wenn du
auch dein Gehirn zermarterst, es gibt nichts anderes! – Jetzt
heißt's nur mehr, im letzten Moment sich anständig benehmen, ein Mann sein, ein Offizier sein, so daß der Oberst
sagt: Er ist ein braver Kerl gewesen, wir werden ihm ein
treues Angedenken bewahren! . . . Wieviel Kompagnien
rücken denn aus beim Leichenbegängnis von einem Leutnant? . . . Das müßt' ich eigentlich wissen . . . Haha! wenn
das ganze Bataillon ausrückt, oder die ganze Garnison, und
sie feuern zwanzig Salven ab, davon wach' ich doch nimmer auf! – Vor dem Kaffeehaus, da bin ich im vorigen Sommer einmal mit dem Herrn von Engel gesessen, nach der

Armee-Steeple-Chase ... Komisch, den Menschen hab' ich
seitdem nie wieder geseh'n ... Warum hat er denn das linke
Aug' verbunden gehabt? Ich hab' ihn immer drum fragen
wollen, aber es hätt' sich nicht gehört ... Da geh'n zwei
Artilleristen ... die denken gewiß, ich steig' der Person
nach ... Muß sie mir übrigens anseh'n ... O schrecklich! –
Ich möcht' nur wissen, wie sich so eine ihr Brot verdient ...
da möcht' ich doch eher ... Obzwar in der Not frißt der
Teufel Fliegen ... in Przemysl – mir hat's nachher so ge-
graut, daß ich gemeint hab', nie wieder rühr' ich ein Frauenzimmer an ... Das war eine gräßliche Zeit da oben in Galizien ... eigentlich ein Mordsglück, daß wir nach Wien gekommen sind. Der Bokorny sitzt noch immer in Sambor
und kann noch zehn Jahr dort sitzen und alt und grau
werden ... Aber wenn ich dort geblieben wär', wär' mir
das nicht passiert, was mir heut passiert ist ... und ich
möcht' lieber in Galizien alt und grau werden, als daß ... als
was? als was? – Ja, was ist denn? was ist denn? – Bin ich denn
wahnsinnig, daß ich das immer vergeß'? – Ja, meiner Seel',
vergessen tu' ich's jeden Moment ... ist das schon je erhört
worden, daß sich einer in ein paar Stunden eine Kugel
durch'n Kopf jagen muß, und er denkt an alle möglichen
Sachen, die ihn gar nichts mehr angeh'n? Meiner Seel', mir
ist geradeso, als wenn ich einen Rausch hätt'! Haha! ein
schöner Rausch! ein Mordsrausch! ein Selbstmordsrausch!
– Ha! Witze mach' ich, das ist sehr gut! – Ja, ganz gut aufgelegt bin ich – so was muß doch angeboren sein ... Wahrhaftig, wenn ich's einem erzählen möcht', er würd' es nicht
glauben. – Mir scheint, wenn ich das Ding bei mir hätt' ...
jetzt würd' ich abdrücken – in einer Sekunde ist alles vorbei ... Nicht jeder hat's so gut – andere müssen sich mo-
natelang plagen ... meine arme Cousin', zwei Jahr ist sie
gelegen, hat sich nicht rühren können, hat die gräßlichsten
Schmerzen g'habt – so ein Jammer! ... Ist es nicht besser,
wenn man das selber besorgt? Nur Obacht geben heißt's,
gut zielen, daß einem nicht am End' das Malheur passiert,

wie dem Kadett-Stellvertreter im vorigen Jahr ... Der arme
Teufel, gestorben ist er nicht, aber blind ist er geworden ...
Was mit dem nur geschehen ist? Wo er jetzt lebt? – Schrecklich, so herumlaufen, wie der – das heißt: herumlaufen
kann er nicht, g'führt muß er werden – so ein junger
Mensch, kann heut noch keine Zwanzig sein ... seine Geliebte hat er besser getroffen ... gleich war sie tot ... Unglaublich, weswegen sich die Leut' totschießen! Wie kann
man überhaupt nur eifersüchtig sein? ... Mein Lebtag hab'
ich so was nicht gekannt ... Die Steffi ist jetzt gemütlich
in der Gartenbaugesellschaft; dann geht sie mit »ihm« nach
Haus ... Nichts liegt mir dran, gar nichts! Hübsche Ein-
richtung hat sie – das kleine Badezimmer mit der roten
Latern'. – Wie sie neulich in dem grünseidenen Schlafrock
hereingekommen ist ... den grünen Schlafrock werd' ich
auch nimmer seh'n – und die ganze Steffi auch nicht ...
und die schöne, breite Treppe in der Gußhausstraße werd'
ich auch nimmer hinaufgeh'n ... Das Fräulein Steffi wird
sich weiter amüsieren, als wenn gar nichts gescheh'n wär' ...
nicht einmal erzählen darf sie's wem, daß ihr lieber Gustl
sich umgebracht hat ... Aber weinen wird's schon – ah ja,
weinen wird's ... Überhaupt, weinen werden gar viele
Leut' ... Um Gottes willen, die Mama! – Nein, nein, daran
darf ich nicht denken. – Ah, nein, daran darf absolut nicht
gedacht werden ... An Zuhaus wird nicht gedacht, Gustl,
verstanden? – nicht mit dem allerleisesten Gedanken ...
Das ist nicht schlecht, jetzt bin ich gar im Prater ... mitten
in der Nacht ... das hätt' ich mir auch nicht gedacht in der
Früh, daß ich heut' nacht im Prater spazieren geh'n
werd' ... Was sich der Sicherheitswachmann dort denkt? ...
Na, geh'n wir nur weiter ... es ist ganz schön ... Mit'm
Nachtmahlen ist's eh' nichts, mit dem Kaffeehaus auch
nichts; die Luft ist angenehm, und ruhig ist es ... sehr ...
Zwar, ruhig werd' ich's jetzt bald haben, so ruhig, als ich's
mir nur wünschen kann. Haha! – aber ich bin ja ganz außer
Atem ... ich bin ja gerannt wie nicht g'scheit ... lang-

samer, langsamer, Gustl, versäumst nichts, hast gar nichts
mehr zu tun – gar nichts, aber absolut nichts mehr! – Mir
scheint gar, ich fröstel'? – Es wird halt doch die Aufregung
sein ... dann hab' ich ja nichts gegessen ... Was riecht denn
da so eigentümlich? ... es kann doch noch nichts blühen?
... Was haben wir denn heut'? – den vierten April ... freilich, es hat viel geregnet in den letzten Tagen ... aber die
Bäume sind beinah' noch ganz kahl ... und dunkel ist es,
hu! man könnt' schier Angst kriegen ... Das ist eigentlich
das einzigemal in meinem Leben, daß ich Furcht gehabt
hab', als kleiner Bub, damals im Wald ... aber ich war ja
gar nicht so klein ... vierzehn oder fünfzehn ... Wie lang
ist das jetzt her? – neun Jahr' ... freilich – mit achtzehn
war ich Stellvertreter, mit zwanzig Leutnant ... und im
nächsten Jahr werd' ich ... Was werd ich im nächsten
Jahr? Was heißt das überhaupt: nächstes Jahr? Was heißt
das: in der nächsten Woche? Was heißt das: übermorgen?
... Wie? Zähneklappern? Oho! – Na lassen wir's nur ein
bissel klappern ... Herr Leutnant, Sie sind jetzt allein,
brauchen niemandem einen Pflanz vorzumachen ... es ist
bitter, es ist bitter ...
Ich will mich auf die Bank setzen ... Ah! – wie weit bin
ich denn da? – So eine Dunkelheit! Das da hinter mir, das
muß das zweite Kaffeehaus sein ... bin ich im vorigen
Sommer auch einmal gewesen, wie unsere Kapelle konzertiert hat ... mit'm Kopetzky und mit'm Rüttner – noch ein
paar waren dabei ... – Ich bin aber müd' ... nein, ich bin
müd', als wenn ich einen Marsch von zehn Stunden gemacht hätt' ... Ja, das wär' sowas, da einschlafen. – Ha!
ein obdachloser Leutnant ... Ja, ich sollt' doch eigentlich
nach Haus ... was tu' ich denn zu Haus? aber was tu' ich
denn im Prater? – Ah, mir wär' am liebsten, ich müßt' gar
nicht aufsteh'n – da einschlafen und nimmer aufwachen ...
ja, das wär' halt bequem! – Nein, so bequem wird's Ihnen
nicht gemacht, Herr Leutnant ... Aber wie und wann? –
Jetzt könnt' ich mir doch endlich einmal die Geschichte

ordentlich überlegen ... überlegt muß ja alles werden ... so
ist es schon einmal im Leben ... Also überlegen wir ... Was
denn? ... – Nein, ist die Luft gut ... man sollt' öfters bei
der Nacht in' Prater geh'n ... Ja, das hätt' mir eben früher
einfallen müssen, jetzt ist's aus mit'm Prater, mit der Luft
und mit'm Spazierengeh'n ... Ja, also was ist denn? – Ah,
fort mit dem Kappl, mir scheint, das drückt mir aufs Gehirn ... ich kann ja gar nicht ordentlich denken ... Ah ...
so! ... also jetzt Verstand zusammennehmen, Gustl ... letzte
Verfügungen treffen! Also morgen früh wird Schluß gemacht ... morgen früh um sieben Uhr ... sieben Uhr ist
eine schöne Stund'. Haha! – also um acht, wenn die Schul'
anfangt, ist alles vorbei ... der Kopetzky wird aber keine
Schul' halten können, weil er zu sehr erschüttert sein
wird ... Aber vielleicht weiß er's noch gar nicht ... man
braucht ja nichts zu hören ... Den Max Lippay haben sie
auch erst am Nachmittag gefunden, und in der Früh hat er
sich erschossen, und kein Mensch hat was davon gehört ...
Aber was geht mich das an, ob der Kopetzky Schul' halten
wird oder nicht? ... Ha! – also um sieben Uhr! – Ja ... na,
was denn noch? ... Weiter ist ja nichts zu überlegen. Im
Zimmer schieß' ich mich tot, und dann is basta! Montag ist
die Leich' ... Einen kenn' ich, der wird eine Freud' haben:
das ist der Doktor ... Duell kann nicht stattfinden wegen
Selbstmord des einen Kombattanten ... Was sie bei Mannheimers sagen werden? – Na, er wird sich nicht viel draus
machen ... aber die Frau, die hübsche, blonde ... mit der
war was zu machen ... O ja, mir scheint, bei der hätt' ich
Chance gehabt, wenn ich mich nur ein bissl zusammengenommen hätt' ... ja, das wär' doch was anders gewesen, als
die Steffi, dieses Mensch ... Aber faul darf man halt nicht
sein ... da heißt's: Cour machen, Blumen schicken, vernünftig reden ... das geht nicht so, daß man sagt: Komm' morgen nachmittag zu mir in die Kasern'! ... Ja, so eine anständige Frau, das wär' halt was g'wesen ... Die Frau von
meinem Hauptmann in Przemysl, das war ja doch keine

anständige Frau ... ich könnt' schwören: der Libitzky und
der Wermutek und der schäbige Stellvertreter, der hat sie
auch g'habt ... Aber die Frau Mannheimer ... ja, das wär'
was anders, das wär' doch auch ein Umgang gewesen, das
hätt' einen beinah' zu einem andern Menschen gemacht – da
hätt' man doch noch einen andern Schliff gekriegt – da
hätt' man einen Respekt vor sich selber haben dürfen. – –
Aber ewig diese Menscher ... und so jung hab' ich ang'fangen – ein Bub war ich ja noch, wie ich damals den ersten
Urlaub gehabt hab' und in Graz bei den Eltern zu Haus
war ... der Riedl war auch dabei – eine Böhmin ist es gewesen ... die muß doppelt so alt gewesen sein wie ich – in
der Früh bin ich erst nach Haus gekommen ... Wie mich
der Vater ang'schaut hat ... und die Klara ... Vor der
Klara hab' ich mich am meisten g'schämt ... Damals war
sie verlobt ... warum ist denn nichts draus geworden? Ich
hab' mich eigentlich nicht viel drum gekümmert ... Armes
Hascherl, hat auch nie Glück gehabt – und jetzt verliert sie
noch den einzigen Bruder ... Ja, wirst mich nimmer seh'n,
Klara – aus! Was, das hast du dir nicht gedacht, Schwesterl,
wie du mich am Neujahrstag zur Bahn begleitet hast, daß
du mich nie wieder seh'n wirst? – und die Mama ... Herrgott, die Mama ... nein, ich darf daran nicht denken ...
wenn ich daran denk', bin ich imstand, eine Gemeinheit zu
begehen ... Ah ... wenn ich zuerst noch nach Haus fahren
möcht' ... sagen, es ist ein Urlaub auf einen Tag ... noch
einmal den Papa, die Mama, die Klara seh'n, bevor ich
einen Schluß mach' ... Ja, mit dem ersten Zug um sieben
kann ich nach Graz fahren, um eins bin ich dort ... Grüß
dich Gott, Mama ... Servus, Klara! Na, wie geht's euch
denn? ... Nein, das ist eine Überraschung! ... Aber sie
möchten was merken ... wenn niemand anders ... die
Klara ... die Klara gewiß ... Die Klara ist ein so geschei-
tes Mädel ... Wie lieb sie mir neulich geschrieben hat, und
ich bin ihr noch immer die Antwort schuldig – und die
guten Ratschläge, die sie mir immer gibt ... ein so seelen-

gutes Geschöpf ... Ob nicht alles ganz anders geworden
wär', wenn ich zu Haus geblieben wär'? Ich hätt' Ökonomie
studiert, wär' zum Onkel gegangen ... sie haben's ja alle
wollen, wie ich noch ein Bub war ... Jetzt wär' ich am
End' schon verheiratet, ein liebes, gutes Mädel ... vielleicht
die Anna, die hat mich so gern gehabt ... auch jetzt hab'
ich's noch gemerkt, wie ich das letztemal zu Haus war, obzwar sie schon einen Mann hat und zwei Kinder ... ich
hab's g'sehn', wie sie mich ang'schaut hat ... Und noch immer sagt sie mir »Gustl« wie früher ... Der wird's ordentlich in die Glieder fahren, wenn sie erfährt, was es mit mir
für ein End' genommen hat – aber ihr Mann wird sagen:
Das hab' ich voraus gesehen – so ein Lump! – Alle werden
meinen, es ist, weil ich Schulden gehabt hab' ... und es ist
doch gar nicht wahr, es ist doch alles bezahlt ... nur die
letzten hundertsechzig Gulden – na, und die sind morgen
da ... Ja, dafür muß ich auch noch sorgen, daß der Ballert
die hundertsechzig Gulden kriegt ... das muß ich nieder-
schreiben, bevor ich mich erschieß' ... Es ist schrecklich, es
ist schrecklich! ... Wenn ich lieber auf und davon fahren
möcht' – nach Amerika, wo mich niemand kennt ... In
Amerika weiß kein Mensch davon, was hier heut' abend
gescheh'n ist ... da kümmert sich kein Mensch drum ...
Neulich ist in der Zeitung gestanden von einem Grafen
Runge, der hat fortmüssen wegen einer schmutzigen Geschichte, und jetzt hat er drüben ein Hotel und pfeift auf
den ganzen Schwindel ... Und in ein paar Jahren könnt'
man ja wieder zurück ... nicht nach Wien natürlich ...
auch nicht nach Graz ... aber aufs Gut könnt' ich ... und
der Mama und dem Papa und der Klara möchts doch tau-
sendmal lieber sein, wenn ich nur lebendig blieb' ... Und
was geh'n mich denn die andern Leut' an? Wer meint's
denn sonst gut mit mir? – Außerm Kopetzky könnt' ich
allen gestohlen werden ... der Kopetzky ist doch der einzige ... Und gerad der hat mir heut das Billett geben müssen ... und das Billett ist an allem schuld ... ohne das

Billett wär' ich nicht ins Konzert gegangen, und alles das
wär' nicht passiert ... Was ist denn nur passiert? ... Es ist
grad', als wenn hundert Jahr seitdem vergangen wären, und
es kann noch keine zwei Stunden sein ... Vor zwei Stunden
hat mir einer »dummer Bub« gesagt und hat meinen Säbel
zerbrechen wollen ... Herrgott, ich fang' noch zu schreien
an mitten in der Nacht! Warum ist denn das alles gescheh'n? Hätt' ich nicht länger warten können, bis ganz leer
wird in der Garderobe? Und warum hab' ich ihm denn nur
gesagt: »Halten Sie's Maul!« Wie ist mir denn das nur aus-
gerutscht? Ich bin doch sonst ein höflicher Mensch ... nicht
einmal mit meinem Burschen bin ich sonst so grob ... aber
natürlich, nervös bin ich gewesen – alle die Sachen, die da
zusammengekommen sind ... das Pech im Spiel und die
ewige Absagerei von der Steffi – und das Duell morgen
nachmittag – und zu wenig schlafen tu' ich in der letzten
Zeit – und die Rackerei in der Kasern' – das halt' man auf
die Dauer nicht aus! ... Ja, über kurz oder lang wär' ich
krank geworden – hätt' um einen Urlaub einkommen müssen ... Jetzt ist es nicht mehr notwendig – jetzt kommt ein
langer Urlaub – mit Karenz der Gebühren – haha! ...
Wie lang werd' ich denn da noch sitzen bleiben? Es muß
Mitternacht vorbei sein ... hab' ich's nicht früher schlagen
hören? – Was ist denn das ... ein Wagen fährt da? Um die
Zeit? Gummiradler – kann mir schon denken ... Die haben's
besser wie ich – vielleicht ist es der Ballert mit der Berta ...
Warum soll's grad' der Ballert sein? – Fahr' nur zu! – Ein
hübsches Zeug'l hat Seine Hoheit in Pzremysl gehabt ...
mit dem ist er immer in die Stadt hinuntergefahren zu der
Rosenberg ... Sehr leutselig war Seine Hoheit – ein echter
Kamerad, mit allen auf du und du ... War doch eine schöne
Zeit ... obzwar ... die Gegend war trostlos und im Som-
mer zum verschmachten ... an einem Nachmittag sind ein-
mal drei vom Sonnenstich getroffen worden ... auch der
Korporal von meinem Zug – ein so verwendbarer Mensch
... Nachmittag haben wir uns nackt aufs Bett hingelegt. –

Einmal ist plötzlich der Wiesner zu mir hereingekommen; ich muß grad' geträumt haben und steh' auf und zieh' den Säbel, der neben mir liegt ... muß gut ausg'schaut haben ... der Wiesner hat sich halb tot gelacht – der ist jetzt schon Rittmeister ... – Schad', daß ich nicht zur Kavallerie gegangen bin ... aber das hat der Alte nicht wollen – wär' ein zu teurer Spaß gewesen – jetzt ist es ja doch alles eins ... Warum denn? – Ja, ich ich weiß schon: sterben muß ich, darum ist es alles eins – sterben muß ich ... Also wie? – Schau, Gustl, du bist doch extra da herunter in den Prater gegangen, mitten in der Nacht, wo dich keine Menschenseele stört – jetzt kannst du dir alles ruhig überlegen ... Das ist ja lauter Unsinn mit Amerika und quittieren, und du bist ja viel zu dumm, um was anderes anzufangen – und wenn du hundert Jahr alt wirst, und du denkst dran, daß dir einer hat den Säbel zerbrechen wollen und dich einen dummen Buben geheißen, und du bist dag'standen und hast nichts tun können – nein, zu überlegen ist da gar nichts – gescheh'n ist gescheh'n – auch das mit der Mama und mit der Klara ist ein Unsinn – die werden's schon verschmerzen – man verschmerzt alles ... Wie hat die Mama gejammert, wie ihr Bruder gestorben ist – und nach vier Wochen hat sie kaum mehr dran gedacht ... auf den Friedhof ist sie hinausgefahren ... zuerst alle Wochen, dann alle Monat – und jetzt nur mehr am Todestag. – – Morgen ist mein Todestag – fünfter April. – – Ob sie mich nach Graz überführen? Haha! da werden die Würmer in Graz eine Freud' haben! – Aber das geht mich nichts an – darüber sollen sich die andern den Kopf zerbrechen ... Also, was geht mich denn eigentlich an? ... Ja, die hundertsechzig Gulden für den Ballert – das ist alles – weiter brauch ich keine Verfügungen zu treffen. – Briefe schreiben? Wozu denn? An wen denn? ... Abschied nehmen? – Ja, zum Teufel hinein, das ist doch deutlich genug, wenn man sich totschießt! – Dann merken's die andern schon, daß man Abschied genommen hat ... Wenn die Leut' wüß-

ten, wie egal mir die ganze Geschichte ist, möchten sie mich
gar nicht bedauern – ist eh' nicht schad' um mich ... Und
was hab' ich denn vom ganzen Leben gehabt? – Etwas hätt'
ich gern noch mitgemacht: einen Krieg – aber da hätt' ich
lang' warten können ... Und alles übrige kenn' ich ... Ob
so ein Mensch Steffi oder Kunigunde heißt, bleibt sich
gleich. – – Und die schönsten Operetten kenn' ich auch –
und im Lohengrin bin ich zwölfmal drin gewesen – und
heut' abend war ich sogar bei einem Oratorium – und ein
Bäckermeister hat mich einen dummen Buben geheißen –
meiner Seel', es ist grad' genug! – Und ich bin gar nimmer
neugierig ... – Also geh'n wir nach Haus, langsam, ganz
langsam ... Eile hab' ich ja wirklich keine. – Noch ein paar
Minuten ausruhen da im Prater, auf einer Bank – obdach-
los. – Ins Bett leg' ich mich ja doch nimmer – hab' ja genug
Zeit zum Ausschlafen. – – Ah, die Luft! – Die wird mir
abgeh'n ...

Was ist denn? – He, Johann, bringen S' mir ein Glas fri-
sches Wasser ... Was ist? ... Wo ... Ja, träum' ich denn?
... Mein Schädel ... o, Donnerwetter ... Fischamend ...
Ich bring' die Augen nicht auf! – Ich bin ja angezogen! –
Wo sitz ich denn? – Heiliger Himmel, eingeschlafen bin
ich! Wie hab' ich denn nur schlafen können; es dämmert ja
schon! – Wie lang' hab' ich denn geschlafen? – Muß auf
die Uhr schau'n ... Ich seh' nichts? ... Wo sind denn
meine Zündhölzeln? ... Na, brennt eins an? ... Drei ...
und ich soll mich um vier duellieren – nein, nicht duellieren – totschießen soll ich mich! – Es ist gar nichts mit dem
Duell; ich muß mich totschießen, weil ein Bäckermeister
mich einen dummen Buben genannt hat ... Ja, ist es denn
wirklich g'scheh'n? – Mir ist im Kopf so merkwürdig ...
wie in einem Schraubstock ist mein Hals – ich kann mich
gar nicht rühren – das rechte Bein ist eingeschlafen. – Aufstehn! Aufstehn! ... Ah, so ist es besser! – Es wird schon
lichter ... Und die Luft ... ganz wie damals in der Früh,

wie ich auf Vorposten war und im Wald kampiert hab' ...
Das war ein anderes Aufwachen – da war ein anderer Tag
vor mir ... Mir scheint, ich glaub's noch nicht recht – Da
liegt die Straße, grau, leer – ich bin jetzt sicher der einzige
Mensch im Prater. – Um vier Uhr früh war ich schon einmal herunten, mit'm Pausinger – geritten sind wir – ich auf
dem Pferd vom Hauptmann Mirovic und der Pausinger
auf seinem eigenen Krampen – das war im Mai, im vorigen
Jahr – da hat schon alles geblüht – alles war grün. Jetzt
ist's noch kahl – aber der Frühling kommt bald – in ein
paar Tagen ist er schon da. – Maiglöckerln, Veigerln –
schad', daß ich nichts mehr davon haben werd' – jeder
Schubiak hat was davon, und ich muß sterben! Es ist ein
Elend! Und die andern werden im Weingartl sitzen beim
Nachtmahl, als wenn gar nichts g'wesen wär' – so wie wir
alle im Weingartl g'sessen sind, noch am Abend nach dem
Tag, wo sie den Lippay hinausgetragen haben ... Und der
Lippay war so beliebt ... sie haben ihn lieber g'habt, als
mich, beim Regiment – warum sollen sie denn nicht im
Weingartl sitzen, wenn ich abkratz'? – Ganz warm ist es –
viel wärmer als gestern – und so ein Duft – es muß doch
schon blühen ... Ob die Steffi mir Blumen bringen wird? –
Aber fallt ihr ja gar nicht ein! Die wird grad' hinausfah-
ren ... Ja, wenn's noch die Adel' wär' ... Nein, die Adel'!
Mir scheint, seit zwei Jahren hab' ich an die nicht mehr
gedacht ... mein Lebtag hab' ich kein Frauenzimmer so
weinen geseh'n ... Das war doch eigentlich das Hübscheste,
was ich erlebt hab' ... So bescheiden, so anspruchslos, wie
die war – die hat mich gern gehabt, da könnt' ich drauf
schwören – War doch was ganz anderes, als die Steffi ...
Ich möcht' nur wissen, warum ich die aufgegeben hab' ...
so eine Eselei! Zu fad ist es mir geworden, ja, das war das
Ganze ... So jeden Abend mit ein und demselben ausgeh'n ... Dann hab' ich eine Angst g'habt, daß ich überhaupt nimmer loskomm' – eine solche Raunzen – – Na,
Gustl, hätt'st schon noch warten können – war doch die

einzige, die dich gern gehabt hat ... Was sie jetzt macht?
Na was wird s' machen? – Jetzt wird s' halt einen andern
haben ... Freilich, das mit der Steffi ist bequemer – wenn
man nur gelegentlich engagiert ist und ein anderer hat die
ganzen Unannehmlichkeiten, und ich hab' nur das Vergnügen ... Ja, da kann man auch nicht verlangen, daß sie auf
den Friedhof hinauskommt ... Wer ging denn überhaupt
mit, wenn er nicht müßt'! – Vielleicht der Kopetzky, und
dann wär' Rest! – Ist doch traurig, so gar niemanden zu
haben ...

Aber so ein Unsinn! der Papa und die Mama und die
Klara ... Ja, ich bin halt der Sohn, der Bruder ... aber
was ist denn weiter zwischen uns? gern haben sie mich
ja – aber was wissen sie denn von mir? – Daß ich meinen
Dienst mach', daß ich Karten spiel' und daß ich mit Men-
schern herumlauf' ... aber sonst? – Daß mich manchmal
selber vor mir graust, das hab' ich ihnen ja doch nicht geschrieben – na, mir scheint, ich hab's auch selber gar nicht
recht gewußt – Ah was, kommst du jetzt mit solchen Sachen, Gustl? Fehlt nur noch, daß du zum Weinen anfangst
... pfui Teufel! – Ordentlich Schritt ... so! Ob man zu
einem Rendezvous geht oder auf Posten oder in die Schlacht
... wer hat das nur gesagt? ... ah ja, der Major Lederer, in
der Kantin', wie man von dem Wingleder erzählt hat, der
so blaß geworden ist vor seinem ersten Duell – und gespie-
ben hat ... Ja: ob man zu einem Rendezvous geht oder in
den sichern Tod, am Gang und am G'sicht läßt sich das der
richtige Offizier nicht anerkennen! – Also Gustl – der Major Lederer hat's g'sagt! ha! –

Immer lichter ... man könnt' schon lesen ... Was pfeift
denn da? ... Ah, drüben ist der Nordbahnhof ... Die Te-
getthoffsäule ... so lang hat sie noch nie ausg'schaut ... Da
drüben stehen Wagen ... Aber nichts als Straßenkehrer auf
der Straße ... meine letzten Straßenkehrer – ha! ich muß
immer lachen, wenn ich dran denk' ... das versteh' ich gar
nicht ... Ob das bei allen Leuten so ist, wenn sie's einmal

ganz sicher wissen? Halb vier auf der Nordbahnuhr ...
jetzt ist nur die Frage, ob ich mich um sieben nach Bahnzeit
oder nach Wiener Zeit erschieß'? ... Sieben ... ja, warum
grad' sieben? ... Als wenn's gar nicht anders sein könnt' ...
Hunger hab' ich – meiner Seel', ich hab' Hunger – kein
Wunder ... seit wann hab' ich denn nichts gegessen? ...
Seit – seit gestern sechs Uhr abends im Kaffeehaus ... ja!
Wie mir der Kopetzky das Billett gegeben hat – eine Melange und zwei Kipfel. – Was der Bäckermeister sagen wird,
wenn er's erfahrt? ... der verfluchte Hund! – Ah, der wird
wissen, warum – dem wird der Knopf aufgeh'n – der wird
draufkommen, was es heißt: Offizier! – So ein Kerl kann
sich auf offener Straße prügeln lassen, und es hat keine
Folgen, und unsereiner wird unter vier Augen insultiert und
ist ein toter Mann ... Wenn sich so ein Fallot wenigstens
schlagen möcht' – aber nein, da wär' er ja vorsichtiger, da
möcht' er sowas nicht riskieren ... Und der Kerl lebt weiter, ruhig weiter, während ich – krepieren muß! – Der hat
mich doch umgebracht ... Ja, Gustl, merkst d' was? – der
ist es, der dich umbringt! Aber so glatt soll's ihm doch
nicht ausgeh'n! – Nein, nein, nein! Ich werd' dem Kopetzky
einen Brief schreiben, wo alles drinsteht, die ganze
G'schicht' schreib' ich auf ... oder noch besser: ich schreib's
dem Obersten, ich mach' eine Meldung ans Regimentskommando ... ganz wie eine dienstliche Meldung ... Ja, wart',
du glaubst, daß sowas geheim bleiben kann? – Du irrst
dich – aufgeschrieben wird's zum ewigen Gedächtnis, und
dann möcht' ich sehen, ob du dich noch ins Kaffeehaus
traust – Ha! – »das möcht' ich sehen,« ist gut! ... Ich
möcht' noch manches gern sehen, wird nur leider nicht
möglich sein – aus is! –
Jetzt kommt der Johann in mein Zimmer, jetzt merkt er,
daß der Herr Leutnant nicht zu Haus geschlafen hat. – Na,
alles mögliche wird er sich denken; aber daß der Herr Leutnant im Prater übernachtet hat, das, meiner Seel', das
nicht ... Ah, die Vierundvierziger! zur Schießstätte mar-

schieren s' – lassen wir sie vorübergeh'n ... so, stellen wir
uns daher ... – Da oben wird ein Fenster aufgemacht
– hübsche Person – na, ich möcht' mir wenigstens ein Tüchel
umnehmen, wenn ich zum Fenster geh' ... Vorigen Sonntag
war's zum letztenmal ... Daß grad' die Steffi die letzte
sein wird, hab' ich mir nicht träumen lassen. – Ach Gott,
das ist doch das einzige reelle Vergnügen ... Na ja, der
Herr Oberst wird in zwei Stunden nobel nachreiten ... die
Herren haben's gut – ja, ja, rechts g'schaut! – Ist schon
gut ... Wenn ihr wüßtet, wie ich auf euch pfeif'! – Ah, das
ist nicht schlecht: der Katzer ... seit wann ist denn der zu
den Vierundvierzigern übersetzt? – Servus, servus! – Was
der für ein G'sicht macht? ... Warum deut' er denn auf
seinen Kopf? – Mein Lieber, dein Schädel interessiert mich
sehr wenig ... Ah, so! Nein, mein Lieber, du irrst dich: im
Prater hab' ich übernachtet ... wirst schon heut' im Abend-
blatt lesen. – »Nicht möglich!« wird er sagen, »heut' früh,
wie wir zur Schießstätte ausgerückt sind, hab' ich ihn noch
auf der Praterstraße getroffen!« – Wer wird denn meinen
Zug kriegen? – Ob sie ihn dem Walterer geben werden? –
Na, da wird was Schönes herauskommen – ein Kerl ohne
Schneid, der hätt' auch lieber Schuster werden sollen ...
Was, geht schon die Sonne auf? – Das wird heut ein schöner Tag – so ein rechter Frühlingstag ... Ist doch eigentlich
zum Teufelholen! – der Komfortabelkutscher wird noch
um achte in der Früh auf der Welt sein, und ich ... na,
was ist denn das? He, das wär' sowas – noch im letzten
Moment die Kontenance verlieren wegen einem Komfortabelkutscher ... Was ist denn das, daß ich auf einmal so
ein blödes Herzklopfen krieg'? – Das wird doch nicht deswegen sein ... Nein, o nein ... es ist, weil ich so lang'
nichts gegessen hab'. – – Aber Gustl, sei doch aufrichtig mit
dir selber: – Angst hast du – Angst, weil du's noch nie pro-
biert hast ... Aber das hilft dir ja nichts, die Angst hat
noch keinem was geholfen, jeder muß es einmal durch-
machen, der eine früher, der andere später, und du kommst

halt früher dran ... Viel wert bist du ja nie gewesen, so
benimm dich wenigstens anständig zu guter Letzt, das ver-
lang' ich von dir! – So, jetzt heißt's nur überlegen – aber
was denn? ... Immer will ich mir was überlegen ... ist
doch ganz einfach: – im Nachtkastelladel liegt er, geladen
ist er auch, heißt's nur: losdrucken – das wird doch keine
Kunst sein! – –
Die geht schon ins Geschäft ... die armen Mädeln! die
Adel' war auch in einem G'schäft – ein paarmal hab' ich
sie am Abend abg'holt ... Wenn sie in einem Geschäft sind,
werd'n sie doch keine solchen Menscher ... Wenn die Steffi
mir allein g'hören möcht', ich ließ sie Modistin werden oder
sowas ... Wie wird sie's denn erfahren? – Aus der Zeitung! ... Sie wird sich ärgern, daß ich ihr's nicht geschrieben hab' ... Mir scheint, ich schnapp' doch noch über ...
Was geht denn das mich an, ob sie sich ärgert ... Wie lang'
hat denn die ganze G'schicht gedauert? ... Seit'm Jän-
ner? ... Ah nein, es muß doch schon vor Weihnachten gewesen sein ... ich hab' ihr ja aus Graz Zuckerln mitge-
bracht, und zu Neujahr hat sie mir ein Brieferl g'schickt ...
Richtig, die Briefe, die ich zu Haus hab', – sind keine da,
die ich verbrennen sollt'? ... Hm, der vom Fallsteiner –
wenn man den Brief findet ... der Bursch könnt' Unannehmlichkeiten haben ... Was mir das schon aufliegt! –
Na, es ist ja keine große Anstrengung ... aber hervor-
suchen kann ich den Wisch nicht ... Das beste ist, ich ver-
brenn' alles zusammen ... wer braucht's denn? Ist lauter
Makulatur. – – Und meine paar Bücher könnt' ich dem
Blany vermachen. – »Durch Nacht und Eis« ... schad',
daß ich's nimmer auslesen kann ... bin wenig zum Lesen
gekommen in der letzten Zeit ... Orgel – ah, aus der
Kirche ... Frühmesse – bin schon lang bei keiner gewesen
... das letztemal im Feber, wie mein Zug dazu kommandiert war ... Aber das galt nichts – ich hab' auf meine
Leut' aufgepaßt, ob sie andächtig sind und sich ordentlich
benehmen ... – Möcht' in die Kirche hineingeh'n ... am

End' ist doch was dran ... – Na, heut nach Tisch werd'
ich's schon genau wissen ... Ah, »nach Tisch« ist sehr gut!
... Also, was ist, soll ich hineingeh'n? – Ich glaub', der
Mama wär's ein Trost, wenn sie das wüßt'! ... Die Klara
gibt weniger drauf ... Na, geh'n wir hinein – schaden
kann's ja nicht!
Orgel – Gesang – hm! – was ist denn das? – Mir ist ganz
schwindlig ... O Gott, o Gott, o Gott! ich möcht' einen
Menschen haben, mit dem ich ein Wort reden könnt' vorher! – Das wär' so was – zur Beicht' geh'n! Der möcht'
Augen machen, der Pfaff', wenn ich zum Schluß sagen
möcht': Habe die Ehre, Hochwürden; jetzt geh' ich mich
umbringen! ... – Am liebsten läg' ich da auf dem Stein-
boden und tät' heulen ... Ah nein, das darf man nicht tun!
Aber weinen tut manchmal so gut ... Setzen wir uns einen
Moment – aber nicht wieder einschlafen wie im Prater! ...
– Die Leut', die eine Religion haben, sind doch besser
dran ... Na, jetzt fangen mir gar die Händ' zu zittern
an! ... Wenn's so weitergeht, werd' ich mir selber auf die
Letzt' so ekelhaft, daß ich mich vor lauter Schand' um-
bring'! – Das alte Weib da – um was betet denn die noch?
... Wär' eine Idee, wenn ich ihr sagen möcht': Sie, schließen Sie mich auch ein ... ich hab' das nicht ordentlich gelernt, wie man das macht ... Ha! mir scheint, das Sterben
macht blöd'! – Aufsteh'n! – Woran erinnert mich denn nur
die Melodie? – Heiliger Himmel! gestern abend! – Fort,
fort! das halt' ich gar nicht aus! ... Pst! keinen solchen
Lärm, nicht mit dem Säbel schleppern – die Leut' nicht in
der Andacht stören – so! – doch besser im Freien ... Licht
... Ah, es kommt immer näher – wenn es lieber schon vorbei wär'! – Ich hätt's gleich tun sollen – im Prater ... man
sollt' nie ohne Revolver ausgehn ... Hätt' ich gestern abend
einen gehabt ... Herrgott noch einmal! – In das Kaffeehaus
könnt' ich geh'n frühstücken ... Hunger hab' ich ... Früher ist's mir immer sonderbar vorgekommen, daß die Leut',
die verurteilt sind, in der Früh noch ihren Kaffee trinken

und ihr Zigarrl rauchen ... Donnerwetter, geraucht hab'
ich gar nicht! gar keine Lust zum Rauchen! – Es ist komisch: ich hätt' Lust, in mein Kaffeehaus zu geh'n ... Ja,
aufgesperrt ist schon, und von uns ist jetzt doch keiner
dort – und wenn schon ... ist höchstens ein Zeichen von
Kaltblütigkeit. »Um sechs hat er noch im Kaffeehaus ge-
frühstückt, und um sieben hat er sich erschossen« ... –
Ganz ruhig bin ich wieder ... das Gehen ist so angenehm –
und das Schönste ist, daß mich keiner zwingt. – Wenn ich
wollt', könnt' ich noch immer den ganzen Krempel hin-
schmeißen ... Amerika ... Was ist das: »Krempel«? *Was*
ist ein »Krempel«? Mir scheint, ich hab' den Sonnenstich! ...
Oho, bin ich vielleicht deshalb so ruhig, weil ich mir immer
noch einbild', ich muß nicht? ... Ich muß! Ich muß! Nein,
ich will! – Kannst du dir denn überhaupt vorstellen, Gustl,
daß du dir die Uniform ausziehst und durchgehst? Und der
verfluchte Hund lacht sich den Buckel voll – und der
Kopetzky selbst möcht' dir nicht mehr die Hand geben ...
Mir kommt vor, ich bin ganz rot geworden. – – Der Wach-
mann salutiert mir ... ich muß danken ... »Servus!« –
Jetzt hab' ich gar »Servus« gesagt! ... Das freut so einen
armen Teufel immer ... Na, über mich hat sich keiner zu
beklagen gehabt – außer Dienst war ich immer gemütlich. –
Wie wir auf Manöver waren, hab' ich den Chargen von der
Kompagnie Britannikas geschenkt; – einmal hab' ich gehört, wie ein Mann hinter mir bei den Gewehrgriffen was
von »verfluchter Rackerei« g'sagt hat, und ich hab' ihn
nicht zum Rapport geschickt – ich hab' ihm nur gesagt:
»Sie, passen S' auf, das könnt' einmal wer anderer hören –
da ging's Ihnen schlecht!« ... Der Burghof ... Wer ist denn
heut auf der Wach'? – Die Bosniaken – schau'n gut aus –
der Oberstleutnant hat neulich g'sagt: Wie wir im 78er
Jahr unten waren, hätt' keiner geglaubt, daß uns die einmal
so parieren werden! ... Herrgott, bei so was hätt' ich dabei sein mögen – Da steh'n sie alle auf von der Bank. –
Servus, servus! – Das ist halt zuwider, daß unsereiner nicht

dazu kommt. – Wär' doch schöner gewesen, auf dem Felde der Ehre, fürs Vaterland, als so ... Ja, Herr Doktor, Sie kommen eigentlich gut weg! ... Ob das nicht einer für mich übernehmen könnt'? – Meiner Seel', das sollt' ich hinterlassen, daß sich der Kopetzky oder der Wymetal an meiner Statt mit dem Kerl schlagen ... Ah, so leicht sollt' der doch nicht davonkommen! – Ah, was! Ist das nicht egal, was nachher geschieht? Ich erfahr's ja doch nimmer! – Da schlagen die Bäume aus ... Im Volksgarten hab' ich einmal eine angesprochen – ein rotes Kleid hat sie angehabt – in der Strozzigasse hat sie gewohnt – nachher hat sie der Rochlitz übernommen ... Mir scheint, er hat sie noch immer, aber er red't nichts mehr davon – er schämt sich vielleicht ... Jetzt schlaft die Steffi noch ... so lieb sieht sie aus, wenn sie schläft ... als wenn sie nicht bis fünf zählen könnt'! – Na, wenn sie schlafen, schau'n sie alle so aus! – Ich sollt' ihr doch noch ein Wort schreiben ... warum denn nicht? Es tut's ja doch ein jeder, daß er vorher noch Briefe schreibt. – Auch der Klara sollt' ich schreiben, daß sie den Papa und die Mama tröstet – und was man halt so schreibt! – und dem Kopetzky doch auch ... Meiner Seel', mir kommt vor, es wär' viel leichter, wenn man ein paar Leuten Adieu gesagt hätt' ... Und die Anzeige an das Regimentskommando – und die hundertsechzig Gulden für den Ballert ... eigentlich noch viel zu tun ... Na, es hat's mir ja keiner g'schafft, daß ich's um sieben tu' ... von acht an ist noch immer Zeit genug zum Totsein! ... Totsein, ja – so heißt's – da kann man nichts machen ...

Ringstraße – jetzt bin ich ja bald in meinem Kaffeehaus ... Mir scheint gar, ich freu' mich aufs Frühstück ... es ist nicht zum glauben. – – Ja, nach dem Frühstück zünd' ich mir eine Zigarre an, und dann geh' ich nach Haus und schreib' ... Ja, vor allem mach' ich die Anzeige ans Kommando; dann kommt der Brief an die Klara – dann an den Kopetzky – dann an die Steffi ... Was soll ich denn dem Luder schreiben ... »Mein liebes Kind, du hast wohl nicht

gedacht« ... – Ah, was, Unsinn! – »Mein liebes Kind, ich
danke dir sehr« ... – »Mein liebes Kind, bevor ich von
hinnen gehe, will ich es nicht verabsäumen« ... – Na, Brief-
schreiben war auch nie meine starke Seite ... »Mein liebes
Kind, ein letztes Lebewohl von deinem Gustl« ... – Die
Augen, die sie machen wird! Ist doch ein Glück, daß ich
nicht in sie verliebt war ... das muß traurig sein, wenn
man eine gern hat und so ... Na, Gustl, sei gut: so ist es
auch traurig genug ... Nach der Steffi wär' ja noch manche andere gekommen, und am End' auch eine, die was
wert ist – junges Mädel aus guter Familie mit Kaution – es
wär' ganz schön gewesen ... – Der Klara muß ich ausführlich schreiben, daß ich nicht hab' anders können ... »Du
mußt mir verzeihen, liebe Schwester, und bitte, tröste auch
die lieben Eltern. Ich weiß, daß ich euch allen manche
Sorge gemacht habe und manchen Schmerz bereitet; aber
glaube mir, ich habe euch alle immer sehr lieb gehabt, und
ich hoffe, du wirst noch einmal glücklich werden, meine
liebe Klara, und deinen unglücklichen Bruder nicht ganz
vergessen« ... – Ah, ich schreib' ihr lieber gar nicht! ...
Nein, da wird mir zum Weinen ... es beißt mich ja schon
in den Augen, wenn ich dran denk' ... Höchstens dem
Kopetzky schreib' ich – ein kameradschaftliches Lebewohl,
und er soll's den andern ausrichten ... – Ist's schon sechs? –
Ah, nein: halb – dreiviertel. – Ist das ein liebes G'sichtel! ...
der kleine Fratz mit den schwarzen Augen, den ich so oft
in der Florianigasse treff'! – was die sagen wird? – Aber
die weiß ja gar nicht, wer ich bin – die wird sich nur wun-
dern, daß sie mich nimmer sieht ... Vorgestern hab' ich mir
vorgenommen, das nächstemal sprech' ich sie an. – Kokettiert
hat sie genug ... so jung war die – am End' war die
gar noch eine Unschuld! ... Ja, Gustl! Was du heute kannst
besorgen, das verschiebe nicht auf morgen! ... Der da hat
sicher auch die ganze Nacht nicht geschlafen. – Na, jetzt
wird er schön nach Haus geh'n und sich niederlegen – ich
auch! – Haha! jetzt wird's ernst, Gustl, ja! ... Na, wenn

nicht einmal das biss'l Grausen wär', so wär' ja schon gar
nichts dran – und im ganzen, ich muß's schon selber sagen,
halt' ich mich brav ... Ah, wohin denn noch? Da ist ja
schon mein Kaffeehaus ... auskehren tun sie noch ... Na,
geh'n wir hinein ...

Da hinten ist der Tisch, wo die immer Tarok spielen ...
Merkwürdig, ich kann mir's gar nicht vorstellen, daß der
Kerl, der immer da hinten sitzt an der Wand, derselbe sein
soll, der mich ... – Kein Mensch ist noch da ... Wo ist
denn der Kellner? ... He! Da kommt er aus der Küche ...
er schlieft schnell in den Frack hinein ... Ist wirklich nimmer notwendig! ... ah, für ihn schon ... er muß heut' noch
andere Leut' bedienen! –

»Habe die Ehre, Herr Leutnant!«

»Guten Morgen.«

»So früh heute, Herr Leutnant?«

»Ah, lassen S' nur – ich hab' nicht viel Zeit, ich kann mit'm
Mantel dasitzen.«

»Was befehlen Herr Leutnant?«

»Eine Melange mit Haut.«

»Bitte gleich, Herr Leutnant!«

Ah, da liegen ja Zeitungen ... schon heutige Zeitungen? ...
Ob schon was drinsteht? ... Was denn? – Mir scheint, ich
will nachseh'n, ob drinsteht, daß ich mich umgebracht hab'!
Haha! – Warum steh' ich denn noch immer? ... Setzen wir
uns da zum Fenster ... Er hat mir ja schon die Melange
hingestellt ... So, den Vorhang zieh' ich zu; es ist mir zuwider, wenn die Leut' hereingucken ... Es geht zwar noch
keiner vorüber ... Ah, gut schmeckt der Kaffee – doch
kein leerer Wahn, das Frühstücken! ... Ah, ein ganz anderer Mensch wird man – der ganze Blödsinn ist, daß ich
nicht genachtmahlt hab' ... Was steht denn der Kerl schon
wieder da? – Ah, die Semmeln hat er mir gebracht ...

»Haben Herr Leutnant schon gehört?« ...

»Was denn?« Ja, um Gotteswillen, weiß der schon was? ...
Aber, Unsinn, es ist ja nicht möglich!

»Den Herrn Habetswallner ...«

Was? So heißt ja der Bäckermeister ... was wird der jetzt sagen? ... Ist der am End' schon dagewesen? Ist er am End' gestern schon dagewesen und hat's erzählt? ... Warum red't er denn nicht weiter? ... Aber er red't ja ...

»... hat heut' nacht um zwölf der Schlag getroffen.«

»Was?« ... Ich darf nicht so schreien ... nein, ich darf mir nichts anmerken lassen ... aber vielleicht träum' ich ... ich muß ihn noch einmal fragen ... »Wen hat der Schlag getroffen?« – Famos, famos! – ganz harmlos hab' ich das gesagt! –

»Den Bäckermeister, Herr Leutnant! ... Herr Leutnant werd'n ihn ja kennen ... na, den Dicken, der jeden Nachmittag neben die Herren Offiziere seine Tarokpartie hat ... mit'n Herrn Schlesinger und 'n Herrn Wasner von der Kunstblumenhandlung vis-a-vis!«

Ich bin ganz wach – stimmt alles – und doch kann ich's noch nicht recht glauben – ich muß ihn noch einmal fragen ... aber ganz harmlos ...

»Der Schlag hat ihn getroffen? ... Ja, wieso denn? Woher wissen S' denn das?«

»Aber Herr Leutnant, wer soll's denn früher wissen, als unsereiner – die Semmel, die der Herr Leutnant da essen, ist ja auch vom Herrn Habetswallner. Der Bub, der uns das Gebäck um halber fünfe in der Früh bringt, hat's uns erzählt.«

Um Himmelswillen, ich darf mich nicht verraten ... ich möcht' ja schreien ... ich möcht' ja lachen ... ich möcht' ja dem Rudolf ein Bussel geben ... Aber ich muß ihn noch was fragen! ... Vom Schlag getroffen werden, heißt noch nicht: tot sein ... ich muß fragen, ob er tot ist ... aber ganz ruhig, denn was geht mich der Bäckermeister an – ich muß in die Zeitung schau'n, während ich den Kellner frag' ...

»Ist er tot?«

»Na, freilich, Herr Leutnant; auf'm Fleck ist er tot geblieben.«

O, herrlich, herrlich! – Am End' ist das alles, weil ich in
der Kirchen g'wesen bin ...

»Er ist am Abend im Theater g'wesen; auf der Stiegen ist er
umg'fallen – der Hausmeister hat den Krach gehört ... na,
und dann haben s' ihn in die Wohnung getragen, und wie
der Doktor gekommen ist, war's schon lang' aus.«

»Ist aber traurig. Er war doch noch in den besten Jahren.« – Das hab' ich jetzt famos gesagt – kein Mensch
könnt' mir was anmerken ... und ich muß mich wirklich
zurückhalten, daß ich nicht schrei' oder aufs Billard
spring' ...

»Ja, Herr Leutnant, sehr traurig; war ein so lieber Herr,
und zwanzig Jahr' ist er schon zu uns kommen – war ein
guter Freund von unserm Herrn. Und die arme Frau ...«
Ich glaub', so froh bin ich in meinem ganzen Leben nicht
gewesen ... Tot ist er – tot ist er! Keiner weiß was, und
nichts ist g'scheh'n! – Und das Mordsglück, daß ich in das
Kaffeehaus gegangen bin ... sonst hätt' ich mich ja ganz
umsonst erschossen – es ist doch wie eine Fügung des
Schicksals ... Wo ist denn der Rudolf? – Ah, mit dem
Feuerburschen red't er ... – Also, tot ist er – tot ist er – ich
kann's noch gar nicht glauben! Am liebsten möcht' ich hingeh'n, um's zu seh'n. – – Am End' hat ihn der Schlag getroffen aus Wut, aus verhaltenem Zorn ... Ah, warum, ist
mir ganz egal! Die Hauptsach' ist: er ist tot, und ich darf
leben, und alles g'hört wieder mein! ... Komisch, wie ich
mir da immerfort die Semmel einbrock', die mir der Herr
Habetswallner gebacken hat! Schmeckt mir ganz gut, Herr
von Habetswallner! Famos! – So, jetzt möcht' ich noch ein
Zigarrl rauchen ...

»Rudolf! Sie, Rudolf! Sie, lassen S' mir den Feuerburschen
dort in Ruh'!«

»Bitte, Herr Leutnant!«

»Trabucco« ... – Ich bin so froh, so froh! ... Was mach'
ich denn nur? ... Was mach ich denn nur? ... Es muß ja
was gescheh'n, sonst trifft mich auch noch der Schlag vor

lauter Freud'! ... In einer Viertelstund' geh ich hinüber in die Kasern' und laß mich vom Johann kalt abreiben ... um halb acht sind die Gewehrgriff', und um halb zehn ist Exerzieren. – Und der Steffi schreib' ich, sie muß sich für heut abend frei machen, und wenn's Graz gilt! Und nachmittag um vier ... na wart', mein Lieber, wart', mein Lieber! Ich bin grad' gut aufgelegt ... Dich hau' ich zu Krenfleisch!

RAINER MARIA RILKE

## Die Turnstunde

*Rilke trug die erste Niederschrift dieser Erzählung in das sogenannte »Schmargendorfer Tagebuch« am 5. November 1899 ein. Sie blieb zu seinen Lebzeiten unveröffentlicht. Die endgültige Fassung, die hier wiedergegeben wird, erschien in der von Maximilian Harden herausgegebenen »Zukunft«, Jg. 10, Nr. 18, am 1. Februar 1902. Der Erstfassung im Tagebuch unmittelbar vorauf geht eine Notiz, die den Text als Teil eines größeren Ganzen erscheinen läßt. Es handelt sich um den nicht ausgeführten Plan eines »Militärromans«; Rilke schreibt dazu:*
*»Noch fühle ich nicht die Geschicklichkeit, diese Gesellschaft von Knaben in ihrer ganzen Roheit und Entartung, in dieser hoffnungslosen und traurigen Heiterkeit zu zeigen ... diese ganze Masse beständig als solche wirken zu lassen, erscheint mir ebenso wichtig wie schwer. Denn der Einzelne ist ja eben – auch der verdorbenste – Kind, was aber aus der Gemeinsamkeit dieser Kinder sich ergibt – das wäre der herrschende Eindruck –, eine schreckliche Gesamtheit, die wie ein fürchterliches Wesen wirkt, welches bald diesen und bald jenen Arm verlangend ausstreckt.«*
*Damit wird der kurze Text in einen zumindest für die*

deutsche Literatur um 1900 wichtigen thematischen Zusammenhang gerückt: es ist das Thema Erziehung in seiner besonderen Spielart der Militärerziehung. Robert Minder charakterisiert den literarischen Motivbereich mit Hinweisen auf Hermann Hesses »Unterm Rad«, die Gestalt Hanno Buddenbrook, auf »Freund Hein« von Emil Strauß, Friedrich Huchs »Mao«. In den weiteren Umkreis gehören neben diese Erzählungen von Schülerselbstmorden auch Heinrich Manns »Professor Unrat«, Robert Musils »Verwirrungen des Zöglings Törleß« sowie die apologetischen Beschreibungen der Kadettenhäuser in der Novelle »Edles Blut« von Ernst von Wildenbruch und in Ernst von Salomons »Die Kadetten«. Nicht unerwähnt bleiben dürfen Ludwig Thomas »Lausbubengeschichten«, deren bajuwarische Vitalität die Sozialisationsprobleme zur Zeit der Reformpädagogik und der Jugendbewegung hinter humoristischen Charakterminiaturen nur ahnen läßt.

Rilkes Erzählung stellt nicht allein die Repressionen durch ein hartes Erziehungssystem dar, nicht nur das »harte« Gesicht und die »höhnischen Augen« des Offiziers, der hier als Turnlehrer fungiert, sondern auch die gespannte, von Kameradschaftlichkeit kaum geprägte Atmosphäre unter den Zöglingen, die von Neugierde, Sensationslust und Unverständnis angesichts des ungeheuerlichen Zwischenfalls bestimmt wird. Man gewinnt von hier aus einen Eindruck von dem geplanten »Militärroman«: es hat den Anschein, als wollte Rilke die Wirkung der Militärerziehung als Abstumpfung und Unterdrückung von Empfindungen deutlich machen.

Die zweite Fassung unterscheidet sich von der ersten durch stilistische Änderungen; sie ist gestraffter, durch Interpunktion und Gliederung deutlicher strukturiert. Robert Minder spricht, beim Vergleich des Rilke-Textes mit der Erzählweise Wildenbruchs und C. F. Meyers, von einem »Klimawechsel«, der »in der deutschen Prosa damals eingesetzt habe«.

Die Turnstunde

In der Militärschule zu Sankt Severin. Turnsaal. Der Jahrgang steht in den hellen Zwillichblusen, in zwei Reihen geordnet, unter den großen Gaskronen. Der Turnlehrer, ein junger Offizier mit hartem braunen Gesicht und höhnischen Augen, hat Freiübungen kommandiert und verteilt nun die Riegen. »Erste Riege Reck, zweite Riege Barren, dritte Riege Bock, vierte Riege Klettern! Abtreten!« Und rasch, auf den leichten, mit Kolophonium isolierten Schuhen, zerstreuen sich die Knaben. Einige bleiben mitten im Saale stehen, zögernd, gleichsam unwillig. Es ist die vierte Riege, die schlechten Turner, die keine Freude haben an der Bewegung bei den Geräten und schon müde sind von den zwanzig Kniebeugen und ein wenig verwirrt und atemlos.

Nur Einer, der sonst der Allerletzte blieb bei solchen Anlässen, Karl Gruber, steht schon an den Kletterstangen, die in einer etwas dämmerigen Ecke des Saales, hart vor den Nischen, in denen die abgelegten Uniformröcke hängen, angebracht sind. Er hat die nächste Stange erfaßt und zieht sie mit ungewöhnlicher Kraft nach vorn, so daß sie frei an dem zur Übung geeigneten Platze schwankt. Gruber läßt nicht einmal die Hände von ihr, er springt auf und bleibt, ziemlich hoch, die Beine ganz unwillkürlich im Kletterschluß verschränkt, den er sonst niemals begreifen konnte, an der Stange hängen. So erwartet er die Riege und betrachtet – wie es scheint – mit besonderem Vergnügen den erstaunten Ärger des kleinen polnischen Unteroffiziers, der ihm zuruft, abzuspringen. Aber Gruber ist diesmal sogar ungehorsam und Jastersky, der blonde Unteroffizier, schreit endlich: »Also, entweder Sie kommen herunter oder Sie klettern hinauf, Gruber! Sonst melde ich dem Herrn Oberlieutenant ...« Und da beginnt Gruber, zu klettern, erst heftig mit Überstürzung, die Beine wenig aufziehend und die Blicke aufwärts gerichtet, mit einer gewissen Angst das unermeßliche Stück Stange abschätzend, das noch bevor-

steht. Dann verlangsamt sich seine Bewegung; und als ob er
jeden Griff genösse, wie etwas Neues, Angenehmes, zieht er
sich höher, als man gewöhnlich zu klettern pflegt. Er beachtet nicht die Aufregung des ohnehin gereizten Unteroffiziers, klettert und klettert, die Blicke immerfort aufwärts gerichtet, als hätte er einen Ausweg in der Decke des
Saales entdeckt und strebte danach, ihn zu erreichen. Die
ganze Riege folgt ihm mit den Augen. Und auch aus den
anderen Riegen richtet man schon da und dort die Aufmerksamkeit auf den Kletterer, der sonst kaum das erste
Dritteil der Stange keuchend, mit rotem Gesicht und bösen
Augen erklomm. »Bravo, Gruber!« ruft jemand aus der
ersten Riege herüber. Da wenden viele ihre Blicke aufwärts, und es wird eine Weile still im Saal, – aber gerade in
diesem Augenblick, da alle Blicke an der Gestalt Grubers
hängen, macht er hoch oben unter der Decke eine Bewegung, als wollte er sie abschütteln; und da ihm das offenbar
nicht gelingt, bindet er alle diese Blicke oben an den nackten eisernen Haken und saust die glatte Stange herunter, so
daß alle immer noch hinaufsehen, als er schon längst,
schwindelnd und heiß, unten steht und mit seltsam glanz-
losen Augen in seine glühenden Handflächen schaut. Da
fragt ihn der eine oder der andere der ihm zunächst stehenden Kameraden, was denn heute in ihn gefahren sei. »Willst
du wohl in die erste Riege kommen?« Gruber lacht und scheint
etwas antworten zu wollen, aber er überlegt es sich und
senkt schnell die Augen. Und dann, als das Geräusch und
Getöse wieder seinen Fortgang hat, zieht er sich leise in die
Nische zurück, setzt sich nieder, schaut ängstlich um sich
und holt Atem, zweimal rasch, und lacht wieder und will
was sagen ... aber schon achtet niemand mehr seiner. Nur
Jerome, der auch in der vierten Riege ist, sieht, daß er wieder seine Hände betrachtet, ganz darüber gebückt wie einer,
der bei wenig Licht einen Brief entziffern will. Und er tritt
nach einer Weile zu ihm hin und fragt: »Hast du dir weh
getan?« Gruber erschrickt. »Was?« macht er mit seiner ge-

wöhnlichen, in Speichel watenden Stimme. »Zeig mal!«
Jerome nimmt die eine Hand Grubers und neigt sie gegen
das Licht. Sie ist am Ballen ein wenig abgeschürft. »Weißt
du, ich habe etwas dafür,« sagt Jerome, der immer Englisches Pflaster von zu Hause geschickt bekommt, »komm
dann nachher zu mir.« Aber es ist, als hätte Gruber nicht
gehört; er schaut geradeaus in den Saal hinein, aber so, als
sähe er etwas Unbestimmtes, vielleicht nicht im Saal, draußen vielleicht, vor den Fenstern, obwohl es dunkel ist, spät
und Herbst.

In diesem Augenblick schreit der Unteroffizier in seiner
hochfahrenden Art: »Gruber!« Gruber bleibt unverändert,
nur seine Füße, die vor ihm ausgestreckt sind, gleiten, steif
und ungeschickt, ein wenig auf dem glatten Parkett vorwärts. »Gruber!« brüllt der Unteroffizier und die Stimme
schlägt ihm über. Dann wartet er eine Weile und sagt rasch
und heiser, ohne den Gerufenen anzusehen: »Sie melden sich
nach der Stunde. Ich werde Ihnen schon...« Und die
Stunde geht weiter. »Gruber«, sagt Jerome und neigt sich
zu dem Kameraden, der sich immer tiefer in die Nische
zurücklehnt, »es war schon wieder an dir, zu klettern, auf
dem Strick, geh mal, versuchs, sonst macht dir der Jastersky
irgend eine Geschichte, weißt du...« Gruber nickt. Aber
statt aufzustehen, schließt er plötzlich die Augen und gleitet unter den Worten Jeromes durch, als ob eine Welle ihn
trüge, fort, gleitet langsam und lautlos tiefer, tiefer, gleitet
vom Sitz, und Jerome weiß erst, was geschieht, als er hört,
wie der Kopf Grubers hart an das Holz des Sitzes prallt
und dann vornüberfällt... »Gruber!« ruft er heiser. Erst
merkt es niemand. Und Jerome steht ratlos mit hängenden
Händen und ruft: »Gruber, Gruber!« Es fällt ihm nicht ein,
den anderen aufzurichten. Da erhält er einen Stoß, jemand
sagt ihm: »Schaf«, ein anderer schiebt ihn fort, und er
sieht, wie sie den Reglosen aufheben. Sie tragen ihn vorbei,
irgendwohin, wahrscheinlich in die Kammer nebenan. Der
Oberlieutenant springt herzu. Er giebt mit harter, lauter

Stimme sehr kurze Befehle. Sein Kommando schneidet das
Summen der vielen schwatzenden Knaben scharf ab. Stille.
Man sieht nur da und dort noch Bewegungen, ein Aus-
schwingen am Gerät, einen leisen Absprung, ein verspätetes
Lachen von einem, der nicht weiß, um was es sich handelt.
Dann hastige Fragen: »Was? Was? Wer? Der Gruber?
Wo?« Und immer mehr Fragen. Dann sagt jemand laut:
»Ohnmächtig.« Und der Zugführer Jastersky läuft mit
rotem Kopf hinter dem Oberlieutenant her und schreit mit
seiner boshaften Stimme, zitternd vor Wut: »Ein Simulant,
Herr Oberlieutenant, ein Simulant!« Der Oberlieutenant
beachtet ihn gar nicht. Er sieht geradeaus, nagt an seinem
Schnurrbart, wodurch das harte Kinn noch eckiger und
energischer vortritt, und giebt von Zeit zu Zeit eine knappe
Weisung. Vier Zöglinge, die Gruber tragen, und der Oberlieutenant verschwinden in der Kammer. Gleich darauf
kommen die vier Zöglinge zurück. Ein Diener läuft durch
den Saal. Die vier werden groß angeschaut und mit Fragen
bedrängt: »Wie sieht er aus? Was ist mit ihm? Ist er schon
zu sich gekommen?« Keiner von ihnen weiß eigentlich was.
Und da ruft auch schon der Oberlieutenant herein, das
Turnen möge weitergehen, und übergiebt dem Feldwebel
Goldstein das Kommando. Also wird wieder geturnt, beim
Barren, beim Reck, und die kleinen dicken Leute der dritten Riege kriechen mit weitgekretschten Beinen über den
hohen Bock. Aber doch sind alle Bewegungen anders als
vorher; als hätte ein Horchen sich über sie gelegt. Die
Schwingungen am Reck brechen so plötzlich ab und am
Barren werden nur lauter kleine Übungen gemacht. Die
Stimmen sind weniger verworren und ihre Summe summt
feiner, als ob alle immer nur ein Wort sagten: »*Ess, Ess,
Ess . . .*« Der kleine schlaue Krix horcht inzwischen an der
Kammertür. Der Unteroffizier der zweiten Riege jagt ihn
davon, indem er zu einem Schlage auf seinen Hintern aus-
holt. Krix springt zurück, katzenhaft, mit hinterlistig blit-
zenden Augen. Er weiß schon genug. Und nach einer Weile,

als ihn niemand betrachtet, giebt er dem Pawlowitsch weiter: »Der Regimentsarzt ist gekommen.« Nun, man kennt ja den Pawlowitsch; mit seiner ganzen Frechheit geht er, als hätte ihm irgendwer einen Befehl gegeben, quer durch den Saal von Riege zu Riege und sagt ziemlich laut: »Der Regimentsarzt ist drin.« Und es scheint, auch die Unteroffiziere interessieren sich für diese Nachricht. Immer häufiger wenden sich die Blicke nach der Tür, immer langsamer werden die Übungen; und ein Kleiner mit schwarzen Augen ist oben auf dem Bock hocken geblieben und starrt mit offenem Mund nach der Kammer. Etwas Lähmendes scheint in der Luft zu liegen. Die Stärksten bei der ersten Riege machen zwar noch einige Anstrengungen, gehen dagegen an, kreisen mit den Beinen; und Pombert, der kräftige Tiroler, biegt seinen Arm und betrachtet seine Muskeln, die sich durch den Zwillich hindurch breit und straff ausprägen. Ja, der kleine, gelenkige Baum schlägt sogar noch einige Armwellen, – und plötzlich ist diese heftige Bewegung die einzige im ganzen Saal, ein großer flimmernder Kreis, der etwas Unheimliches hat inmitten der allgemeinen Ruhe. Und mit einem Ruck bringt sich der kleine Mensch zum Stehen, läßt sich einfach unwillig in die Knie fallen und macht ein Gesicht, als ob er alle verachte. Aber auch seine kleinen stumpfen Augen bleiben schließlich an der Kammertür hängen.

Jetzt hört man das Singen der Gasflammen und das Gehen der Wanduhr. Und dann schnarrt die Glocke, die das Stundenzeichen giebt. Fremd und eigentümlich ist heute ihr Ton; sie hört auch ganz unvermittelt auf, unterbricht sich mitten im Wort. Feldwebel Goldstein aber kennt seine Pflicht. Er ruft: »Antreten!« Kein Mensch hört ihn. Keiner kann sich erinnern, welchen Sinn dieses Wort besaß, – vorher. Wann vorher? »Antreten!« krächzt der Feldwebel böse und gleich schreien jetzt die anderen Unteroffiziere ihm nach: »Antreten!« Und auch mancher von den Zöglingen sagt wie zu sich selbst, wie im Schlaf: »Antreten! Antre-

ten!« Aber im Grunde wissen alle, daß sie noch etwas ab-
warten müssen. Und da geht auch schon die Kammertür
auf; eine Weile nichts; dann tritt Oberlieutenant Wehl heraus und seine Augen sind groß und zornig und seine Schritte
fest. Er marschiert wie beim Defilieren und sagt heiser:
»Antreten!« Mit unbeschreiblicher Geschwindigkeit findet
sich alles in Reihe und Glied. Keiner rührt sich. Als wenn
ein Feldzeugmeister da wäre. Und jetzt das Kommando:
»Achtung!« Pause und dann, trocken und hart: »Euer Kamerad Gruber ist soeben gestorben. Herzschlag. Abmarsch!«
Pause.
Und erst nach einer Weile die Stimme des diensttuenden
Zöglings, klein und leise: »Links um! Marschieren: Com-
pagnie, Marsch!« Ohne Schritt und langsam wendet sich
der Jahrgang zur Tür. Jerome als der letzte. Keiner sieht
sich um. Die Luft aus dem Gang kommt, kalt und dumpfig,
den Knaben entgegen. Einer meint, es rieche nach Karbol.
Pombert macht laut einen gemeinen Witz in bezug auf den
Gestank. Niemand lacht. Jerome fühlt sich plötzlich am
Arm gefaßt, so angesprungen. Krix hängt daran. Seine
Augen glänzen und seine Zähne schimmern, als ob er beißen
wollte. »Ich hab ihn gesehen«, flüstert er atemlos und preßt
Jeromes Arm und ein Lachen ist innen in ihm und rüttelt
ihn hin und her. Er kann kaum weiter: »Ganz nackt ist er
und eingefallen und ganz lang. Und an den Fußsohlen ist
er versiegelt . . .«
Und dann kichert er, spitz und kitzlich, kichert und beißt
sich in den Ärmel Jeromes hinein.


## THOMAS MANN

Geb. 6. Juni 1875 in Lübeck, gest. 12. August 1955 in Zürich, Sohn eines
Großkaufmannes. 1893 Übersiedlung nach München, Volontär einer
Feuerversicherungsgesellschaft, 1895/96 Studium an der Technischen
Hochschule München, 1896–98 in Rom und Palestrina, 1898/99 Redak-

teur des »Simplicissimus«, 1900 Militärdienst, 1905 Heirat mit Katharina (Katja) Pringsheim, 1929 Nobelpreis, 1933 Emigration nach Sanary-
sur-Mer, später Küsnacht bei Zürich, 1934 erste Reise in die USA,
1936 Aberkennung der deutschen Staatsbürgerschaft, tschechoslowaki-
scher Staatsbürger, Aberkennung der Ehrendoktorwürde der Philosophischen Fakultät Bonn (Dekan Prof. Dr. Justus Obenauer), 1938 Übersiedlung in die USA, Gastprofessor in Princeton, 1947 erste Europareise
nach dem Krieg, 1952 Rückkehr nach Europa, Wohnsitz in Küsnacht,
1955 Ehrenbürger Lübecks.

## Enttäuschung

*Die Erzählung stammt aus dem Jahre 1896; Thomas Mann
schrieb sie vermutlich im Anschluß an seinen Venedigauf-
enthalt im November. Noch vor dem berühmten »Chandos-
Brief« Hofmannsthals aus dem Jahre 1901/02 wird hier das
Unbehagen an den Worten geäußert, das Mißtrauen in die
»großen Wörter«. Der »sonderbare Herr«, der diese Erfahrung hier formuliert, besitzt offenbar ein derart hochent-
wickeltes Sensorium für die Möglichkeiten der Realität,
daß diese in ihrer Tatsächlichkeit ihm nicht zu entsprechen
vermag: alles, was sich tatsächlich ereignet, enttäuscht vermöge der Differenz zwischen der verbalen Artikulation
und seiner prosaischen Faktizität. Verlegte Hofmannsthal
seine Gestalt in das beginnende 17. Jahrhundert, so läßt
Thomas Mann sie an einem durch lange literarische Traditionen würdigen Platz erscheinen, und er setzt sie durch
ihre Erscheinung in Gegensatz zu ihrer Umgebung. Man
kann den Eindruck gewinnen, als distanziere er sich so von
jenem Unbekannten und damit auch von dessen Mißtrauen
gegenüber den großen Worten.
Hier wird – ex negativo – das Programm der um 1900 neu
entstehenden Literatur formuliert: es ist die Abkehr vom
spätklassizistischen oder spätromantischen Formideal, das
neben dem Realismus bis in Thomas Manns Zeitgenossenschaft bestand, verkörpert in dem Lübecker Poeten Emanuel Geibel, dem Thomas Mann als Kind noch begegnet*

*war. Diese Abkehr bedeutet zugleich die Hinwendung zu einem psychologisierenden Erzählstil, für den »Enttäuschung« ein frühes Dokument ist. Zugleich ist sie symbolistisch vermöge der hier bereits präformierten Kunst der später von Thomas Mann virtuos gehandhabten Motivtechnik: der Hintergrund der Szene, die Tatsache bereits, daß sie in Venedig spielt, die Personenbeschreibung – all dies steht nicht um seiner selbst willen im Text, sondern wird als Mittel eingesetzt, das die Substanz des Erzählten illustriert.*

*Man kann die Erzählung darüber hinaus als Dokument jener lebensmüden Fin-de-siècle-Stimmung verstehen, die über weiten Teilen der Literatur um 1900 liegt. Dieser Befund darf indes nicht voreilig auf Thomas Mann selbst übertragen werden, wie es immer wieder geschieht: es handelt sich hier, wie auch im »Chandos-Brief«, um die literarische Darstellung eines Problems, das im Werk bewältigt wurde. Über dieses Werk Thomas Manns bemerkt Theodor W. Adorno: »Was man Thomas Mann als Dekadenz vorhält, war ihr Gegenteil, die Kraft der Natur zum Eingeständnis ihrer selbst als hinfälliger. Nichts anderes aber heißt Humanität.«*

## Enttäuschung

Ich gestehe, daß mich die Reden dieses sonderbaren Herrn ganz und gar verwirrten, und ich fürchte, daß ich auch jetzt noch nicht imstande sein werde, sie auf eine Weise zu wiederholen, daß sie andere in ähnlicher Weise berühren, wie an jenem Abend mich selbst. Vielleicht beruhte ihre Wirkung nur auf der befremdlichen Offenheit, mit der ein ganz Unbekannter sie mir äußerte. –

Der Herbstvormittag, an dem mir jener Unbekannte auf der Piazza San Marco zum ersten Male auffiel, liegt nun etwa zwei Monate zurück. Auf dem weiten Platz bewegten sich nur wenige Menschen umher, aber von dem bunten Wunderbau, dessen üppige und märchenhafte Umrisse und goldene Zierate sich in entzückender Klarheit von einem zarten, lichtblauen Himmel abhoben, flatterten in leichtem Seewind die Fahnen; grade vor dem Hauptportal hatte sich um ein junges Mädchen, das Mais streute, ein ungeheures Rudel von Tauben versammelt, während immer mehr noch von allen Seiten herbeischossen. – Ein Anblick von unvergleichlich lichter und festlicher Schönheit.

Da begegnete ich ihm, und ich habe ihn, während ich schreibe, mit außerordentlicher Deutlichkeit vor Augen. Er war kaum mittelgroß und ging schnell und gebückt, während er seinen Stock mit beiden Händen auf dem Rücken hielt. Er trug einen schwarzen, steifen Hut, hellen Sommerüberzieher und dunkelgestreifte Beinkleider. Aus irgendeinem Grunde hielt ich ihn für einen Engländer. Er konnte dreißig Jahre alt sein, vielleicht auch fünfzig. Sein Gesicht, mit etwas dicker Nase und müde blickenden, grauen Augen, war glattrasiert, und um seinen Mund spielte beständig ein unerklärliches und ein wenig blödes Lächeln. Nur von Zeit zu Zeit blickte er, indem er die Augenbrauen hob, forschend um sich her, sah dann wieder vor sich zu Boden, sprach ein paar Worte mit sich selbst, schüttelte den Kopf und lächelte. So ging er beharrlich den Platz auf und nieder.

Von nun an beobachtete ich ihn täglich, denn er schien sich mit nichts anderem zu beschäftigen, als bei gutem wie bei schlechtem Wetter, vormittags wie nachmittags, dreißig- und fünfzigmal die Piazza auf und ab zu schreiten, immer allein und immer mit dem gleichen seltsamen Gebaren.

An dem Abend, den ich im Sinne habe, hatte eine Militärkapelle konzertiert. Ich saß an einem der kleinen Tische, die das Café Florian weit auf den Platz hinausstellt, und als nach Schluß des Konzertes die Menge, die bis dahin in dichten Strömen hin und wider gewogt war, sich zu zerstreuen begann, nahm der Unbekannte, auf abwesende Art

lächelnd wie stets, an einem neben mir freigewordenen
Tische Platz.

Die Zeit verging, rings umher ward es stiller und stiller,
und schon standen weit und breit alle Tische leer. Kaum
daß hier und da noch ein Mensch vorüberschlenderte; ein
majestätischer Friede lagerte über dem Platz, der Himmel
hatte sich mit Sternen bedeckt, und über der prachtvoll
theatralischen Fassade von San Marco stand der halbe
Mond.

Ich las, indem ich meinem Nachbar den Rücken zuwandte,
in meiner Zeitung und war eben im Begriff, ihn allein zu
lassen, als ich mich genötigt sah, mich halb nach ihm umzu-
wenden; denn während ich bislang nicht einmal das Geräusch einer Bewegung von ihm vernommen hatte, begann
er plötzlich zu sprechen.

»Sie sind zum erstenmal in Venedig, mein Herr?« fragte er
in schlechtem Französisch; und als ich mich bemühte, ihm
in englischer Sprache zu antworten, fuhr er in dialektfreiem
Deutsch zu sprechen fort mit einer leisen und heiseren
Stimme, die er oft durch ein Hüsteln aufzufrischen
suchte.

»Sie sehen das alles zum ersten Male? Es erreicht Ihre Erwartungen? – Übertrifft es sie vielleicht sogar? – Ah! Sie
haben es sich nicht schöner gedacht? – Das ist wahr? – Sie
sagen das nicht nur, um glücklich und beneidenswert zu erscheinen? – Ah!« – Er lehnte sich zurück und betrachtete
mich mit schnellem Blinzeln und einem ganz unerklärlichen
Gesichtsausdruck.

Die Pause, die eintrat, währte lange, und ohne zu wissen,
wie dieses seltsame Gespräch fortzusetzen sei, war ich aufs
neue im Begriff, mich zu erheben, als er sich hastig vor-
beugte.

»Wissen Sie, mein Herr, was das ist: Enttäuschung?« fragte
er leise und eindringlich, indem er sich mit beiden Händen
auf seinen Stock lehnte. – »Nicht im kleinen und einzelnen
ein Mißlingen, ein Fehlschlagen, sondern die große, die all-

gemeine Enttäuschung, die Enttäuschung, die alles, das
ganze Leben einem bereitet? Sicherlich, Sie kennen sie nicht.
Ich aber bin von Jugend auf mit ihr umhergegangen, und
sie hat mich einsam, unglücklich und ein wenig wunderlich
gemacht, ich leugne es nicht.

Wie könnten Sie mich bereits verstehen, mein Herr? Vielleicht aber werden Sie es, wenn ich Sie bitten darf, mir
zwei Minuten lang zuzuhören. Denn wenn es gesagt werden
kann, so ist es schnell gesagt. –

Lassen Sie mich erwähnen, daß ich in einer ganz kleinen
Stadt aufgewachsen bin in einem Pastorhause, in dessen
überreinlichen Räumen ein altmodisch pathetischer Gelehr-
tenoptimismus herrschte, und in dem man eine eigentüm-
liche Atmosphäre von Kanzelrhetorik einatmete, – von diesen großen Wörtern für Gut und Böse, Schön und Häßlich,
die ich so bitterlich hasse, weil sie vielleicht, sie allein, an
meinem Leiden die Schuld tragen.

Das Leben bestand für mich schlechterdings aus großen
Wörtern, denn ich kannte nichts davon als die ungeheuren
und wesenlosen Ahnungen, die diese Wörter in mir hervor-
riefen. Ich erwartete von den Menschen das göttlich Gute
und das haarsträubend Teuflische; ich erwartete vom Leben
das entzückend Schöne und das Gräßliche, und eine Begierde nach alledem erfüllte mich, eine tiefe, angstvolle
Sehnsucht nach der weiten Wirklichkeit, nach dem Erlebnis,
gleichviel welcher Art, nach dem berauschend herrlichen
Glück und dem unsäglich, unahnbar furchtbaren Leiden.

Ich erinnere mich, mein Herr, mit einer traurigen Deutlichkeit der ersten Enttäuschung meines Lebens, und ich bitte
Sie, zu bemerken, daß sie keineswegs in dem Fehlschlagen
einer schönen Hoffnung bestand, sondern in dem Eintritt
eines Unglücks. Ich war beinahe noch ein Kind, als ein
nächtlicher Brand in meinem väterlichen Hause entstand.
Das Feuer hatte heimlich und tückisch um sich gegriffen,
bis an meine Kammertür brannte das ganze kleine Stock-
werk, und auch die Treppe war nicht weit entfernt, in

290 IV. Erzählende Prosa

Flammen aufzugehen. Ich war der erste, der es bemerkte, und ich weiß, daß ich durch das Haus stürzte, indem ich einmal über das andere den Ruf hervorstieß: ›Nun brennt es! Nun brennt es!‹ Ich entsinne mich dieses Wortes mit großer Genauigkeit, und ich weiß auch, welches Gefühl ihm zugrunde lag, obgleich es mir damals kaum zum Bewußtsein gekommen sein mag. Dies ist, so empfand ich, eine Feuersbrunst; nun erlebe ich sie! Schlimmer ist es nicht? Das ist das Ganze? –

Gott weiß, daß es keine Kleinigkeit war. Das ganze Haus brannte nieder, wir alle retteten uns mit Mühe aus äußerster Gefahr, und ich selbst trug ganz beträchtliche Verletzungen davon. Auch wäre es unrichtig, zu sagen, daß meine Phantasie den Ereignissen vorgegriffen und mir einen Brand des Elternhauses entsetzlicher ausgemalt hätte. Aber ein vages Ahnen, eine gestaltlose Vorstellung von etwas noch weit Gräßlicherem hatte in mir gelebt, und im Vergleich damit erschien die Wirklichkeit mir matt. Die Feuersbrunst war mein erstes großes Erlebnis: eine furchtbare Hoffnung wurde damit enttäuscht.

Fürchten Sie nicht, daß ich fortfahren werde, Ihnen meine Enttäuschungen im einzelnen zu berichten. Ich begnüge mich damit, zu sagen, daß ich mit unglückseligem Eifer meine großartigen Erwartungen vom Leben durch tausend Bücher nährte: durch die Werke der Dichter. Ach, ich habe gelernt, sie zu hassen, diese Dichter, die ihre großen Wörter an alle Wände schreiben und sie mit einer in den Vesuv getauchten Zeder am liebsten an die Himmelsdecke malen möchten, – während doch ich nicht umhin kann, jedes große Wort als eine Lüge oder als einen Hohn zu empfinden!

Verzückte Poeten haben mir vorgesungen, die Sprache sei arm, ach, sie sei arm, – o nein, mein Herr! Die Sprache, dünkt mich, ist reich, ist überschwenglich reich im Vergleich mit der Dürftigkeit und Begrenztheit des Lebens. Der Schmerz hat seine Grenzen: der körperliche in der Ohnmacht, der seelische im Stumpfsinn, – es ist mit dem Glück nicht anders! Das menschliche Mitteilungsbedürfnis aber hat sich Laute erfunden, die über diese Grenzen hinweglügen.

Liegt es an mir? Läuft nur mir die Wirkung gewisser Wörter auf eine Weise das Rückenmark hinunter, daß sie mir Ahnungen von Erlebnissen erwecken, die es gar nicht gibt?

Ich bin in das berühmte Leben hinausgetreten, voll von dieser Begierde nach einem, einem Erlebnis, das meinen großen Ahnungen entspräche. Gott helfe mir, es ist mir nicht zuteil geworden! Ich bin umhergeschweift, um die gepriesensten Gegenden der Erde zu besuchen, um vor die Kunstwerke hinzutreten, um die die Menschheit mit den größten Wörtern tanzt; ich habe davor gestanden und mir gesagt: Es ist schön. Und doch: Schöner ist es nicht? Das ist das Ganze?

Ich habe keinen Sinn für Tatsächlichkeiten; das sagt vielleicht alles. Irgendwo in der Welt stand ich einmal im Gebirge an einer tiefen, schmalen Schlucht. Die Felsenwände waren nackt und senkrecht, und drunten brauste das Wasser über die Blöcke vorbei. Ich blickte hinab und dachte: ›Wie, wenn ich stürzte?‹ Aber ich hatte Erfahrung genug, mir zu antworten: ›Wenn es geschähe, so würde ich im Fallen zu mir sprechen: Nun stürzt du hinab, nun ist es Tatsache! Was ist das nun eigentlich?‹

Wollen Sie mir glauben, daß ich genug erlebt habe, um ein wenig mitreden zu können? Vor Jahren liebte ich ein Mädchen, ein zartes und holdes Geschöpf, das ich an meiner Hand und unter meinem Schutze gern dahingeführt hätte; sie aber liebte mich nicht, das war kein Wunder, und ein anderer durfte sie schützen... Gibt es ein Erlebnis, das leidvoller wäre? Gibt es etwas Peinigenderes als diese herbe Drangsal, die mit Wollust grausam vermengt ist? Ich habe manche Nacht mit offenen Augen gelegen, und trauriger, quälender als alles übrige war stets der Gedanke: ›Dies ist der große Schmerz! Nun erlebe ich ihn! – Was ist das nun eigentlich?‹

Ist es nötig, daß ich Ihnen auch von meinem Glücke
spreche? Denn auch das Glück habe ich erlebt, auch das
Glück hat mich enttäuscht ... Es ist nicht nötig; denn dies
alles sind plumpe Beispiele, die Ihnen nicht klarmachen
werden, daß es das Leben im ganzen und allgemeinen ist,
das Leben in seinem mittelmäßigen, uninteressanten und
matten Verlaufe, das mich enttäuscht hat, enttäuscht, enttäuscht.
›Was ist‹, schreibt der junge Werther einmal, ›der Mensch,
der gepriesene Halbgott? Ermangeln ihm nicht eben da die
Kräfte, wo er sie am nötigsten braucht? Und wenn er in
Freude sich aufschwingt oder in Leiden versinkt, wird er
nicht in beiden eben da aufgehalten, eben da zu dem stumpfen, kalten Bewußtsein wieder zurückgebracht, da er sich in
der Fülle des Unendlichen zu verlieren sehnte?‹
Ich gedenke oft des Tages, an dem ich das Meer zum ersten
Male erblickte. Das Meer ist groß, das Meer ist weit, mein
Blick schweifte vom Strande hinaus und hoffte, befreit zu
sein: dort hinten aber war der Horizont. Warum habe ich
einen Horizont? Ich habe vom Leben das Unendliche erwartet.
Vielleicht ist er enger, mein Horizont, als der anderer Menschen! Ich habe gesagt, mir fehle der Sinn für Tatsächlichkeiten, – habe ich vielleicht zu viel Sinn dafür? Kann ich
zu bald nicht mehr? Bin ich zu schnell fertig? Kenne ich
Glück und Schmerz nur in den niedrigsten Graden, nur in
verdünntem Zustande?
Ich glaube es nicht; und ich glaube den Menschen nicht, ich
glaube den wenigsten, die angesichts des Lebens in die großen Wörter der Dichter einstimmen, – es ist Feigheit und
Lüge! Haben Sie übrigens bemerkt, mein Herr, daß es Menschen gibt, die so eitel sind und so gierig nach der Hoch-
achtung und dem heimlichen Neide der anderen, daß sie
vorgeben, nur die großen Wörter des Glücks erlebt zu
haben, nicht aber die des Leidens?
Es ist dunkel, und Sie hören mir kaum noch zu; darum will

ich es mir heute noch einmal gestehen, daß auch ich, ich selbst es einst versucht habe, mit diesen Menschen zu lügen, um mich vor mir und den anderen als glücklich hinzustellen. Aber es ist manches Jahr her, daß diese Eitelkeit zusammenbrach, und ich bin einsam, unglücklich und ein wenig wunderlich geworden, ich leugne es nicht.

Es ist meine Lieblingsbeschäftigung, bei Nacht den Sternenhimmel zu betrachten; denn ist das nicht die beste Art, von der Erde und vom Leben abzusehen? Und vielleicht ist es verzeihlich, daß ich es mir dabei angelegen sein lasse, mir meine Ahnungen wenigstens zu wahren? Von einem befreiten Leben zu träumen, in dem die Wirklichkeit in meinen großen Ahnungen ohne den quälenden Rest der Enttäuschung aufgeht? Von einem Leben, in dem es keinen Horizont mehr gibt? –

Ich träume davon, und ich erwarte den Tod. Ach, ich kenne ihn bereits so genau, den Tod, diese letzte Enttäuschung! Das ist der Tod, werde ich im letzten Augenblicke zu mir sprechen; nun erlebe ich ihn! – Was ist das nun eigentlich? Aber es ist kalt geworden auf dem Platze, mein Herr; ich bin imstande, das zu empfinden, hehe! Ich empfehle mich Ihnen aufs allerbeste. Adieu!« –


## OTTO JULIUS BIERBAUM

Geb. 28. Juni 1865 in Grünberg (Schlesien), gest. 1. Februar 1910 in Kötzschenbroda bei Dresden. Studium der Philosophie, Jurisprudenz und Sinologie in Zürich, Leipzig, München und Berlin. Seit 1887 Schriftsteller, Journalist und Kritiker, Mitarbeiter der Münchener Zeitschrift *Die Gesellschaft*, 1893 in Berlin Redakteur der *Freien Bühne*, 1894 an der *Neuen deutschen Rundschau* (seit 1904 *Die Neue Rundschau*), 1895 Mitbegründer der Zeitschrift *Pan*, 1899 zusammen mit Alfred Walter Heymel und Rudolf Alexander Schröder Mitherausgeber der *Insel*, seit 1898 meist in München und auf Reisen.
Werke: *Erlebte Gedichte* (1892); *Nemt frouwe disen kranz G.* (1894); *Die Freiersfahrten und Freiersmeinungen des weiberfeindlichen Herrn*

Pankrazius Graunzer R. (1896); Das schöne Mädchen von Pao R. (1899); Irrgarten der Liebe G. (1901); Das seidene Buch G. (1903); Prinz Kuckuck R. (3 Bde.; 1906/07); Maultrommel und Flöte G. (1907); Die Päpstin R. (1909), ferner lyrische Dramen, Komödien, Reisebilder.

## Stilpe. Ein Roman aus der Froschperspektive
(4. Buch, 4. Kapitel)

»Stilpe«, 1897 erschienen, erzählt in vier Büchern das Leben des genialen Dichters, Literaten und Kritikers Willibald Stilpe. Obschon in jedem Buch eine Phase aus dem Leben des Alumnaten, Gymnasiasten, Studenten und Literaten ausgebreitet wird, läßt sich doch nicht eigentlich von einem Bildungsroman sprechen: dazu sind die einzelnen Stationen auf Stilpes Lebensweg nicht eng genug miteinander verknüpft, und ein Prinzip, das Stilpes Entwicklung bestimmte, wird nicht deutlich: es sei denn, man sähe es in der – nicht reflektierten – Abkehr von den Normen und Gewohnheiten des Lebens in der bürgerlichen Gesellschaft. Diese figuriert zwar in einzelnen ihrer Vertreter als Hintergrund, wird aber nicht ausdrücklich problematisiert.

Vor allem im dritten und vierten Buch wird deutlich, daß Stilpes Leben in seinem Vollzug bereits der Protest gegen die bürgerliche Gesellschaft ist: er versumpft mit Hilfe des Alkohols und zweifelhafter weiblicher Gestalten. Darüber hinaus protestiert er durch eine groteske Betriebsamkeit auf literarischem Gebiet. Er übt sie als Kritiker, als Herausgeber einer Zeitschrift und endlich als Gründer und Beherrscher des »Literatur-Varieté-Theaters Momus«: er will damit, seines dubiosen literarischen Renommés müde, »ins Leben wirken«.

Diese Wirkung erscheint als Boheme: die Lebensform armer, erfolgloser Künstler und Pseudokünstler am Rande des literarischen Betriebes und des Kunstmarktes; als ein ihr adäquates ästhetisches Artikulationsinstrument erfindet Stilpe eine Art von literarischer Kleinkunst, die sich in gewagter

*Schwebe zwischen Poesie, Satire, Varieté und Kabarett hält;
das vierte Kapitel des vierten Buches beschreibt diese
Kunstform aus der Perspektive des ehemaligen Mitschülers
und jetzigen Staatsanwaltes Girlinger, der sie distanziert
seinen Freunden mitteilt. Das folgende letzte Kapitel des
Romans berichtet, wie Stilpe, seine Rolle realisierend, sich
auf der Bühne erhängt. Möglicherweise ist dies Romanende
durch den Selbstmord des französischen Poeten Gerard de
Nerval inspiriert, der sich 1855 in Paris an einer Straßen-
laterne erhängte.*

*Die von Stilpe praktizierte Lebensform ist beeinflußt vom
Roman des Franzosen Henry Murger (1822–61) »Scènes
de la vie de Bohème« (1851), dessen Bearbeitung durch
Théodore Barrière (1823–77) das Libretto zu Puccinis
Oper »La Bohème« (1896) lieferte. Das Buch Murgers
wurde, obschon es Vorläufer in Balzacs Romanen »Les illu-
sions perdues« (1837 ff.) und »Un Prince de Bohème«
(1840) hatte, der eigentliche Beginn der europäischen Bo-
hemeliteratur.*

*Nicht nur hier liegt die Bedeutung des Romans, sondern vor
allem, indem er anregend auf die literarischen Kabaretts der
Jahrhundertwende wirkte: auf das »Überbrettl«, das Ernst
von Wolzogen 1901 in Berlin gründete, und auf die »Elf
Scharfrichter«, die sich unter der Mitwirkung von Wedekind ebenfalls 1901 in München etablierten: Der Brief Gir-
lingers beschreibt diese literarisch-kabarettistische Bühne,
bevor es sie noch gab, und der Roman »Stilpe« erzählt ihre
Entstehung aus den Lebensformen der Boheme.*

Viertes Kapitel

Das Leipziger Cénacle, das durch die »fatale Stilpe-Sache«
damals gesprengt worden war, hatte sich schließlich doch
wieder zusammengefunden. Freilich ohne Stilpe. Dieser war
um die Zeit der neuen Vereinigung gerade in den Vollgenuß

seiner kritischen Berühmtheit getreten und hatte auf die
Einladung, der ersten Sitzung in Leipzig beizuwohnen, eine
schnöde Absage erteilt. Es war darin von Kinderschuhen
die Rede, die er den Herren gerne zur Verfügung stellen
würde, wenn er nicht befürchten müßte, daß auch sie ihnen
noch zu groß seien; im übrigen sei er bereit, die poetischen
Werke der erlauchten Cénacliers mit derselben Objektivität
zu tranchieren, mit der er die übrigen Erzeugnisse des dichterischen Germaniens der öffentlichen Meinung vorsetzte.
Diese Bemerkung war das Boshafteste in dem Briefe, denn
die Herren Barmann, Stössel, Wippert und Girlinger hatten
ihren künstlerischen und dichterischen Jugendplänen längst
den Abschied gegeben. Barmann war Gymnasiallehrer geworden, Stössel hatte reich geheiratet und gab vor, musik-
geschichtliche Studien zu treiben, Wippert war auf dem
Umwege über orientalische Philologie langsam zur Medizin
gelangt und hatte eine Klinik für Frauenkrankheiten, Girlinger steuerte auf die Laufbahn eines königlichen Staats-
anwalts zu. Wenn sie sich trotzdem zu einem neuen Auf-
guß des Cénacles vereinigten, so geschah es in einer gewissen
melancholischen Stimmung und in der Hoffnung, unter sich
wenigstens eine Art Abglanz jenes einbildungsvollen Über-
mutes zu erzeugen, an den sie sich nicht ohne ein leises
Hochgefühl erinnerten. Es war ihnen im Grunde doch leid,
daß jene überschwenglichen Einbildungen einer künstlerischen Zukunft nicht zur Wahrheit geworden waren. Sie
gestanden sich das zwar nicht ein, konstruierten sich vielmehr ein Gefühl von ernster Zufriedenheit darüber, daß sie
sich in bürgerlich gefestete Zustände und in einen praktischen Wirkungskreis hinübergerettet hätten, aber es gewährte ihnen doch Genugtuung, daß sie auf so etwas wie
eine geistige Sturm- und Drangperiode zurückschauen
konnten. Auch hegten sie die stille Hoffnung, daß sie vielleicht viribus unitis doch noch die Fähigkeit besitzen möchten, wenigstens unter sich ein bißchen über die Stränge zu
schlagen.

Da war nun die Absage Stilpes, vor dessen literarischer Stellung sie doch etwelchen Respekt hatten und in dem sie den durchgedrungenen Cénaclier verehrten, sehr fatal gewesen. Ohne ihn entwickelte sich das Cénacle stark ins hausbacken Solide, und eigentlich gab's eine Wiedergeburt jenes Debattierklubs auf dem Gymnasium, nur daß mit der Unreife auch der Enthusiasmus fehlte.

Es wurde aus dem Cénacle eines der kritischen Konventikel, wie sie sich jetzt gerne um die Literatur und Kunst herum gruppieren, wo man sich über das Neue unterhält, die Entwickelung mit bald wärmerer, bald kühlerer Anteilnahme verfolgt und wo der heimliche Lessing dieser kritisch noch immer nicht unter einen Hut gebrachten Zeit in vielen Exemplaren wächst, blüht und gedeiht.

Ein Hauptsport dieses zeitgemäß gewordenen Cénacles war die Psychologie, diese Lieblingsneigung aller unproduktiven Köpfe, die zu klug und zu stolz sind, um zu dilettäntln. An Stoff gebricht es diesem Sporte niemals, aber hier war er besonders üppig und interessant, weil die Cénacliers in ihrem ehemaligen Freunde, dem Ex-Schaunard Stilpe, ein besonders ergiebiges Objekt hatten.

Die Debatte drehte sich recht häufig um ihn, und besonders Girlinger ward nicht müde, ihn zu vivisezieren. Er sprach es direkt aus, daß Stilpe für ihn das interessanteste Schauspiel sei und daß er ihn ganz sicher niemals aus den Augen verlieren werde. Er hatte natürlich auch schon eine Prognose bis ins letzte in Bereitschaft, hütete sich aber doch, sie mit Bestimmtheit verlauten zu lassen. Die Kühnheit Wipperts, der im Geiste schon das Sterbebett Stilpes in der Charité mit der Aufschrift del. trem. sah, besaß er doch nicht. Dafür dachte er seinem Metier zufolge mehr an Plötzensee. Barmann, der in Sekunda deutsche Literaturgeschichte traktierte, huldigte höheren Perspektiven; er konstruierte sich einen modernen Fall Günther. Stössel war im Grunde voll phantastischer Erwartungen:

– Paßt auf: Plötzlich tritt er mit einem *Werke* hervor. Jetzt ist alles Schutt und Scherben. Aber mit einem Male wird er sich zusammenfassen und aufraffen, und dann zeigt er erst seine wahre Gestalt, seine innerliche Kraft. Vielleicht muß er bloß erst heiraten!

So psychologisierte jeder nach seinen Erfahrungen, und Stilpe ward nicht müde, in bunter Folge jeder Ansicht neue Nahrung zu geben.

Zu einer konkreten Zusammenfassung reeller Unterlagen für diese psychologischen Bemühungen kam es aber erst, als Girlinger nach Berlin versetzt wurde.

Es war etwa über ein Jahr nach der Gründung des Momus, da sandte Girlinger folgenden

Bericht quoad Stilpe

an das Leipziger Cénacle:

Endlich ist es mir gelungen, nicht bloß Authentisches über den Fall Stilpe-Momus zu erfahren, sondern auch unsern ehemaligen Schaunard selber aufzufinden. Ich hätte euch schon früher allerlei mitteilen können, aber ich wollte mit Tatsachen aufwarten und nicht bloß referieren, was ihr aus den Zeitungen von damals ebensogut wißt wie ich und was doch durchweg mehr oder weniger feindliche Preßmache war.

Ich verkehre hier ab und zu mit Journalisten und habe in dieser Gesellschaft zuweilen versucht, das Gespräch auf Stilpe zu bringen, aber es ist mir nicht gelungen, von dorther mehr zu vernehmen als Äußerungen einer fertigen Verachtung, die sich nicht zur Darlegung von Gründen herbeilassen wollte. Stilpe gilt in diesen Kreisen einfach als bête noire, und schon aus Korpsgeist vereinigt man sich zu einstimmiger Verdammung des räudigen Schafes. Nur einige geben noch zu, daß der »Mensch« ein »starkes pamphletistisches Talent besessen habe«, aber auch sie fügen die Bemerkung daran, daß er »nicht einmal für einen Schmähschreiber genug Charakter besitze«. Den Momus-Krach stellen sie als wohlverdiente Strafe hin 1. für die Frivolität, die das Gepräge dieser ganzen Gründung gewesen sei, und 2. für das »ans Gaunerhafte grenzende Gebaren, das Stilpe in der ganzen Angelegenheit gezeigt haben soll, und zwar sowohl bei Aufbringung wie bei Verwendung der Momus-Gelder.

Durch Zufall lernte ich dann eine Gruppe von Dichtern kennen, die über jedem Verdachte journalistischer Verbindungen stehen, weil sie es schon längst aufgegeben haben, ihre Erzeugnisse durch die periodische Presse zu verbreiten, und die gerade über den Momus-Fall mitreden können, weil sie an ihm beteiligt gewesen sind. Da sie trotzdem im Grunde von Stilpe nicht viel wissen wollen (weil er, wie sie sagen, den Momus-Gedanken prostituiert hat), so ist es erlaubt, ihre Aussagen wenigstens für insoweit objektiv zu halten, als die Herren überhaupt einer objektiven Betrachtung der Dinge dieser Welt fähig sind.

Von diesen Herren habe ich nun dies erfahren: Das Momustheater erlitt ein vollkommenes Fiasko, weil es als Tingeltangel »immerhin« zu künstlerisch, als Kunstinstitut aber viel zu sehr Tingeltangel gewesen sei. Das Publikum lehnte »das bißchen Literatur und Kunst«, was dabei mitspielte, schon als zu viel ab, und die Presse, die im Verein mit dem »Schock Berliner Kunst- und Literaturfreunde« sich »wenigstens den Anschein gab, etwas Künstlerisches erwartet zu haben«, erklärte mit »der ganzen Entrüstung lackierter Elitemenschen«, daß sie von Literatur und Kunst im Momus nicht mehr zu finden vermöchten als im »Malepartus«. Das sei nun freilich zuviel gesagt, meinten meine »Dichter«, und sie führten zum Beweis der »Nuance von reeller Literatur im Momus« jeder eine Programmnummer an, die den Zitierenden zum Verfasser hatte. Ich muß gestehen, daß schon die Titel dieser Programmnummern mich in Staunen versetzten, und als mir eine Probe »interpunktionsloser Lyrik« vorgetragen wurde, die im Momus unter »Pizzicatobegleitung von acht Bratschen« deklamiert worden ist, da

begriff ich, daß das dem Publikum zu viel gewesen war.
Diese merkwürdigen Dichter amüsierten sich übrigens selber
am meisten über ihre Programmnummern, und ich vermochte mir nicht darüber klarzuwerden, ob sie diese Produkte ernst oder als einen Ulk nahmen, den sie sich mit
Stilpe erlaubt hatten.

Es war bei der Premiere sehr lärmhaft zugegangen, und
zwar hatten, wie meine Dichter behaupten, zwei Parteien
»um die Palme des Radaus gerungen«: In erster Linie die
journalistischen Feinde Stilpes und dann ein Aufgebot der
christlichen Jünglingsvereine. Nach allem, was ich zumal
über die Balletleistungen des Momus vernommen habe, muß
ich erklären, daß ich die Opposition derart inkorporierter
Jünglinge verstehe. Es ist auch sehr bald die Polizei gegen
den Schnitt der Balletgewänder im Momustheater einge-
schritten.

Dieser Umstand in Verbindung mit dem einmütigen Ver-
dikte der Presse, daß der Momus durchaus kein Kunstinstitut im höheren Sinne sei, hat den Aufsichtsrat der Momus-
Gesellschaft, also die Geldgeber, veranlaßt, sich den Para-
graphen in Stilpes Kontrakt zunutze zu machen, der es ge-
stattete, den »artistischen Direktor« zu entlassen, freilich
unter Zahlung einer sehr beträchtlichen Entschädigungssumme für diesen. Der leise unternommene Versuch, diese
Entschädigung durch allerlei Anschuldigungen bedenklicher
Natur in punkto Geschäftsgebarung zu umgehen, ist
schließlich nicht gemacht worden, aber schon der Ansatz
dazu hat genügt, jenes von mir bereits erwähnte Gerücht
von »Gaunereien« etc. zu erzeugen.

Das Momustheater ist sehr bald an einen regelrechten Tin-
geltangeldirektor übergegangen, und man hat eine Weile
geglaubt, daß Stilpe selbst mit seiner Entschädigungssumme
der Hintermann dieses Variété-Mannes gewesen sei. Der
Umstand, daß seine damalige Geliebte, eine Hamburger
Chantantsängerin, die Diva des neuen Momustheaters
wurde, deutete wohl darauf hin, aber die Stellung eines

Hintermannes scheint mir nicht im Charakter Stilpes zu liegen.

Zweifellos und leider in Stilpes Charakter sehr ersichtlich begründet ist dagegen die Tatsache, daß er sich nach seiner Entlassung einem völlig verrückten Lotterleben hingegeben hat. In seiner Eigenschaft als »Direktor« hatte er eine unendliche Schar von Artisten und Artistinnen kennengelernt, und er umgab sich nun mit einem wahren Heerbann von stellenlosen Sängerinnen und Tänzerinnen. Es wird euch genügen, das Faktum zu vernehmen, um euch ein Bild davon zu machen, in welchem Stile er eine Weile gelebt hat.

Meine dichterischen Gewährsmänner machen ihm nicht sowohl dieses Faktum als den Umstand zum Vorwurf, daß er jede Beziehung mit ihnen und überhaupt mit dem, was sie Literatur und Kunst nennen, abgebrochen habe. Sie sagen in ihrem Stile so: »Er sumpfte wie ein Kapitalist, der sich eine Leibgarde von Mitsumpfern aushalten muß, weil es ihm an Geist und Größe gebricht, allein oder mit erlauchten Leuten kongenial zu sumpfen. Er fing wieder an, schwere Getränke nötig zu haben, wo dem Erlesenen schon Gilka genügt, um den Kontakt mit dem Weltgeiste zu finden. Auch bei ihm war es die Verzweiflung der Impotenz, die ihn zwang, für teures Geld wertlose Räusche zu kaufen. Man brauchte sich schließlich kein Gewissen daraus zu machen, ihn anzupumpen wie einen Kunstfreund von hoher Steuerklasse.«

Diese Verachtung von dieser Seite her besagte für mich eigentlich den tiefsten Stand der Stilpischen Dinge.

Unser ehemaliger Schaunard, so sagte ich mir, hat also den brutal sinnlichen Zug seines Wesens vollkommen Herr über sich werden lassen und ist, da ihm mehr Geld zur Verfügung stand, als für ihn gut war, in gemeiner und geistloser Schwelgerei untergegangen. Der andere Zug seines Wesens, und wenn es auch bloß eine untergrundlose Verblendung war: Das Hinaufbegehren in freie, schöpferische Geistigkeit, die Zuversicht, aus sich etwas Großes, einen Poeten zu machen, das hat er ganz verloren. Aber ich fügte

in mir den Gedanken bei: Er muß, wenigstens in vorüber-
wehenden Augenblicken der Klarheit, wenn der Alkohol
versagt, sehr unglücklich dabei sein.
Deshalb gab ich mir Mühe, seiner habhaft zu werden. Aber
es gelang mir lange Zeit nicht. Solange er Geld hatte,
wohnte er, wenn er in Berlin war, bald in diesem, bald in
jenem Hotel, und häufig war er offenbar von Berlin ab-
wesend, vielleicht an den Orten, wo die eine oder andere
seiner Favoritinnen gerade ein Engagement an einem Tingeltangel hatte. Jetzt aber haben ihn die Favoritinnen ganz
ausgezogen, und – er hat selber ein Engagement an einem
Tingeltangel hier.
Ich erfuhr, daß er in einem der kleinen Chantants draußen
in Berlin N., wo die Chausseestraße anfängt, als Komiker
auftrete, und ich beschloß sofort den nächsten Abend zu
einem Besuche in diesem Lokal, das sich Zum Nordlicht
nennt, zu benutzen.
Das Milieu brauche ich euch nicht zu schildern; ihr kennt
es aus eigener Erfahrung und aus den Novellen der ersten
Periode unsres deutschen Naturalismus. Ich muß sagen: Mit
einer wahren Angst sah ich dem Auftreten Stilpes auf dieser Bühne entgegen, auf der sich im übrigen nur Chansonet-
ten letzten Ranges produzierten. Auf dem Programm stand
er als – »Rudolph Schonaar« verzeichnet. Ist das nun ein
Stück Selbstironie? dacht ich mir; hat er wirklich noch den
Humor, sich über sich selbst lustig zu machen? Wie wird er
bloß aussehen!? Und, mein Gott, wie wird er singen?!
Ich war auf alles mögliche gefaßt, aber nicht auf das, was
kam.
Daß ich es kurz sage: Es war eine Leistung! Ich bin ja freilich kein Kenner auf diesem Gebiete, aber das getraue ich
mir zu sagen: In seiner Art war die Charge, die unser
Schaunard von ehedem darstellte, ein brillantes Stück gro-
tesk-realistischer Tingeltangelkunst. Es war im Grunde
niederdrückend für mich, was ich sah, und doch ging ein
Gefühl nebenher, das ich so ausdrücken möchte: Der Kerl

imponiert mir doch! So sich über sich selber zu stellen mit
den Mitteln einer zwar niedrigen, aber in ihrem ganzen
Stile fabelhaft erfaßten Kunst, so das ganze traurige Ergebnis seines Lebens mit grotesker Laune tragikomisch dem
Pöbel vor die Füße zu werfen, so von oben herab auf sich
selber herumzutreten und doch den Eindruck eines Mannes
zu machen, der sich dabei amüsiert – wißt ihr: Das ist kein
gewöhnliches Stück, da steckt trotz allem eine künstlerische
Persönlichkeit dahinter.

Also stellt euch vor: Stilpe trat als verlumpter, versoffener
alter Dichter auf. Lange graue Haare, zerknüllter Zylinder,
Bratenrock, flatternder Künstlerschlips – dies also die alte
schablonenhafte Figur des idealistischen Dichters in übler
Vermögenslage. Aber nun hättet ihr sehen sollen, wie das
Gesicht, die Bewegungen, die Worte dazu paßten. Zum Gesicht hatte er freilich keine Kunst nötig gehabt: Diese auf-
gedunsenen Züge, diese alkoholisch poröse, kupferige Nase,
diese schwimmenden, unsteten Augen – das war leider alles
Natur. Auch die Bewegungen, dieses Fallenlassen der Arme,
die dann an den Schenkeln herumsuchten und tasteten, dieses nervöse Zucken der Schultern, dieses zitternde Auflegen
der rechten Hand auf die Stirne, dieses langsame Auf- und
Niederneigen des Kopfes, dieses Nachschleifen der Füße
beim schwankenden Gange – auch dies war im Grunde
Natur, nur unterstrichen, perspektivisch berechnet. Aber
nun: Was er sprach und sang!

Es war so eine Soloszene, wißt ihr: Monologe mit Gesangs-
einlagen wechselnd; man kennt das ja; diese Geschichten
sind eigentlich nicht mehr modern; ein paar haben sich indessen sogar auf der großen Bühne erhalten. Aber Stilpe
hat, ich sage es ohne Überschwenglichkeit, ein Kunstwerk
daraus gemacht. Ich wäre auch ergriffen zwischen Lachen
und Grausen hin- und hergeworfen worden, wenn kein per-
sönliches Interesse mitgewirkt hätte.

Er kam langsam, ruckweise schwankend aus der linken
Kulisse und bewegte sich im Zickzack, scheu sich umsehend,

nach einer Bank rechts. Wie er sich auf die hinfallen ließ,
wie er den Zylinder müde abnahm, sich durch die Haare
fuhr und nun mit einem leeren, ängstlichen Blick rund im
Zuschauerraum herumsah, das war für mich schon ein Eindruck, wie ich ihn selten von einer Bühne herab gehabt
habe. Plötzlich kicherte er, bückte sich und hob einen Zi-
garrenstummel auf, griff dann lässig an sich herum, fuhr
suchend in die Taschen, zog die Hände resigniert heraus
und sagte dann leise vor sich hin: Ja, Feuer! Is nich!
Wieder ein paar Blicke im Kreise. Dann plötzliches Auf-
richten und im Vorwärtsschreiten das Bemühen, nicht zu
schwanken, sondern anständig, mit Würde zu gehen. Und
nun, an der Rampe, eine höfliche Verbeugung vor dem
Baßgeiger und im Tone vollendeter Höflichkeit mit gebro-
chener Stimme: Dürfte ich Sie um etwas Feuer bitten, wer-
ter Herr?
Er erhält ein Streichholz, verbeugt sich wiederum sehr höf-
lich und zündet sich den Stummel an; stößt die Tabak-
wolken mit Genuß von sich, betrachtet den Stummel mit
Zärtlichkeit, lächelt und sagt: Sie müssen nämlich wissen:
Ich bin auch Künstler!
Der Baßgeiger sieht ihn fragend an.
– Ach nein, so schön geigen kann ich nicht. Nein. Aber –
dichten! Haben Sie keine Kindtaufe in Aussicht? Ich mach's
billig. Wenn nur vom Essen was übrigbleibt... Dies sehr
demütig, traurig.
Aber auf einmal wird er wild und fängt an zu schimpfen:
Auf das Gesindel, das Geld und kein Talent hat, auf alle,
die ihn verachten, weil sie Kamele sind, während er ein
Genie ist usw. – Ich sage euch: Ein fabelhafter Ausbruch
mitten in den johlenden Mob hinein, der sich königlich zu
amüsieren anfängt, während der Dichter, an der Rampe
hin und her rennend wie ein Eisbär im Käfig, Zorn, Wut,
Verachtung nach allen Richtungen schleudert.
Ich hatte die Empfindung, daß Stilpe dies alles improvi-
sierte.

Dann fiel er wieder in den demütigen Ton und bat um Verzeihung und ein Glas Gilka. Nachdem ihm dies hinaufgereicht worden war und er es mit der Hast eines Verdurstenden hinuntergestürzt hatte, erklärte er, nun wolle er auch nicht so sein und seinerseits etwas zum besten geben. Und er begann im Schauerballadenstil sein Leben, das Leben des verkommenen Genies, herunterzusingen.

Es war einfach grausig, sag ich euch, wie er immer sich selber als zweite Person behandelte und gleichsam mit dem Stocke auf sich wies wie die alten Jahrmarktsmoritatensänger auf die warnenden Exempel. Dabei stellte er in großen Zügen wirklich sein eigenes Leben dar, natürlich grotesk verzerrt und mit burlesken Beigaben. Aber ich habe dieses sein Leben nie mit so greller Deutlichkeit erkannt wie während dieser Ballade, die überdies als parodistische Leistung ein Leckerbissen zu nennen ist. Am Schlusse immer der Kehrreim:

O lockert eure steinernen Gebärden!
Ich bin ein Lump und ihr könnt Lumpe werden.
Seht dieses Fleisch und schlotternde Gebein,
Jetzt sauf ich Gilka und einst soff ich Wein.

Nachdem er die Ballade zu Ende gesungen hatte, trat er unter johlendem Beifall ab. Der Beifall hielt an, und er erschien wieder, trat ganz an die Rampe vor und sagte: »Übrigens haben Sie mich vorhin gestört. Ich bin nicht hierhergekommen, Ihnen was vorzuflöten.« Dann ganz leise: »Es ist doch kein Schutzmann unter Ihnen ...? ...« Rufe aus dem Publikum: Ih wo! – Stilpe: »Ich ... ich ... möchte mich nämlich erhängen.«

Ihr werdet es kaum glauben, aber das wurde in einem Tone gesagt, daß selbst dieses Publikum erschrak. Aber nun schlug Stilpe eine Lache auf: Sie denken wohl, das ist unangenehm? Im Gögenteil! Ich habe mir sagen lassen, man erlebt da seine schönsten Sachen alle noch einmal. Jotte nee, was ick mir auf Laura'n freue!

Und jetzt folgte ein bockiges Herumstolzieren mit vorgestrecktem Bauche, eine laszive Szene ohne Worte, die in mir direkt den Staatsanwalt wachrief. Gemein! Gemein!

Das Publikum wand sich vor Entzücken. Stilpe aber hielt plötzlich inne und rief: Aber wissen Sie denn auch, warum ich mich erhängen will?

Und nun folgte, ich kann es nicht anders nennen, eine Dissertation über den Selbstmord. Und zwar so, daß er erst alle möglichen gewöhnlichen Selbstmordgründe ablehnte, um schließlich als einzig zwingenden und berechtigten Grund den anzuführen: Es gibt kein Getränk mehr, das mich umbringen könnte, drum muß ick mir selber umbringen.

Nun zog er den Strick hervor und sang ihn als »Schnaps der Schnäpse« an. Während der Schlußstrophe warf er den Strick um einen Laternenhaken, und während der Vorhang fiel, legt er sich den Strick um den Hals.

Ich atmete auf, wie der Vorhang unten war. Das Publikum aber klatschte wie besessen. Nach einer Weile hob sich der Vorhang wieder, und ich sah, daß die Originalität unseres verflossenen Freundes auch als Tingeltangelsänger keine Grenzen kennt: Der Dichter hing an der Laterne und sang, ungeachtet des Einspruchs der Naturgesetze, in dieser Situation, röchelnd und nach Luft schnappend, sein Schwanenlied, eine schauerliche Mischung von Grausen, grotesker Komik und Zynismus. Dann ein letztes Schlenkern mit den Beinen, die Zunge weit heraus, dem Publikum entgegengestreckt – der Vorhang fiel. Sooft er sich wieder unter dem Beifallgewieher des Publikums hob, sah man den Dichter am Laternenpfahl hängen und mit herausgestreckter Zunge den grinsenden Kopf dankend verneigen.

Scheußlich! Scheußlich! werdet ihr sagen, und ihr habt ganz gewiß recht, aber ich wiederhole es: Was in meiner Darstellung bloß widerlich wirken kann, machte von der Bühne herab, ich muß es bekennen, in der Hauptsache auf mich doch den Eindruck von ergreifender Kunst, schauderhaft verirrter, gottsträflicher, infamer Kunst zwar, aber ich

wäre nicht imstande gewesen, etwa inmitten dieser schauer-
lichen Frivolitäten aufzustehen und fortzugehen. Alles in
mir empörte sich, aber ich war gefesselt.

In jedem anderen Falle wäre ich nun freilich jetzt weg-
gegangen, zumal, da auf diese Pièce de resistance des Nord-
lichtes nur noch die ausgesungenste aller Chanteusen folgte,
aber mich verlangte es, Stilpe nun auch »in Zivil« zu
sehen.

Wie muß der Mensch, der aus seinem Leben einen solchen
grausigen Clownwitz zu machen imstande ist, aussehen, wie
muß er sich benehmen, wenn er mir gegenübersteht, der ihn
aus Zeiten her kennt, wo es trotz allem doch eine solche
Perspektive auf das Ende nicht gab!

Ich schickte ihm meine Karte hinter die Bühne. Nach einer
Viertelstunde erschien er, die Vorstellung war mittlerweile
durch den üblichen Galopp geschlossen, an meinem Tische.
Unglaublich! Er *gebärdete* sich wenigstens ganz wie früher.

– Willst du mich verhaften, Staatsanwalt meiner Seele?
Wieviel Jahre stehen auf den Bauchtanz meiner Prägung?
Ich hatte Mühe, ihn von diesem Stil abzubringen. Ganz hat
er ihn überhaupt nicht aufgegeben. Das Endresultat, was
ich euch zu vermelden habe, ist dies: Stilpe erklärt, sich
recht wohl zu fühlen, wenngleich es ihm nur in den selten-
sten Fällen noch gelingt, sich zu betrinken. Als Entschädigung für diesen beklagenswerten Umstand bezeichnet er die
»glorreiche Tatsache«, daß er endgiltig darauf verzichtet
habe, in die Literaturgeschichte zu kommen.

– Literatur? Pf! Das Tingeltangel ist die Kunst der Zukunft.
Übrigens hat meine Orgel bloß noch *eine* Pfeife. Sonst? ...
Na, mein Junge, wenn alle Pfeifen schweigen, – die Heils-
armee leckt alle Finger nach mir. Ein bißchen religiös
komm ich mir überhaupt manchmal vor. Wer weiß ...? ...
Wer kann wissen ... ? ... Überhaupt ... der liebe Gott!
... Na ... einstweilen halten wir mal *die* Fahne hoch ...
Aber nicht wahr: Meine Nummer is gut!?

# V. Drama

*Das deutsche Drama der Jahrhundertwende, soweit es nicht üblicherweise dem Naturalismus zugerechnet wird, besteht für den heutigen Blick im wesentlichen aus den Produktionen Hugo von Hofmannsthals, Arthur Schnitzlers und Frank Wedekinds. Schon die Aufzählung dieser Autoren, deren Werke sich zum großen Teil bis in die Gegenwart auf den Spielplänen gehalten haben, macht deutlich, daß die Gattung Drama um 1890 gegenüber dem bürgerlichen Realismus an Gewicht gewonnen hatte und daß dieser Vorgang nicht allein der naturalistischen Literaturrevolution zuzuschreiben ist.*

*Kennzeichnend für den dramatischen Stil zwischen Naturalismus und Expressionismus ist die Entwicklung neuer Formen jenseits der traditionellen dramatischen Gattungen Komödie und Tragödie, denen sich fast alle Dramen des neunzehnten Jahrhunderts zuordnen lassen. Das Mißtrauen der Autoren in die traditionelle ästhetische Praxis, der Zweifel, ob mit dem zur Zeit des Realismus kultivierten Geschichtsdrama die Probleme der Gegenwart angemessen artikuliert werden können, führt zu gänzlich neuen Dramentypen.*

*Die anfangs der neunziger Jahre entstandenen »kleinen Dramen« Hofmannsthals »Gestern« (1891), »Der Tod des Tizian« (1892) und »Der Tor und der Tod« (1900) machen diese Entwicklung deutlich: das Fehlen einer – mit Schiller zu sprechen – »präzipitierenden« Handlung, die Verlegung der Entwicklung in innere Vorgänge und die in allen drei Stücken gestellte Frage nach der Wirklichkeit als einem hinter der greifbaren Realität liegenden und sie bedingenden Grund sind ebenso Momente dieses neuen dramatischen Stils wie die von Schnitzler in den »Anatol«-Szenen (1893) kultivierte Gesprächskunst, die sich scheinbar an das fran-*

zösische Konversationsstück des 19. Jahrhunderts anlehnt, deren oberflächliche Glätte indes nicht über die Skepsis und die Unsicherheit des hier dargestellten Lebens hinwegtäuschen kann; Hofmannsthal spricht im »Anatol«-Prolog das Wesen dieser dem Anschein nach so frivol heiteren Fin-de-siècle-Kunst an: »Böser Dinge hübsche Formel«. Und wo Geschichte als Vergangenheit auf die Bühne gebracht wird, hat sie eine grundsätzlich andere Funktion – etwa in Hofmannsthals Frühwerk – als in den vom Historismus beeinflußten Geschichtsdramen Ernst von Wildenbruchs, die in den neunziger Jahren vor allem das Repertoire der Meininger beherrschten. Geschichte dient jetzt dazu, die Gegenwart transparent zu machen.

Daß es sich hier nicht um Formexperimente von bloß ästhetischer Bedeutung handelt, macht ein Blick auf Frank Wedekinds »Lulu«-Tragödie (»Der Erdgeist«, 1895 und »Die Büchse der Pandora«, 1904) deutlich: Wilhelm Emrich hat nachgewiesen, daß in der modernen Tragödie »der unbedingte, allgemein verbindliche Wert« grundsätzlich »nicht mehr positiv zu gestalten« sei und daß der Dichter »sich daher gezwungen [sehe], diesen unbedingten Wert nur noch negativ auszudrücken«. Mit anderen Worten: Die plötzlich sich entwickelnde Vielfalt der Formen und Strukturen, die das moderne Drama seit etwa 1890 aufweist, erklärt sich aus der geschichtlichen Situation. Die modernen Dramatiker machen die Erfahrung, daß sich eine dramatisch gestaltete »Handlung« in fünf Akten mit Exposition, erregenden Momenten, Höhepunkt, fallender Handlung, mit retardierendem Moment und Katastrophe nicht mehr fähig zeigt, die Wirklichkeit von Individuen künstlerisch zu artikulieren, denen die gesellschaftliche Verdinglichung – anonyme Herrschafts- und Entscheidungsprozesse, eine überfällige und daher unwahre Moral, eine Welt entfremdeter Arbeit – längst die Verantwortung für das eigene Schicksal aus der Hand genommen hat.

Daß sich diese geschichtliche Erfahrung in den Dramen

*Hofmannsthals, Schnitzlers und Wedekinds auf eine jeweils
andere und individuell bestimmte Weise spiegelt, macht den
Rang dieser Autoren aus, mögen ihre Zeitgenossen auch
zum Teil ebenso große Resonanz gefunden haben, wie etwa
Hermann Bahr, Herbert Eulenberg, Karl Gustav Vollmoel-
ler oder Eduard Stucken.*

FRANK WEDEKIND

## Frühlings Erwachen (3. Akt, 7. Szene)

*»Frühlings Erwachen. Eine Kindertragödie« ist eines der
ersten literarischen Dokumente, die die Probleme Heran-
wachsender darstellen; es eröffnet eine Reihe von Kinder-
stücken: »Jugend« von Max Halbe (1893), »Hanneles Him-
melfahrt« von Gerhart Hauptmann (1894), »Klein Eylof«
von Henrik Ibsen (1894) und »Wie ein Strahl verglimmt«
von Kurt Martens (1895). Das in der Literatur um 1900
vielbehandelte Thema der Sozialisation wird hier in der
Phase der Pubertät von Mädchen und Jungen und an einem
exemplarischen Fall von Schulnöten konkretisiert: Da ist
einerseits Wendla Bergmann, deren Mutter ihr die sexuelle
Aufklärung verweigert, die sich danach sehnt geschlagen zu
werden, die sich auf den Heuboden zu Melchior Gabor
schleicht und ein Kind von ihm empfängt. Da ist Moritz
Stiefel, dessen Schulversagen und dessen Angst vor dem
Vater ihn in den Selbstmord treiben. Da ist Melchior Gabor,
der seinen Freund Moritz in einer selbstverfaßten Abhandlung »Der Beischlaf« aufklärt und deshalb nach dessen Tod
von der Schule relegiert wird. Da ist Hänschen Rilow, der
auf dem Klosett Reproduktionen von Aktgemälden zur
Anregung seiner Masturbationsphantasien benutzt und im
Weinberg Küsse mit einem Schulkameraden tauscht.
Dagegen steht die Welt der Erwachsenen, die auch dort als*

*Erzieher versagen, wo sie sich verständnisvoll geben wie
Frau Gabor. Vor allem die Lehrer und Väter erscheinen in
der grotesken Namengebung bereits nicht so sehr als Ziel-
scheibe der Kritik Wedekinds denn vielmehr als »Spott-
und Angstgestalten aus der Sicht ihrer Schüler« (Seehaus):
die absurd verschrobene Redeweise der Lehrerkonferenz,
auf der Melchiors Relegation beschlossen wird (III, 1),
ebenso wie die Verurteilung des toten Moritz Stiefel bei
seiner Beerdigung durch Pastor und Vater (III, 2) – das ist
insgesamt die Darstellung einer den jungen Menschen un-
verständlichen Welt. Sie erstickt in Konventionen, die die
Natur und ihre Rechte unterdrücken.*

*Das Stück entstand zwischen Oktober 1890 und Ostern
1891 und erschien noch im selben Jahr bei Jean Groß in
Zürich. Doch erst am 20. September 1906 fand die Uraufführung an den Berliner Kammerspielen statt. Max Reinhardt inszenierte sie mit Camilla Eibenschütz als Wendla,
Alexander Moissi als Moritz und mit Wedekind als vermummter Herr. Der Erfolg war sensationell: in zwei Spiel-
zeiten kam es zu 205 Wiederholungen, »Frühlings Erwachen« war das meistgespielte Stück der Reinhardt-
Bühne.*

*Der verspätete Termin der Uraufführung war auf Beden-
ken der Zensurbehörde zurückzuführen; sie verlangte die
Streichung der Szenen III, 4 (in der Korrektionsanstalt)
und III, 6 (im Weinberg) sowie die Kürzung des Monologs
von Hänschen Rilow (II, 3). Noch 1910 wurde in Königs-
berg die öffentliche Wiederholung der Erstaufführung verboten. Die inkriminierten Szenen mußten das in Wilhelminischen Moralvorstellungen befangene Publikum notwendig schockieren.*

SIEBENTE SZENE

*Helle Novembernacht. An Busch und Bäumen raschelt das*
*dürre Laub. Zerrissene Wolken jagen unter dem Mond hin. –*
*Melchior klettert über die Kirchhofmauer.*

Melchior *(auf der Innenseite herabspringend).* Hierher
folgt mir die Meute nicht. – Derweil sie Bordelle ab-
suchen, kann ich aufatmen und mir sagen, wie weit ich
bin ... Der Rock in Fetzen, die Taschen leer – vor dem
Harmlosesten bin ich nicht sicher. – Tagsüber muß ich im
Wald weiterzukommen suchen ...
Ein Kreuz habe ich niedergestampft. – Die Blümchen
wären heut noch erfroren! – Ringsum ist die Erde kahl ...
Im Totenreich! –
Aus der Dachluke zu klettern, war so schwer nicht wie
dieser Weg! – Darauf nur war ich nicht gefaßt gewesen ...
Ich hänge über dem Abgrund – alles versunken, ver-
schwunden – O wär' ich dort geblieben!
Warum sie um meinetwillen! – Warum nicht der Ver-
schuldete! – Unfaßbare Vorsehung! – Ich hätte Steine ge-
klopft und gehungert ...!
Was hält mich noch aufrecht? – Verbrechen folgt auf
Verbrechen. Ich bin dem Morast überantwortet. Nicht so
viel Kraft mehr, um abzuschließen ...
Ich war nicht schlecht! – Ich war nicht schlecht! – Ich
war nicht schlecht ...
– So neiderfüllt ist noch kein Sterblicher über Gräber ge-
wandelt. – Pah – ich brächte ja den Mut nicht auf! – Oh,
wenn mich Wahnsinn umfinge – in dieser Nacht noch!
Ich muß drüben unter den letzten suchen! – Der Wind
pfeift auf jedem Stein aus einer anderen Tonart – eine
beklemmende Symphonie! – Die morschen Kränze reißen
entzwei und baumeln an ihren langen Fäden stückweise
um die Marmorkreuze – ein Wald von Vogelscheuchen! –
Vogelscheuchen auf allen Gräbern, eine greulicher als die

andere – haushohe, vor denen die Teufel Reißaus nehmen. – Die goldenen Lettern blinken so kalt ... Die Trauerweide ächzt auf und fährt mit Riesenfingern über die Inschrift ...
Ein betendes Engelskind – Eine Tafel –
Eine Wolke wirft ihren Schatten herab. – Wie das hastet und heult! – Wie ein Heereszug jagt es im Osten empor. – Kein Stern am Himmel –
Immergrün um das Gärtlein? – Immergrün? – – Mädchen ...

Hier ruht in Gott

Wendla Bergmann

geboren am 5. Mai 1878
gestorben an der Bleichsucht
den 27. Oktober 1892.

Selig sind, die reinen Herzens sind ...

Und ich bin ihr Mörder. – Ich bin ihr Mörder! – Mir bleibt die Verzweiflung. – Ich darf hier nicht weinen. – Fort von hier! – Fort –
M o r i t z   S t i e f e l *(seinen Kopf unter dem Arm, stapft über die Gräber her)*. Einen Augenblick, Melchior! Die Gelegenheit wiederholt sich so bald nicht. Du ahnst nicht, was mit Ort und Stunde zusammenhängt ...
M e l c h i o r. Wo kommst du her?!
M o r i t z. Von drüben – von der Mauer her. Du hast mein Kreuz umgeworfen. Ich liege an der Mauer. – Gib mir die Hand, Melchior ...
M e l c h i o r. Du bist *nicht* Moritz Stiefel!

M o r i t z. Gib mir die Hand. Ich bin überzeugt, du wirst
mir Dank wissen. So leicht wird's dir nicht mehr! Es ist
ein seltsam glückliches Zusammentreffen. – Ich bin extra
heraufgekommen ...

M e l c h i o r. Schläfst du denn nicht?

M o r i t z. Nicht, was ihr Schlafen nennt. – Wir sitzen auf
Kirchtürmen, auf hohen Dachgiebeln – wo immer wir
wollen ...

M e l c h i o r. Ruhelos?

M o r i t z. Vergnügungshalber. – Wir streifen um Maibäu-
me, um einsame Waldkapellen. Über Volksversammlun-
gen schweben wir hin, über Unglücksstätten, Gärten, Fest-
plätze. – In den Wohnhäusern kauern wir im Kamin und
hinter den Bettvorhängen. – Gib mir die Hand. – Wir
verkehren nicht untereinander, aber wir sehen und hören
alles, was in der Welt vor sich geht. Wir wissen, daß alles
Dummheit ist, was die Menschen tun und erstreben, und
lachen darüber.

M e l c h i o r. Was hilft das?

M o r i t z. Was braucht es zu helfen? – Wir sind für nichts
mehr erreichbar, nicht für Gutes noch Schlechtes. Wir
stehen hoch, hoch über dem Irdischen – jeder für sich
allein. Wir verkehren nicht miteinander, weil uns das zu
langweilig ist. Keiner von uns hegt noch etwas, das ihm
abhanden kommen könnte. Über Jammer oder Jubel sind
wir gleich unermeßlich erhaben. Wir sind mit uns zufrieden, und das ist alles! – Die Lebenden verachten wir un-
sagbar, kaum daß wir sie bemitleiden. Sie erheitern uns
mit ihrem Getue, weil sie als Lebende tatsächlich nicht zu
bemitleiden sind. Wir lächeln bei ihren Tragödien – jeder
für sich – und stellen unsere Betrachtungen an. – Gib mir
die Hand! Wenn du mir die Hand gibst, fällst du um vor
Lachen über dem Empfinden, mit dem du mir die Hand
gibst ...

M e l c h i o r. Ekelt dich das nicht an?

M o r i t z. Dazu stehen wir zu hoch. Wir lächeln! – An

meinem Begräbnis war ich unter den Leidtragenden. Ich habe mich recht gut unterhalten. Das ist Erhabenheit, Melchior! Ich habe geheult wie keiner, und schlich zur Mauer, um mir vor Lachen den Bauch zu halten. Unsere unnahbare Erhabenheit ist tatsächlich der einzige Gesichtspunkt, unter dem der Quark sich verdauen läßt ... Auch über mich will man gelacht haben, eh' ich mich aufschwang!

Melchior. Mich lüstet's nicht, über mich zu lachen.

Moritz. ... Die Lebenden sind als solche wahrhaftig nicht zu bemitleiden! – Ich gestehe, ich hätte es auch nie gedacht. Und jetzt ist es mir unfaßbar, wie man so naiv sein kann. Jetzt durchschaue ich den Trug so klar, daß auch nicht ein Wölkchen bleibt. – Wie magst du nur zaudern, Melchior! Gib mir die Hand! Im Halsumdrehen stehst du himmelhoch über dir. – Dein Leben ist Unterlassungssünde ...

Melchior. – Könnt ihr vergessen?

Moritz. Wir können alles. Gib mir die Hand! Wir können die Jugend bedauern, wie sie ihre Bangigkeit für Idealismus hält, und das Alter, wie ihm vor stoischer Überlegenheit das Herz brechen will. Wir sehen den Kaiser vor Gassenhauern und den Lazzaroni vor der jüngsten Posaune beben. Wir ignorieren die Maske des Komödianten und sehen den Dichter im Dunkeln die Maske vornehmen. Wir erblicken den Zufriedenen in seiner Bettelhaftigkeit, im Mühseligen und Beladenen den Kapitalisten. Wir beobachten Verliebte und sehen sie voreinander erröten, ahnend, daß sie betrogene Betrüger sind. Eltern sehen wir Kinder in die Welt setzen, um ihnen zurufen zu können: Wie glücklich ihr seid, solche Eltern zu haben! – und sehen die Kinder hingehn und desgleichen tun. Wir können die Unschuld in ihren einsamen Liebesnöten, die Fünfgroschendirne über der Lektüre Schillers belauschen ... Gott und den Teufel sehen wir sich voreinander blamieren und hegen in uns das durch nichts zu

erschütternde Bewußtsein, daß beide betrunken sind ...
Eine Ruhe, eine Zufriedenheit, Melchior –! Du brauchst
mir nur den kleinen Finger zu reichen. – Schneeweiß
kannst du werden, eh' sich dir der Augenblick wieder so
günstig zeigt!

M e l c h i o r. – Wenn ich einschlage, Moritz, so geschieht
es aus Selbstverachtung. – Ich sehe mich geächtet. Was
mir Mut verlieh, liegt im Grabe. Edler Regungen vermag
ich mich nicht mehr für würdig zu halten – und erblicke
nichts, nichts, das sich mir auf meinem Niedergang noch
entgegenstellen sollte. – Ich bin mir die verabscheuungs-
würdigste Kreatur des Weltalls ...

M o r i t z. Was zauderst du ...?

*(Ein vermummter Herr tritt auf.)*

D e r  v e r m u m m t e  H e r r *(zu Melchior).* Du bebst ja
vor Hunger. Du bist gar nicht befähigt, zu urteilen. – *(Zu
Moritz.)* Gehen Sie.

M e l c h i o r. Wer sind Sie?

D e r  v e r m u m m t e  H e r r. Das wird sich weisen. –
*(Zu Moritz.)* Verschwinden Sie! – Was haben Sie hier zu
tun! – Warum haben Sie denn den Kopf nicht auf?

M o r i t z. Ich habe mich erschossen.

D e r  v e r m u m m t e  H e r r. Dann bleiben Sie doch, wo
Sie hingehören. Dann sind Sie ja vorbei. Belästigen Sie
uns hier nicht mit Ihrem Grabgestank. Unbegreiflich –
sehen Sie doch nur Ihre Finger an. Pfui Teufel noch mal!
Das zerbröckelt schon.

M o r i t z. Schicken Sie mich bitte nicht fort ...

M e l c h i o r. Wer sind Sie, mein Herr??

M o r i t z. Schicken Sie mich nicht fort! Ich bitte Sie. Lassen Sie mich hier noch ein Weilchen teilnehmen; ich will
Ihnen in *nichts* entgegensein. – – Es ist unten so schaurig.

D e r  v e r m u m m t e  H e r r. Warum prahlen Sie denn
dann mit *Erhabenheit*?! – Sie wissen doch, daß das Hum-
bug ist – saure Trauben! Warum *lügen* Sie geflissentlich,
Sie – Hirngespinst! – – Wenn Ihnen eine so schätzens-

werte Wohltat damit geschieht, so bleiben Sie meinetwegen. Aber hüten Sie sich vor Windbeuteleien, lieber Freund – und lassen Sie mir bitte Ihre Leichenhand aus dem Spiel!

Melchior. Sagen Sie mir endlich, wer Sie sind, oder nicht?!

Der vermummte Herr. Nein. – Ich mache dir den Vorschlag, dich mir anzuvertrauen. Ich würde fürs erste für dein Fortkommen sorgen.

Melchior. Sie sind – mein Vater?!

Der vermummte Herr. Würdest du deinen Herrn Vater nicht an der Stimme erkennen?

Melchior. Nein.

Der vermummte Herr. – Dein Herr Vater sucht Trost zur Stunde in den kräftigen Armen deiner Mutter. – Ich erschließe dir die Welt. Deine momentane Fassungslosigkeit entspringt deiner miserablen Lage. Mit einem warmen Abendessen im Leib spottest du ihrer.

Melchior *(für sich)*. Es kann nur *einer* der Teufel sein! – *(Laut.)* Nach dem, was ich verschuldet, kann mir ein warmes Abendessen meine Ruhe nicht wiedergeben!

Der vermummte Herr. Es kommt auf das Abendessen an! – So viel kann ich dir sagen, daß die Kleine vorzüglich geboren hätte. Sie war musterhaft gebaut. Sie ist lediglich den Abortivmitteln der Mutter Schmidtin erlegen. – – Ich führe dich unter Menschen. Ich gebe dir Gelegenheit, deinen Horizont in der fabelhaftesten Weise zu erweitern. Ich mache dich ausnahmslos mit allem bekannt, was die Welt Interessantes bietet.

Melchior. Wer sind Sie? Wer sind Sie? – Ich kann mich einem Menschen nicht anvertrauen, den ich nicht kenne.

Der vermummte Herr. Du lernst mich nicht kennen, ohne dich mir anzuvertrauen.

Melchior. Glauben Sie?

Der vermummte Herr. Tatsache! – Übrigens bleibt dir ja keine Wahl.

Melchior. Ich kann jeden Moment meinem Freunde
hier die Hand reichen.

Der vermummte Herr. Dein Freund ist ein Schar-
latan. Es lächelt keiner, der noch einen Pfennig in bar
besitzt. Der erhabene Humorist ist das erbärmlichste, be-
dauernswerteste Geschöpf der Schöpfung!

Melchior. Sei der Humorist, was er sei; Sie sagen mir,
wer Sie sind, oder ich reiche dem Humoristen die Hand!

Der vermummte Herr. – Nun?!

Moritz. Er hat recht, Melchior. Ich habe bramarbasiert.
Laß dich von ihm traktieren und nütz ihn aus. Mag er
noch so vermummt sein – er ist es wenigstens!

Melchior. Glauben Sie an Gott?

Der vermummte Herr. Je nach Umständen.

Melchior. Wollen Sie mir sagen, wer das Pulver erfunden hat?

Der vermummte Herr. Berthold Schwarz – alias
Konstantin Anklitzen – um 1330 Franziskanermönch zu
Freiburg im Breisgau.

Moritz. Was gäbe ich darum, wenn er es hätte bleiben
lassen!

Der vermummte Herr. Sie würden sich eben erhängt haben!

Melchior. Wie denken Sie über Moral?

Der vermummte Herr. Kerl – bin ich dein Schul-
knabe?!

Melchior. Weiß ich, was Sie sind!!

Moritz. Streitet nicht! – Bitte, streitet nicht. Was kommt
dabei heraus! – Wozu sitzen wir, zwei Lebendige und ein
Toter, nachts um zwei Uhr hier auf dem Kirchhof beisammen, wenn wir streiten wollen wie Saufbrüder! – Es
soll mir ein Vergnügen sein, der Verhandlung mit beiwoh-
nen zu dürfen. – Wenn ihr streiten wollt, nehme ich meinen Kopf unter den Arm und gehe.

Melchior. Du bist immer noch derselbe Angstmeier!

Der vermummte Herr. Das Gespenst hat nicht unrecht. Man soll seine Würde nicht außer acht lassen. – Unter Moral verstehe ich das reelle Produkt zweier imaginärer Größen. Die imaginären Größen sind *Sollen* und *Wollen*. Das Produkt heißt Moral und läßt sich in seiner Realität nicht leugnen.

M o r i t z. Hätten Sie mir das doch vorher gesagt! – Meine Moral hat mich in den Tod gejagt. Um meiner lieben Eltern willen griff ich zum Mordgewehr. »Ehre Vater und Mutter, auf daß du lange lebest.« An mir hat sich die Schrift phänomenal blamiert.

D e r  v e r m u m m t e  H e r r. Geben Sie sich keinen Illusionen hin, lieber Freund! Ihre lieben Eltern wären so wenig daran gestorben wie Sie. Rigoros beurteilt würden sie ja lediglich aus gesundheitlichem Bedürfnis getobt und gewettert haben.

M e l c h i o r. Das mag soweit ganz richtig sein. – Ich kann Ihnen aber mit Bestimmtheit sagen, mein Herr, daß, wenn ich Moritz vorhin ohne weiteres die Hand gereicht hätte, einzig und allein meine Moral die Schuld trüge.

D e r  v e r m u m m t e  H e r r. Dafür bist du eben *nicht* Moritz!

M o r i t z. Ich glaube doch nicht, daß der Unterschied so wesentlich ist – zum mindesten nicht so zwingend, daß Sie nicht auch *mir* zufällig hätten begegnen dürfen, verehrter *Unbekannter*, als ich damals, das Pistol in der Tasche, durch die Erlenpflanzungen trabte.

D e r  v e r m u m m t e  H e r r. Erinnern Sie sich meiner denn nicht? Sie standen doch wahrlich auch im letzten Augenblick noch zwischen *Tod* und *Leben*. – Übrigens ist hier meines Erachtens doch wohl nicht ganz der Ort, eine so tiefgreifende Debatte in die Länge zu ziehen.

M o r i t z. Gewiß, es wird kühl, meine Herren! – Man hat mir zwar meinen Sonntagsanzug angezogen, aber ich trage weder Hemd noch Unterhosen.

M e l c h i o r. Leb wohl, lieber Moritz. Wo dieser Mensch mich hinführt, weiß ich nicht. Aber er ist ein Mensch . . .

M o r i t z. Laß mich's nicht entgelten, Melchior, daß ich
dich umzubringen suchte! Es war alte Anhänglichkeit. –
Zeitlebens wollte ich nur klagen und jammern dürfen,
wenn ich dich nun noch einmal hinausbegleiten könnte!

D e r  v e r m u m m t e  H e r r. Schließlich hat jeder sein
Teil – *Sie* das beruhigende Bewußtsein, *nichts* zu haben –
*du* den enervierenden Zweifel an *allem*. – Leben Sie wohl.

M e l c h i o r. Leb wohl, Moritz! Nimm meinen herzlichen
Dank dafür, daß du mir noch erschienen. Wie manchen
frohen ungetrübten Tag wir nicht miteinander verlebt
haben in den vierzehn Jahren! Ich verspreche dir, Moritz,
mag nun werden was will, mag ich in den kommenden
Jahren zehnmal ein anderer werden, mag es aufwärts
oder abwärts mit mir gehn, *dich* werde ich nie vergessen . . .

M o r i t z. Dank, Dank, Geliebter.

M e l c h i o r. . . . und wenn ich einmal ein alter Mann in
grauen Haaren bin, dann stehst gerade du mir vielleicht
wieder näher als alle Mitlebenden.

M o r i t z. Ich danke dir. – Glück auf den Weg, meine
Herren! – Lassen Sie sich nicht länger aufhalten.

D e r  v e r m u m m t e  H e r r. Komm, Kind! – *(Er legt
seinen Arm in denjenigen Melchiors und entfernt sich mit
ihm über die Gräber hin.)*

M o r i t z *(allein).* – Da sitze ich nun mit meinem Kopf im
Arm. – – Der Mond verhüllt sein Gesicht, entschleiert
sich wieder und sieht um kein Haar gescheiter aus. – – So
kehre ich denn zu meinem Plätzchen zurück, richte mein
Kreuz auf, das mir der Tollkopf so rücksichtslos niedergestampft, und wenn alles in Ordnung, leg ich mich wieder auf den Rücken, wärme mich an der Verwesung und
lächle . . .

ARTHUR SCHNITZLER

## Die junge Frau und der Ehemann (Reigen V)

*Die Szenenfolge »Reigen« wurde von Schnitzler am 24. Februar 1897 vollendet und erschien 1900 als Privatdruck. In einem Brief an Otto Brahm, noch während der Arbeit, urteilt Schnitzler am 7. Januar 1897: »Etwas Unaufführbareres hat es noch nie gegeben.« Zu diesem Bedenken traten andere, auf eine mögliche öffentliche Reaktion bezogene. In einer Vorbemerkung des Privatdruckes bittet er die Adressaten um Diskretion; dennoch kam es schon 1903 zu einer Buchausgabe im Wiener Verlag und im selben Jahr zur Uraufführung im Akademisch-Dramatischen Verein München, die aber nur den vierten, fünften und sechsten Dialog präsentierte (Der junge Herr und die junge Frau, Die junge Frau und der Ehemann, Der Gatte und das süße Mädel). Erst nach der Aufhebung der Vorzensur im Jahre 1918 war eine öffentliche Aufführung des ganzen Stückes möglich. Sie fand am 23. Dezember 1920 im Berliner Kleinen Schauspielhaus statt und bestätigte die mehr als zwanzig Jahre zuvor geäußerte Befürchtung Schnitzlers, daß der »Inhalt den geltenden Begriffen nach die Veröffentlichung zu verbieten« scheine. Es kam zum Skandal und zu dem berühmten »Reigen«-Prozeß. Ludwig Marcuse spricht von »der Serie von häßlichen Auftritten [...], die am 23. Dezember begann und am 21. November 1921 vorläufig endete; Höhepunkt war die Stinkbomben-Schlacht am 22. Februar«. Und sogar Thomas Mann sprach 1912 von der »sinnigen Frechheit des ›Reigen‹«.*

*Ähnlich wie »Leutnant Gustl« verdankt auch der »Reigen« seine Wirkung einer ästhetischen Neuerung, die, schwer wiederholbar, das Stück innerhalb der Dramatik seiner Zeit isoliert erscheinen läßt. In dieser formalen Konzeption liegt zugleich der Inhalt und das Ärgernis für die reaktionär Denkenden, die ihre Entrüstung über die Darstellung sexuel-*

*ler Verhaltensweisen vorschoben. Es handelt sich um zehn
Dialoge, die ineinander verschlungen sind, indem in jeder
Szene ein Partner ausgetauscht wird. Die Überschriften bezeichnen die auftretenden Personen: Die Dirne und der
Soldat, Der Soldat und das Stubenmädchen, Das Stubenmädchen und der junge Herr, Der junge Herr und die
junge Frau, Die junge Frau und der Ehemann, Der Gatte
und das süße Mädel, Das süße Mädel und der Dichter, Der
Dichter und die Schauspielerin, Die Schauspielerin und der
Graf und endlich Der Graf und die Dirne: der »Reigen«
schließt sich hier. Es sind namenlose Rollenvertreter, die
insgesamt die Wiener Gesellschaft um 1900 repräsentieren.*

*In einem scherzhaften Brief Hugo von Hofmannsthals und
Richard Beer-Hofmanns an Schnitzler vom 15. Februar
1903 spricht Hofmannsthal, auf die Frage einer Veröffentlichung des »Reigen« eingehend, von einem »Schmutz-
werk«, nachdem er Schnitzler als »lieber Pornograph« an-
geredet hat. Damit ist die Reaktion des Publikums von
1920 annähernd genau vorausgesagt, die indes heute kaum
noch verständlich ist. Wahrscheinlich war Anlaß der Entrüstung, daß Liebe hier in ihren tatsächlichen Erscheinungs-
weisen, ohne romantisierende Sentimentalität, gezeigt wird.
Jede Szene demonstriert in einer anderen gesellschaftlichen
Verkleidung, daß Liebe ohne eine über die sexuelle Beziehung hinausreichende Zuneigung praktiziert werden kann.
Jede Szene zerstört die Illusionen einer bürgerlich-wohlan-
ständigen Liebesideologie, in der der Liebesakt als Symbol
einer fast religiös zu denkenden Vereinigung figuriert.*

*Am verständlichsten vielleicht wird die Entrüstung des Ber-
liner Publikums, wenn man die von Schnitzler dargestellte
Realität der Liebe mit der offiziell geltenden Moral vergleicht. Die einzige moralisch erlaubte Begegnung in den
zehn Szenen ist die fünfte zwischen der jungen Frau und
ihrem Ehemann. Er spielt ihr die Rolle dessen vor, der die
Heiligkeit der Ehe bewahren will, indem er seine Seitensprünge als notwendige Erholungspausen des Ehelebens*

*darstellt. Und die Frau geht auf dieses Spiel ein. Sie wird offiziell zum Lustobjekt gemacht und soll ihrem Mann nach dessen Launen zu Gebote sein, ohne ihre eigenen Wünsche aussprechen, ohne auch, wie er, erholsame Abwechslung genießen zu dürfen. So ist sie genötigt, eine Komödie der Verstellung zu spielen, und er kaschiert seine erfrischenden Seitensprünge als Ausflüge »ins feindliche Leben«, das heißt, er entfaltet das patriarchalische Rollenverständnis von Mann und Frau aus voremanzipatorischen Zeiten, das der Frau Reinheit zumutet und dem Mann Lust gestattet.*

## V

### Die junge Frau und der Ehemann

*Ein behagliches Schlafgemach.*
*Es ist halb elf Uhr nachts. Die Frau liegt zu Bette und liest.
Der Gatte tritt eben, im Schlafrock, ins Zimmer.*

D i e  j u n g e  F r a u *(ohne aufzuschauen).* Du arbeitest nicht mehr?

D e r  G a t t e. Nein. Ich bin zu müde. Und außerdem ...

D i e  j u n g e  F r a u. Nun? –

D e r  G a t t e. Ich hab mich an meinem Schreibtisch plötzlich so einsam gefühlt. Ich habe Sehnsucht nach dir bekommen.

D i e  j u n g e  F r a u *(schaut auf).* Wirklich?

D e r  G a t t e *(setzt sich zu ihr aufs Bett).* Lies heute nicht mehr. Du wirst dir die Augen verderben.

D i e  j u n g e  F r a u *(schlägt das Buch zu).* Was hast du denn?

D e r  G a t t e. Nichts, mein Kind. Verliebt bin ich in dich! Das weißt du ja!

D i e  j u n g e  F r a u. Man könnte es manchmal fast vergessen.

D e r  G a t t e. Man muß es sogar manchmal vergessen.

Die junge Frau. Warum?

Der Gatte. Weil die Ehe sonst etwas Unvollkommenes
wäre. Sie würde ... wie soll ich nur sagen ... sie würde
ihre Heiligkeit verlieren.

Die junge Frau. Oh...

Der Gatte. Glaube mir – es ist so ... Hätten wir in
den fünf Jahren, die wir jetzt miteinander verheiratet
sind, nicht manchmal vergessen, daß wir ineinander verliebt sind – wir wären es wohl gar nicht mehr.

Die junge Frau. Das ist mir zu hoch.

Der Gatte. Die Sache ist einfach die: wir haben vielleicht schon zehn oder zwölf Liebschaften miteinander
gehabt ... Kommt es dir nicht auch so vor?

Die junge Frau. Ich hab nicht gezählt! –

Der Gatte. Hätten wir gleich die erste bis zum Ende
durchgekostet, hätte ich mich von Anfang an meiner
Leidenschaft für dich willenlos hingegeben, es wäre uns
gegangen wie den Millionen von anderen Liebespaaren.
Wir wären fertig miteinander.

Die junge Frau. Ah ... so meinst du das?

Der Gatte. Glaube mir – Emma – in den ersten Tagen
unserer Ehe hatte ich Angst, daß es so kommen würde.

Die junge Frau. Ich auch.

Der Gatte. Siehst du? Hab ich nicht recht gehabt?
Darum ist es gut, immer wieder für einige Zeit nur in
guter Freundschaft miteinander hinzuleben.

Die junge Frau. Ach so.

Der Gatte. Und so kommt es, daß wir immer wieder
neue Flitterwochen miteinander durchleben können, da
ich es nie drauf ankommen lasse, die Flitterwochen ...

Die junge Frau. Zu Monaten auszudehnen.

Der Gatte. Richtig.

Die junge Frau. Und jetzt ... scheint also wieder
eine Freundschaftsperiode abgelaufen zu sein –?

Der Gatte *(sie zärtlich an sich drückend)*. Es dürfte so
sein.

Die junge Frau. Wenn es aber ... bei mir anders
wäre.

Der Gatte. Es ist bei dir nicht anders. Du bist ja das
klügste und entzückendste Wesen, das es gibt. Ich bin
sehr glücklich, daß ich dich gefunden habe.

Die junge Frau. Das ist aber nett, wie du den Hof
machen kannst – von Zeit zu Zeit.

Der Gatte *(hat sich auch zu Bett begeben)*. Für einen
Mann, der sich ein bißchen in der Welt umgesehen hat
– geh, leg den Kopf an meine Schulter – der sich in der
Welt umgesehen hat, bedeutet die Ehe eigentlich etwas
viel Geheimnisvolleres als für euch junge Mädchen aus
guter Familie. Ihr tretet uns rein und ... wenigstens bis
zu einem gewissen Grad unwissend entgegen, und darum
habt ihr eigentlich einen viel klareren Blick für das Wesen der Liebe als wir.

Die junge Frau *(lachend)*. Oh!

Der Gatte. Gewiß. Denn wir sind ganz verwirrt und
unsicher geworden durch die vielfachen Erlebnisse, die
wir notgedrungen vor der Ehe durchzumachen haben.
Ihr hört ja viel und wißt zuviel und lest ja wohl eigentlich auch zuviel, aber einen rechten Begriff von dem, was
wir Männer in der Tat erleben, habt ihr ja doch nicht.
Uns wird das, was man so gemeinhin die Liebe nennt,
recht gründlich widerwärtig gemacht; denn was sind
das schließlich für Geschöpfe, auf die wir angewiesen
sind!

Die junge Frau. Ja, was sind das für Geschöpfe?

Der Gatte *(küßt sie auf die Stirn)*. Sei froh, mein
Kind, daß du nie einen Einblick in diese Verhältnisse er-
halten hast. Es sind übrigens meist recht bedauernswerte
Wesen – werfen wir keinen Stein auf sie.

Die junge Frau. Bitt dich – dieses Mitleid. – Das
kommt mir da gar nicht recht angebracht vor.

Der Gatte *(mit schöner Milde)*. Sie verdienen es. Ihr,
die ihr junge Mädchen aus guter Familie wart, die ruhig

unter Obhut euerer Eltern auf den Ehrenmann warten
konntet, der euch zur Ehe begehrte; – ihr kennt ja das
Elend nicht, das die meisten von diesen armen Geschöpfen der Sünde in die Arme treibt.

D i e   j u n g e   F r a u. So verkaufen sich denn alle?

D e r   G a t t e. Das möchte ich nicht sagen. Ich mein ja
auch nicht nur das materielle Elend. Aber es gibt auch
– ich möchte sagen – ein sittliches Elend; eine mangel-
hafte Auffassung für das, was erlaubt, und insbesondere
für das, was edel ist.

D i e   j u n g e   F r a u. Aber warum sind die zu bedauern? –
Denen gehts ja ganz gut?

D e r   G a t t e. Du hast sonderbare Ansichten, mein Kind.
Du darfst nicht vergessen, daß solche Wesen von Natur
aus bestimmt sind, immer tiefer und tiefer zu fallen. Da
gibt es kein Aufhalten.

D i e   j u n g e   F r a u *(sich an ihn schmiegend).* Offenbar
fällt es sich ganz angenehm.

D e r   G a t t e *(peinlich berührt).* Wie kannst du so reden,
Emma. Ich denke doch, daß es gerade für euch anständige Frauen nichts Widerwärtigeres geben kann als alle
diejenigen, die es nicht sind.

D i e   j u n g e   F r a u. Freilich, Karl, freilich. Ich habs ja
auch nur so gesagt. Geh, erzähl weiter. Es ist so nett,
wenn du so redst. Erzähl mir was.

D e r   G a t t e. Was denn?

D i e   j u n g e   F r a u. Nun – von diesen Geschöpfen.

D e r   G a t t e. Was fällt dir denn ein?

D i e   j u n g e   F r a u. Schau, ich hab dich schon früher,
weißt du, ganz im Anfang hab ich dich immer gebeten,
du sollst mir aus deiner Jugend was erzählen.

D e r   G a t t e. Warum interessiert dich denn das?

D i e   j u n g e   F r a u. Bist du denn nicht mein Mann? Und
ist das nicht geradezu eine Ungerechtigkeit, daß ich von
deiner Vergangenheit eigentlich gar nichts weiß? –

D e r   G a t t e. Du wirst mich doch nicht für so ge-

schmacklos halten, daß ich – Genug, Emma ... das ist ja
wie eine Entweihung.

D i e   j u n g e   F r a u. Und doch hast du ... wer weiß wieviel andere Frauen gerade so in den Armen gehalten, wie
jetzt mich.

D e r   G a t t e. Sag doch nicht »Frauen«. Frau bist du.

D i e   j u n g e   F r a u. Aber eine Frage mußt du mir beantworten ... sonst ... sonst ... ists nichts mit den Flitterwochen.

D e r   G a t t e. Du hast eine Art, zu reden ... denk doch,
daß du Mutter bist ... daß unser Mäderl da drin liegt ...

D i e   j u n g e   F r a u *(an ihn sich schmiegend)*. Aber ich
möcht auch einen Buben.

D e r   G a t t e. Emma!

D i e   j u n g e   F r a u. Geh, sei nicht so ... freilich bin ich
deine Frau ... aber ich möchte auch ein bissel ... deine
Geliebte sein.

D e r   G a t t e. Möchtest du? ...

D i e   j u n g e   F r a u. Also – zuerst meine Frage.

D e r   G a t t e *(gefügig)*. Nun?

D i e   j u n g e   F r a u. War ... eine verheiratete Frau –
unter ihnen?

D e r   G a t t e. Wieso? – Wie meinst du das?

D i e   j u n g e   F r a u. Du weißt schon.

D e r   G a t t e *(leicht beunruhigt)*. Wie kommst du auf
diese Frage?

D i e   j u n g e   F r a u. Ich möchte wissen, ob es ... das
heißt – es gibt solche Frauen ... das weiß ich. Aber ob
du ...

D e r   G a t t e *(ernst)*. Kennst du eine solche Frau?

D i e   j u n g e   F r a u. Ja, ich weiß das selber nicht.

D e r   G a t t e. Ist unter deinen Freundinnen vielleicht eine
solche Frau?

D i e   j u n g e   F r a u. Ja, wie kann ich das mit Bestimmtheit behaupten – oder verneinen?

D e r   G a t t e. Hat dir vielleicht einmal eine deiner Freun-

dinnen ... Man spricht über gar manches, wenn man so
– die Frauen unter sich – hat dir eine gestanden –?

D i e   j u n g e   F r a u   *(unsicher).* Nein.

D e r   G a t t e. Hast du bei irgendeiner deiner Freundinnen
den Verdacht, daß sie ...

D i e   j u n g e   F r a u. Verdacht ... oh ... Verdacht.

D e r   G a t t e. Es scheint.

D i e   j u n g e   F r a u. Gewiß nicht, Karl, sicher nicht.
Wenn ich mirs so überlege – ich trau es doch keiner zu.

D e r   G a t t e. Keiner?

D i e   j u n g e   F r a u. Von meinen Freundinnen keiner.

D e r   G a t t e. Versprich mir etwas, Emma.

D i e   j u n g e   F r a u. Nun?

D e r   G a t t e. Daß du nie mit einer Frau verkehren wirst,
bei der du auch den leisesten Verdacht hast, daß sie ...
kein ganz tadelloses Leben führt.

D i e   j u n g e   F r a u. Das muß ich dir erst versprechen?

D e r   G a t t e. Ich weiß ja, daß du den Verkehr mit solchen Frauen nicht suchen wirst. Aber der Zufall könnte
es fügen, daß du ... Ja, es ist sogar sehr häufig, daß gerade solche Frauen, deren Ruf nicht der beste ist, die
Gesellschaft von anständigen Frauen suchen, teils um sich
ein Relief zu geben, teils aus einem gewissen ... wie soll
ich sagen ... aus einem gewissen Heimweh nach der
Tugend.

D i e   j u n g e   F r a u. So.

D e r   G a t t e. Ja. Ich glaube, daß das sehr richtig ist, was
ich da gesagt habe. Heimweh nach der Tugend. Denn,
daß diese Frauen alle eigentlich sehr unglücklich sind,
das kannst du mir glauben.

D i e   j u n g e   F r a u. Warum?

D e r   G a t t e. Du fragst, Emma? – Wie kannst du denn
nur fragen? – Stell dir doch vor, was diese Frauen für
eine Existenz führen! Voll Lüge, Tücke, Gemeinheit und
voll Gefahren.

D i e   j u n g e   F r a u. Ja freilich. Da hast du schon recht.

Der Gatte. Wahrhaftig – sie bezahlen das bißchen Glück ... das bißchen ...

Die junge Frau. Vergnügen.

Der Gatte. Warum Vergnügen? Wie kommst du darauf, das Vergnügen zu nennen?

Die junge Frau. Nun – etwas muß es doch sein –! Sonst täten sie's ja nicht.

Der Gatte. Nichts ist es ... ein Rausch.

Die junge Frau *(nachdenklich)*. Ein Rausch.

Der Gatte. Nein, es ist nicht einmal ein Rausch. Wie immer – teuer bezahlt, das ist gewiß!

Die junge Frau. Also ... du hast das einmal mitgemacht – nicht wahr?

Der Gatte. Ja, Emma. – Es ist meine traurigste Erinnerung.

Die junge Frau. Wer ists? Sag! Kenn ich sie?

Der Gatte. Was fällt dir denn ein?

Die junge Frau. Ists lange her? War es sehr lang, bevor du mich geheiratet hast?

Der Gatte. Frag nicht. Ich bitte dich, frag nicht.

Die junge Frau. Aber Karl!

Der Gatte. Sie ist tot.

Die junge Frau. Im Ernst?

Der Gatte. Ja ... es klingt fast lächerlich, aber ich habe die Empfindung, daß alle diese Frauen jung sterben.

Die junge Frau. Hast du sie sehr geliebt?

Der Gatte. Lügnerinnen liebt man nicht.

Die junge Frau. Also warum ...

Der Gatte. Ein Rausch ...

Die junge Frau. Also doch?

Der Gatte. Sprich nicht mehr davon, ich bitt dich. Alles das ist lang vorbei. Geliebt hab ich nur eine – das bist du. Man liebt nur, wo Reinheit und Wahrheit ist.

Die junge Frau. Karl!

Der Gatte. Oh, wie sicher, wie wohl fühlt man sich in solchen Armen. Warum hab ich dich nicht schon als Kind

gekannt? Ich glaube, dann hätt ich andere Frauen überhaupt nicht angesehen.

Die junge Frau. Karl!

Der Gatte. Und schön bist du! ... schön! ... O
komm ... *(Er löscht das Licht aus.)*

---

Die junge Frau. Weißt du, woran ich heute denken
muß?

Der Gatte. Woran, mein Schatz?

Die junge Frau. An ... an ... an Venedig.

Der Gatte. Die erste Nacht ...

Die junge Frau. Ja ... so ...

Der Gatte. Was denn –? So sags doch!

Die junge Frau. So lieb hast du mich heut.

Der Gatte. Ja, so lieb.

Die junge Frau. Ah ... Wenn du immer ...

Der Gatte *(in ihren Armen)*. Wie?

Die junge Frau. Mein Karl!

Der Gatte. Was meintest du? Wenn ich immer ...

Die junge Frau. Nun ja.

Der Gatte. Nun, was wär denn, wenn ich immer ...?

Die junge Frau. Dann wüßt ich eben immer, daß du
mich lieb hast.

Der Gatte. Ja. Du mußt es aber auch so wissen. Man
ist nicht immer der liebende Mann, man muß auch zuweilen hinaus ins feindliche Leben, muß kämpfen und
streben! Das vergiß nie, mein Kind! Alles hat seine Zeit
in der Ehe – das ist eben das Schöne. Es gibt nicht viele,
die sich noch nach fünf Jahren an – ihr Venedig erinnern.

Die junge Frau. Freilich!

Der Gatte. Und jetzt ... gute Nacht, mein Kind.

Die junge Frau. Gute Nacht!

# Weiterführende Leseliste

Hier werden nur wenige Titel aufgeführt, Werke von Autoren, für die im Textteil kein Platz zur Verfügung stand, Anthologien und einige andere Titel. Eigens zitiert werden die leicht zugänglichen Ausgaben von Reclams Universal-Bibliothek (UB). Es wird außerdem empfohlen, die im Quellenverzeichnis genannten Bücher vollständig zu lesen sowie die in den Kommentaren erwähnten Werke.

*Peter Altenberg:* Sonnenuntergang im Prater. Kleine Prosa. Fünfundzwanzig Prosastücke. Ausw. und Nachw. von Hans Dieter Schäfer. Stuttgart 1968 [u. ö.]. (UB 8560.)

*Hermann Bahr:* Das Konzert. Lustspiel. Stuttgart 1961 [u. ö.]. (UB 8646.)

*Rudolf Borchardt:* Ausgewählte Gedichte. Ausw. und Einl. von Theodor W. Adorno. Frankfurt a. M. 1968.

*Max Dauthendey:* Exotische Novellen. Hrsg. von Hermann Gerstner. Stuttgart 1958 [u. ö.]. (UB 8220.)

*Stefan George:* Gedichte. Hrsg. von Robert Boehringer. Stuttgart 1960 [u. ö.]. (UB 8444.)

*Jost Hermand* (Hrsg.): Lyrik des Jugendstils. Eine Anthologie. Stuttgart 1964 [u. ö.]. (UB 8928.)

*Hermann Hesse:* Hermann Lauscher. Nachw. von Hans Bender. Stuttgart 1974 [u. ö.]. (UB 9665.)

*Hermann Hesse:* Im Presselschen Gartenhaus. Nachw. von Martin Kießig. Stuttgart 1964 [u. ö.]. (UB 8912.)

*Hermann Hesse:* In der alten Sonne. Stuttgart 1953 [u. ö.]. (UB 7557.)

*Hugo von Hofmannsthal:* Wege und Begegnungen. Nachw. von Walther Brecht. Stuttgart 1949 [u. ö.]. (UB 7171.)

*Ricarda Huch:* Gedichte. In: R. H.: Gesammelte Werke. Hrsg. von Wilhelm Emrich. Bd. 5. Köln 1971.

*Walter Killy* (Hrsg.): Zeichen der Zeit. Ein deutsches Lesebuch. Bd. 4: Verwandlung der Wirklichkeit. Frankfurt a. M. 1958.

*Walter Killy* (Hrsg.): 20. Jahrhundert. Texte und Zeugnisse 1880–1933. München 1967.

*Karl Kraus:* Schriften in 12 Bänden. Hrsg. von Christian Wagenknecht. Frankfurt a. M. 1986 ff.

*Julius Langbehn:* Rembrandt als Erzieher. Von einem Deutschen. Leipzig 1890.

*Thomas Mann:* Tristan. Nachw. von Hermann Kurzke. Stuttgart 1988. (UB 6431.)

*Hartmut Marhold* (Hrsg.): Gedichte und Prosa des Impressionismus. Stuttgart 1991. (UB 8691.)

*Alfred Mombert:* Gedichte. Ausw. und Nachw. von Elisabeth Höpker-Herberg. Stuttgart 1967. (UB 8760.)

*Christian Morgenstern:* Gesammelte Werke in einem Band. München 1989.

*Börries Freiherr von Münchhausen:* Die Balladen und ritterlichen Lieder. Berlin 1908.

*Henry Murger:* Boheme. Szenen aus dem Pariser Künstlerleben. Übers. und Nachw. von Ernst Sander. Stuttgart 1967. (UB 1534.)

*Wolfdietrich Rasch* (Hrsg.): Dichterische Prosa um 1900. Tübingen 1970.

*Rainer Maria Rilke:* Die Aufzeichnungen des Malte Laurids Brigge. Frankfurt a. M. 1958 [u. ö.].

*Rainer Maria Rilke:* Gedichte. Auswahl. Nachw. von Erich Pfeiffer-Belli. Stuttgart 1959 [u. ö.]. (UB 8291.)

*Erich Ruprecht / Dieter Bänsch* (Hrsg.): Literarische Manifeste der Jahrhundertwende 1890–1910. Stuttgart 1970.

*Arthur Schnitzler:* Anatol. Anatols Größenwahn. Der grüne Kakadu. Nachw. von Gerhart Baumann. Stuttgart 1970 [u. ö.]. (UB 8399.)

*Arthur Schnitzler:* Der einsame Weg. Schauspiel. Stuttgart 1962 [u. ö.]. (UB 8664.)

*Arthur Schnitzler:* Jugend in Wien. Eine Autobiographie. Hrsg. von Therese Nickl und Heinrich Schnitzler. Frankfurt a. M. 1981.

*Frank Wedekind:* Gedichte und Lieder. Hrsg. von Gerhard Hay. Stuttgart 1989. (UB 8578.)

*Frank Wedekind:* Lulu (Erdgeist, Die Büchse der Pandora). Hrsg. von Erhard Weidl. Stuttgart 1989. (UB 8567.)

*Frank Wedekind:* Der Marquis von Keith. Schauspiel. Nachw. von Gerhard F. Hering. Stuttgart 1964 [u. ö.]. (UB 8901.)

*Michael Winkler* (Hrsg.): Einakter und kleine Dramen des Jugendstils. Stuttgart 1974. (UB 9720.)

# Verzeichnis der verwendeten Forschungsliteratur

## Allgemeines

Hier sind nur die Titel genannt, die der Herausgeber erwähnt, zitiert oder benutzt hat; weitere Literatur findet sich in den aufgeführten Werken selbst, vor allem in den Rowohlt-Bildmonographien, den Realienbüchern der Sammlung Metzler und den Bänden der Reihe »Köpfe des XX. Jahrhunderts«. Außerdem wurden Interpretationen aus den Sammelbänden Jost Schillemeits und Benno von Wieses benutzt, die hier nicht einzeln genannt werden. Zu weiterer Information sei verwiesen auf die »Bibliographie der deutschen Literaturwissenschaft«, hrsg. von Hanns W. Eppelsheimer, Bd. 1 ff., Frankfurt a. M. 1957 ff.; ab Bd. 2 (1958) bearb. von Clemens Köttelwesch, ab Bd. 9 (1969) unter dem Titel »Bibliographie der deutschen Sprach- und Literaturwissenschaft« hrsg. von Clemens Köttelwesch, ab Bd. 22 (1982) hrsg. von Bernhard Koßmann.

*Adorno, Theodor W.:* Rede über Lyrik und Gesellschaft. In: Th. W. A.: Noten zur Literatur I. Frankfurt a. M. 1961. S. 73–104.

*Berding, Helmut:* Moderner Antisemitismus in Deutschland. Frankfurt a. M. 1988.

*Curtius, Ernst Robert:* Kritische Essays zur europäischen Literatur. Bern/München 1950.

*Delevoy, Robert L.:* Der Symbolismus in Wort und Bild. Aus dem Frz. von Knud Lambrecht und Cornelia Niebler. Stuttgart 1979.

*Friedell, Egon:* Kulturgeschichte der Neuzeit. Die Krisis der europäischen Seele von der Schwarzen Pest bis zum Ersten Weltkrieg. Bd. 3, 5. Buch: Imperialismus und Impressionismus. München 1931. S. 331–554.

*Friedrich, Hugo:* Die Struktur der modernen Lyrik. Von Baudelaire bis zur Gegenwart. Hamburg 1956. Neuausg. Reinbek bei Hamburg 1985.

*Frisch, Ephraim:* Zum Verständnis des Geistigen. Hrsg. von Guy Stern. Heidelberg/Darmstadt 1963.

*Greve, Ludwig / Volke, Werner:* Jugend in Wien. Literatur um 1900.

Sonderausstellung des Schiller-Nationalmuseums, Marbach. Katalog Nr. 24. Hrsg. von Bernhard Zeller. München 1974.

*Hajek, Edelgard:* Literarischer Jugendstil. Vergleichende Studien zur Dichtung und Malerei um 1900. Düsseldorf 1971.

*Hamann, Richard / Hermand, Jost:* Epochen deutscher Kultur von 1870 bis zur Gegenwart. Bd. 3: Impressionismus. München 1974. Bd. 4: Stilkunst um 1900. Ebd. 1973.

*Hermand, Jost:* Jugendstil. Ein Forschungsbericht. 1918–1962. In: Deutsche Vierteljahrsschrift für Literaturwissenschaft und Geistesgeschichte 38 (1964) S. 70–110; S. 273–315.

*Hermand, Jost* (Hrsg.): Jugendstil. Darmstadt 1971. (Wege der Forschung. 110.)

*Hoffmann, Paul:* Symbolismus. München 1987.

*Jost, Dominik:* Literarischer Jugendstil. Stuttgart 1969. (Sammlung Metzler. 81.)

*Just, Klaus Günther:* Von der Gründerzeit bis zur Gegenwart. Geschichte der deutschen Literatur seit 1871. Bern/München 1973.

*Kayser, Wolfgang:* Das Groteske. Seine Gestaltung in Malerei und Dichtung. Oldenburg 1957.

*Koppen, Erwin:* Dekadenter Wagnerismus. Studien zur europäischen Literatur des fin de siècle. Berlin 1973.

*Kreuzer, Helmut:* Die Boheme. Beiträge zu ihrer Beschreibung. Stuttgart 1968.

*Kreuzer, Helmut / Hamburger, Käte* (Hrsg.): Gestaltungsgeschichte und Gesellschaftsgeschichte. Literatur-, Kunst- und Musikwissenschaftliche Studien. Fritz Martini zum 60. Geburtstag. Stuttgart 1969.

*Lehnert, Herbert:* Satirische Botschaft an den Leser. Das Ende des Jugendstils. In: Kreuzer/Hamburger (Hrsg.): Gestaltungsgeschichte und Gesellschaftsgeschichte. Stuttgart 1969. S. 487 bis 515.

*Lehnert, Herbert:* Geschichte der deutschen Literatur vom Jugendstil zum Expressionismus. Stuttgart 1978.

*Lukács, Georg:* Deutsche Literatur im Zeitalter des Imperialismus: Eine Übersicht ihrer Hauptströmungen. Berlin 1945.

*Lukács, Georg:* Die Theorie des Romans. Ein geschichtsphilosophischer Versuch über die Formen der großen Epik. Neuwied/Berlin ³1971.

*Martini, Fritz:* Deutsche Literatur zwischen 1880 und 1950. In: Deutsche Vierteljahrsschrift für Literaturwissenschaft und Geistesgeschichte 26 (1952) S. 478–535.

*Mathes, Jürg* (Hrsg.): Theorie des literarischen Jugendstils. Stuttgart 1984.

*Mennemeier, Franz Norbert:* Literatur der Jahrhundertwende. Bd. 1: Europäisch-deutsche Literaturtendenzen 1870 bis 1910. Frankfurt a. M. 1985.

*Minder, Robert:* Kadettenhaus, Gruppendynamik und Stilwandel von Wildenbruch bis Rilke und Musil. In: R. M.: Kultur und Literatur in Deutschland und Frankreich. Fünf Essays. Frankfurt a. M. 1962.

*Nivelle, Armand:* Zur Erneuerung des Romans am Anfang des 20. Jahrhunderts. In: Deutsche Weltliteratur. Von Goethe bis Ingeborg Bachmann. Festgabe für Alan Pfeffer. Hrsg. von Klaus W. Jonas. Tübingen 1972. S. 148–157.

*Plessner, Helmuth:* Die verspätete Nation. Stuttgart ²1959.

*Prang, Helmut:* Impressionismus. In: Reallexikon der deutschen Literaturgeschichte. 2. Aufl. Hrsg. von Werner Kohlschmidt und Wolfgang Mohr. Bd. 1. Berlin 1958. S. 749 f.

*Przybyszewski, Stanislaw:* Erinnerungen an das literarische Berlin. München 1965.

*Rasch, Wolfdietrich:* Zur deutschen Literatur seit der Jahrhundertwende. Gesammelte Aufsätze. Stuttgart 1967.

*Rasch, Wolfdietrich:* Die literarische Décadence um 1900. München 1986.

*Rotermund, Erwin:* Die Parodie in der modernen deutschen Lyrik. München 1963.

*Schlawe, Fritz:* Literarische Zeitschriften 1885–1910. Stuttgart 1961. (Sammlung Metzler. 6.)

*Schmähling, Walter:* Die Darstellung der menschlichen Problematik in der deutschen Lyrik von 1890–1914. Diss. München 1962.

*Schmitz, Walter* (Hrsg.): Die Münchner Moderne. Die literarische Szene in der ›Kunststadt‹ um die Jahrhundertwende. Stuttgart 1990.

*Schutte, Jürgen / Sprengel, Peter* (Hrsg.): Die Berliner Moderne 1885–1914. Stuttgart 1987.

*Soergel, Albert / Hohoff, Curt:* Dichtung und Dichter der Zeit. Vom Naturalismus bis zur Gegenwart. 2 Bde. Düsseldorf 1961.

*Wiese, Benno von* (Hrsg.): Deutsche Dichter der Moderne. Berlin 1965.

*Wunberg, Gotthard / Braakenburg, Johannes J.* (Hrsg.): Die Wiener Moderne. Literatur, Kunst und Musik zwischen 1890 und 1910. Stuttgart 1981.

## Zu einzelnen Autoren

### Peter Altenberg

*Mann, Thomas:* Peter Altenberg. In: Th. M.: Gesammelte Werke. Bd. 10. Frankfurt a. M. 1960. S. 422–426.
*Kosler, Hans Christian* (Hrsg.): Peter Altenberg in Texten und Bildern. München 1984.

### Hermann Bahr

*Chastel, Emile:* Hermann Bahr, son œuvre et son temps. 2 Bde. Paris 1977.
*Kindermann, Heinz:* Hermann Bahr. Ein Leben für das europäische Theater. Graz/Köln 1954.

### Walter Benjamin

*Arendt, Hannah:* Walter Benjamin. Bertolt Brecht. Zwei Essays. München 1971.
*Atüssi, Anna:* Erinnerung an die Zukunft. Walter Benjamins »Berliner Kindheit um Neunzehnhundert«. Göttingen 1977.
*Fuld, Werner:* Walter Benjamin. Eine Biographie. Reinbek bei Hamburg 1990.
*Habermas, Jürgen:* Consciousness-raising or redemptive criticism – the contemporaneity of Walter Benjamin. In: New German Critique. Milwaukee, Wis., 1979. Nr. 19. S. 30–59.
*Unseld, Siegfried* (Hrsg.): Zur Aktualität Walter Benjamins. Aus Anlaß des 80. Geburtstags von Walter Benjamin hrsg. von Siegfried Unseld. Frankfurt a. M. 1972.
*Witte, Bernd:* Walter Benjamin in Selbstzeugnissen und Bilddokumenten. Reinbek bei Hamburg 1985.

### Otto Julius Bierbaum

*Stankovich, Dushan:* Otto Julius Bierbaum. Eine Werkmonographie. Bern / Frankfurt a. M. 1971.

### Richard Dehmel

*Fritz, Horst:* Literarischer Jugendstil und Expressionismus. Zur Kunsttheorie, Dichtung und Wirkung Richard Dehmels. Stuttgart 1969.

*Schindler, Johannes* (Hrsg.): Richard Dehmel. Dichtungen, Briefe, Dokumente. Hamburg 1963.

Sigmund Freud

*Adorno, Theodor W.:* Psychoanalyse und Soziologie. 2 Aufsätze. In: Sociologica. Aufsätze. Max Horkheimer zum 60. Geburtstag gewidmet. Frankfurt a. M. 1955. S. 11–45.
*Jones, Ernest:* Das Leben und Werk von Sigmund Freud. 3 Bde. Stuttgart/Bern 1960–62.
*Mann, Thomas:* Freud und die Zukunft. In: Th. M.: Gesammelte Werke. Bd. 9. Frankfurt a. M. 1960. S. 478–501.
*Mannoni, Octavo:* Sigmund Freud in Selbstzeugnissen und Bilddokumenten. Reinbek bei Hamburg 1971.
*Marcuse, Herbert:* Triebstruktur und Gesellschaft. Ein philosophischer Beitrag zu Sigmund Freud. Frankfurt a. M. 1965.

Stefan George

*Adorno, Theodor W.:* George. In: Th. W. A.: Noten zur Literatur IV. Frankfurt a. M. 1974. S. 45–62.
*Arntzen, Helmut:* Belehrung durch Lyrik. In: H. A.: Literatur im Zeitalter der Information. Frankfurt a. M. 1971. S. 79–85.
*Bock, Klaus Victor:* Stefan George: »Jahrestag«. In: Jost Schillemeit (Hrsg.): Interpretationen. Bd. 1: Deutsche Lyrik von Weckherlin bis Benn. Frankfurt a. M. 1965. S. 271–276.
*Gundolf, Friedrich:* George. Berlin 1920. ³1930. Nachdr. Darmstadt 1968.
*Klussmann, Paul Gerhard:* Stefan George. Zum Selbstverständnis der Kunst und des Dichters in der Moderne. Mit einer George-Bibliographie. Bonn 1961.
*Landmann, Georg Peter:* Stefan George und sein Kreis. Eine Bibliographie. Hamburg ²1976.
*Mattenklott, Gert:* Bilderdienst. Ästhetische Opposition bei Beardsley und George. Frankfurt a. M. 1985.
*Winkler, Michael:* Stefan George. Stuttgart 1970. (Sammlung Metzler. 90.)
*Winkler, Michael:* George-Kreis. Stuttgart 1972. (Sammlung Metzler. 110.)
*Zeller, Bernhard* (Hrsg.): Stefan George 1868–1968. Der Dichter und sein Kreis. Sonderausstellung des Schiller-Nationalmuseums, Marbach. Katalog Nr. 19. München 1968.

338     *Verwendete Forschungsliteratur*

## Hermann Hesse

*Field, George Wallis:* Hermann Hesse. Kommentar zu sämtlichen Werken. Stuttgart 1977.

*Michels, Volker* (Hrsg.): Hermann Hesse. Sein Leben in Bildern und Texten. Vorw. von Hans Mayer. Frankfurt a. M. 1979.

*Middell, Eike:* Hermann Hesse. Die Bilderwelt seines Lebens. Frankfurt a. M. ²1982.

*Zeller, Bernhard:* Hermann Hesse in Selbstzeugnissen und Bilddokumenten. Neuausg. Reinbek bei Hamburg 1978.

## Hugo von Hofmannsthal

*Broch, Hermann:* Hofmannsthal und seine Zeit. Eine Studie. In: H. B.: Gesammelte Werke. Bd. 6. Zürich 1955. S. 43–181.

*Goldschmitt, Rudolf:* Hugo von Hofmannsthal. München 1976.

*Jäger-Trees, Corinna:* Aspekte der Dekadenz in Hofmannsthals Dramen und Erzählungen des Frühwerks. Bern/Stuttgart 1988.

*Lublinski, Samuel:* Hugo von Hofmannsthal. In: S. L.: Der Ausgang der Moderne. Ein Buch der Opposition. (1909.) Zit. nach: Wunberg (Hrsg.): Hofmannsthal im Urteil seiner Kritiker. S. 209–228.

*Mennemeier, Franz Norbert:* Hugo von Hofmannsthal. Vor Tag. In: Benno von Wiese (Hrsg.): Die deutsche Lyrik. Form und Geschichte. Interpretationen. Bd. 2: Von der Spätromantik bis zur Gegenwart. Düsseldorf 1959. S. 292–302.

*Naef, Karl J.:* Hugo von Hofmannsthals Wesen und Werk. Zürich/Leipzig 1938.

*Perl, Walther H.:* Das lyrische Jugendwerk Hugo von Hofmannsthals. Berlin 1936.

*Volke, Werner:* Hugo von Hofmannsthal in Selbstzeugnissen und Bilddokumenten. Reinbek bei Hamburg 1967.

*Wunberg, Gotthart* (Hrsg.): Hofmannsthal im Urteil seiner Kritiker. Dokumente zur Wirkungsgeschichte Hugo von Hofmannsthals. München 1972.

## Karl Kraus

*Arntzen, Helmut:* Karl Kraus und die Presse. München 1975.

*Benjamin, Walter:* Karl Kraus. In: W. B.: Illuminationen. Frankfurt a. M. 1961. S. 374–408.

*Fischer, Jens Malte:* Karl Kraus. Stuttgart 1974. (Sammlung Metzler. 131.)
*Schick, Paul:* Karl Kraus in Selbstzeugnissen und Bilddokumenten. Reinbek bei Hamburg 1965.
*Schneider, Manfred:* Die Angst und das Paradies des Nörglers. Versuch über Karl Kraus. Frankfurt a. M. 1977.

Thomas Mann

*Adorno, Theodor W.:* Zu einem Porträt Thomas Manns. In: Th. W. A.: Noten zur Literatur III. Frankfurt a. M. 1965. S. 19–29.
*Bahr, Erhard:* Erläuterungen und Dokumente: Thomas Mann, »Der Tod in Venedig«. Stuttgart 1991.
*Bludau, Beatrix / Heftrich, Eckhard / Koopmann, Helmut* (Hrsg.): Thomas Mann 1875–1975. Vorträge in München, Zürich, Lübeck. Frankfurt a. M. 1977.
*Hansen, Volkmar:* Thomas Mann. Stuttgart 1984. (Sammlung Metzler. 211.)
*Hilscher, Eberhard:* Thomas Mann. Leben und Werk. Berlin 1983.
*Kurzke, Hermann:* Thomas Mann – Forschung 1969–76. Ein kritischer Bericht. Frankfurt a. M. 1977.
*Kurzke, Hermann:* Thomas Mann: Epoche – Werk – Wirkung. München 1985.
*Mendelssohn, Peter de:* Der Zauberer. Das Leben des deutschen Schriftstellers Thomas Mann. Frankfurt a. M. 1975.
*Moulden, Ken / Wilpert, Gero v.:* Buddenbrooks-Handbuch. Stuttgart 1988.
*Schröter, Klaus:* Thomas Mann in Selbstzeugnissen und Bilddokumenten. Reinbek bei Hamburg 1964.
*Vaget, Hans Rudolf:* Thomas Mann-Kommentar zu sämtlichen Erzählungen. München 1984.
*Winston, Richard:* Thomas Mann. Das Werden eines Künstlers 1875–1911. Deutsch von Sylvia Hofheinz. München/Hamburg 1985.

Christian Morgenstern

*Bauer, Michael:* Christian Morgensterns Leben und Werk. München 1933 [u. ö.].
*Beheim-Schwarzbach, Martin:* Christian Morgenstern in Selbstzeugnissen und Bilddokumenten. Reinbek bei Hamburg 1964.

*Gumtau, Helmut:* Christian Morgenstern. Berlin 1971.

*Hofacker, Erich P.:* Christian Morgenstern. Boston 1978.

*Kretschmer, Ernst:* Christian Morgenstern. Stuttgart 1985.

Friedrich Nietzsche

*Bertram, Ernst:* Nietzsche. Versuch einer Mythologie. Bonn [8]1965.

*Janz, Curt Paul:* Friedrich Nietzsche. Biographie in 3 Bdn. München/Wien 1978–79.

*Löwith, Karl:* Nietzsches Philosophie der ewigen Wiederkehr des Gleichen. Stuttgart 1956.

*Pütz, Peter:* Kunst und Künstlerexistenz bei Nietzsche und Thomas Mann. Zum Problem des ästhetischen Perspektivismus in der Moderne. 2., durchges. und erg. Aufl. Bonn 1975.

*Röttges, Heinz:* Nietzsche und die Dialektik der Aufklärung. Berlin 1972.

Rainer Maria Rilke

*Andreas-Salomé, Lou:* Rainer Maria Rilke. Hrsg. von Ernst Pfeiffer. Frankfurt a. M. 1988.

*Buddeberg, Else:* Rainer Maria Rilke. Eine innere Biographie. Stuttgart 1955.

*Hamburger, Käte:* Rilke. Eine Einführung. Stuttgart 1976.

*Holthusen, Hans Egon:* Rainer Maria Rilke in Selbstzeugnissen und Bilddokumenten. Hamburg 1958.

*Musil, Robert:* Rede zur Rilke-Feier in Berlin am 16. Januar 1927. In: R. M.: Gesammelte Werke. Bd. 2. Reinbek bei Hamburg 1978. S. 1229–42.

*Prater, Donald:* Ein klingendes Glas. Das Leben Rainer Maria Rilkes. Übers. von Fred Wagner. München/Wien 1986.

*Schnack, Ingeborg:* Rainer Maria Rilke. Chronik seines Lebens und seines Werkes. 2 Bde. Frankfurt a. M. 1975.

Arthur Schnitzler

*Jäger, Manfred:* Schnitzlers »Leutnant Gustl«. In: Wirkendes Wort 15 (1965) S. 308–316.

*Marcuse, Ludwig:* Der »Reigen«-Prozeß, Sex, Politik und Kunst 1920 in Berlin. In: Der Monat 14 (1961/62) H. 168. S. 48–55; 15 (1962/63) H. 169. S. 34–46.

*Melchinger, Christa:* Illusion und Wirklichkeit im dramatischen Werk Arthur Schnitzlers. Heidelberg 1969.

*Scheible, Hartmut:* Arthur Schnitzler in Selbstzeugnissen und Bild-
dokumenten. Reinbek bei Hamburg 1976.
*Schnitzler, Heinrich / Brandstätter, Christian / Urbach, Reinhard*
(Hrsg.): Arthur Schnitzler. Sein Leben, sein Werk, seine Zeit.
Frankfurt a. M. 1984.

Frank Wedekind

*Emrich, Wilhelm:* Frank Wedekind. Die Lulu-Tragödie. In: Benno
von Wiese (Hrsg.): Das deutsche Drama. Vom Barock bis zur
Gegenwart. Interpretationen. Bd. 2. Düsseldorf 1958. S. 207 bis
228.
*Kutscher, Arthur:* Frank Wedekind. Sein Leben und seine Werke.
3 Bde. München 1922–31.
*Rothe, Friedrich:* Frank Wedekinds Dramen. Jugendstil und
Lebensphilosophie. Stuttgart 1968.
*Seehaus, Günter:* Frank Wedekind und das Theater. München 1964.
*Seehaus, Günter:* Frank Wedekind in Selbstzeugnissen und Bilddo-
kumenten. Reinbek bei Hamburg 1974.
*Vinçon, Hartmut:* Frank Wedekind. Stuttgart 1987. (Sammlung
Metzler. 230.)

Wilhelm II.

*Balfour, Michael:* The Kaiser and his times. London 1964.
*Eyck, Erich:* Das persönliche Regiment Wilhelms II. Politische
Geschichte des Deutschen Kaiserreichs von 1890 bis 1914.
Erlenbach bei Zürich 1948.
*Röhl, John C. G.:* Kaiser, Hof und Staat. Wilhelm II. und die
deutsche Politik. München 1987.
*Thoma, Ludwig:* Die Reden Wilhelms II. In: L. T.: Gesammelte
Werke in sechs Bänden. Bd. 1. München 1968. S. 481–497.

Stefan Zweig

*Arens, Hanns:* Der große Europäer Stefan Zweig. München 1956.
*Bauer, Arnold:* Stefan Zweig. Berlin 1961.
*Cremerius, Johannes:* Stefan Zweigs Beziehung zu Sigmund Freud,
»Eine heroische Identifizierung«. Zugleich ein Beispiel für die
Zufälligkeit der Rezeption der Psychoanalyse. In: Jahrbuch der
Psychoanalyse 8 (1975) S. 49–89.
*Müller, Hartmut:* Stefan Zweig in Selbstzeugnissen und Bilddoku-
menten. Reinbek bei Hamburg 1988.

# Synoptische Tabelle

| | Literatur | Geschichte | Künste, Wissenschaft und Technik |
|---|---|---|---|
| 1890 | G. Keller gest. St. George: Hymnen (G.) Freie Volksbühne in Berlin gegr. H. Ibsen: Hedda Gabler (Dr.) D. v. Liliencron: Der Haidgänger (G.) G. Hauptmann: Das Friedensfest (Dr.) | Bismarcks Entlassung; Nachfolger: L. v. Caprivi (bis 1894) Deutsch-Ostafrika Schutzgebiet Ende des Rückversicherungsvertrages mit Rußland (seit 1877) Aufhebung der Sozialistengesetze (seit 1878); Neugründung der SPD Gründung der Arbeitgeberverbände Helgoland wird deutsch | V. van Gogh gest. C. Franck gest. Erfindung d. Luftreifens (Dunlop) J. Langbehn: Rembrandt als Erzieher. Von einem Deutschen (anonym) Erfindung des Dreifarbendrucks (Ulrich, Vogel) R. Koch: Tuberkulin |
| 1891 | St. George: Baudelaire-Übersetzungen; Pilgerfahrten (G.) I. A. Gontscharow gest. S. Lagerlöf: Gösta Berling (R.) O. Wilde: The Picture of Dorian Gray (R.) R. Dehmel: Erlösungen (G.) R. Huch: Gedichte F. Wedekind: Frühlings Erwachen (Dr.) | Erfurter Programm der SPD Helmut Graf v. Moltke gest. L. Windthorst, Gründer der Zentrumspartei, gest. Leo XIII.: Rerum Novarum (Sozialenzyklika) | G. Seurat gest. G. Mahler: 1. Sinfonie D-dur L. Délibes gest. Gleitflüge (O. Lilienthal) Stromfernübertragung (Dolivo-Dobrowolski) H. Wolf: Das Italienische Liederbuch |

F. Nietzsche: Also sprach Zarathustra (seit 1883)
G. Hauptmann: Einsame Menschen (Dr.)
J. N. A. Rimbaud gest.
H. Bahr: Die Überwindung des Naturalismus (Ess.)

»Die Zukunft« (Zs.) gegr. (M. Harden)
Deutsche Friedensgesellschaft gegr. (B. v. Suttner)
Militärkonvention Rußland–Frankreich

R. Leoncavallo: Der Bajazzo (O.)
C. Débussy: L'après-midi d'un faune (Tondichtung)
E. Haeckel: Der Monismus. Glaubensbekenntnis eines Naturforschers
W. v. Siemens gest.
Verbrennungsmotor (R. Diesel)

1892 St. George: Algabal (G.)
Th. Fontane: Frau Jenny Treibel (R.)
G. Hauptmann: Die Weber (Dr.)
H. Ibsen: Baumeister Solneß (Dr.)
R. Huch: Evoe (Dr.)
E. v. Wildenbruch: Das edle Blut (N.)
M. Maeterlinck: Pelléas et Mélisande (Dr.)

1893 G. de Maupassant gest.
G. Hauptmann: Der Biberpelz (Dr.)
D. v. Liliencron: Neue Gedichte
R. Huch: Erinnerungen von Ludolf Ursleu dem Jüngeren (R.)
M. Dauthendey: Ultraviolett (G.)
H. v. Hofmannsthal: Der Tor und der Tod (Dr.; entst.)

»Die Frau« (Zs.) gegr. (H. Lange)
St. G. Cleveland zum 2. Mal Präsident der USA

Münchener Sezession gegr.
P. I. Tschaikowski gest.
G. Puccini: Manon Lescaut (O.)
H. Pfitzner: Der arme Heinrich (O.)
Diphtherieserum entdeckt (E. v. Behring)
Polarexpedition mit der »Fram« (F. Nansen, bis 1896)

|  | Literatur | Geschichte | Wissenschaft/Kultur |
|---|---|---|---|
|  | K. May: Winnetou (R., 3 Bde., bis 1910) R. Dehmel: Aber die Liebe (G. u. En.) A. Schnitzler: Anatol (Dr.) | A. Dreyfus nach Cayenne verbannt Chlodwig Fürst zu Hohenlohe-Schillingsfürst Reichskanzler (bis 1900) Zar Alexander III. gest.; Nachfolger Nikolaus II. Japanisch-Chinesischer Krieg (bis 1895) | U. v. Wilamowitz-Moellendorff: Aristoteles und Athen, 2 Bde. Reichstagsgebäude vollendet (P. Wallot) H. Helmholtz gest. Kinematograph erfunden (A. u. L. J. Lumière) Lokalanästhesie (C. L. Schleich) K. Marx: Das Kapital III |
| 1894 | R. Huch: Gedichte Th. Mann: Gefallen (N.) H. Mann: In einer Familie (R.) R. M. Rilke: Leben und Lieder (G.) A. Schnitzler: Das Märchen (Dr.) G. Hauptmann: Hanneles Himmelfahrt (Dr.) K. Hamsun: Pan (R.) |  |  |
| 1895 | St. George: Die Bücher der Hirten- und Preisgedichte (G.) Th. Fontane: Effi Briest (R.) N. S. Leskow gest. F. Wedekind: Der Erdgeist (Dr.) R. Dehmel: Der Mitmensch (Dr.) H. v. Hofmannsthal: Das Märchen der 672. Nacht A. Schnitzler: Sterben (N.); Liebelei (Dr.) Ch. Morgenstern: In Phanta's Schloß (G.) »Pan« (Zs.) gegr. (Bierbaum, Dehmel u. a.) | Japanisch-Chinesischer Krieg beendet, Formosa kommt an Japan, Korea wird selbständig Kubanischer Aufstand gegen Spanien Nord-Ostsee-Kanal fertig | R. Strauss: Till Eulenspiegel, Tondichtung A. Rodin: Die Bürger von Calais (Plastik) F. Engels gest. X-Strahlen (W. C. Röntgen) Elektronentheorie (H. A. Lorentz) Verflüssigung der Luft (C. v. Linde) E. Förster-Nietzsche: Das Leben Friedrich Nietzsches (bis 1904) |

| | | |
|---|---|---|
| **1896** | | |
| Th. Mann: Enttäuschung (E.) | Madagaskar französische Kolonie | A. Bruckner gest. |
| G. Hauptmann: Florian Geyer (Dr.) | Italienischer Krieg gegen Äthiopien | C. Schumann gest. |
| W. Raabe: Die Akten des Vogelsangs (R.) | Th. Herzl: Der Judenstaat; Anstoß zur Entstehung d. Zionismus | G. Puccini: La Bohème (O.) |
| A. P. Tschechow: Die Möwe (Dr.) | Nationalsozialer Verein gegr. (F. Naumann) | J. Brahms: Vier ernste Gesänge |
| R. Dehmel: Weib und Welt (G.) | Dreiklassenwahlrecht in Sachsen | H. v. Treitschke gest. |
| D. v. Liliencron: Poggfred (Ep.) | Olympische Spiele in Athen | O. v. Lilienthal stirbt bei Flugversuch |
| P. Altenberg: Wie ich es sehe | Lenin nach Sibirien verbannt | A. Nobel gest. |
| M. Maeterlinck: Le trésor des humbles (Ess.) | | Radioaktive Strahlung d. Urans entdeckt (H. Bequerel) |
| P. Verlaine gest. | | |
| »Simplicissimus«, polit.-satir. Zeitschrift gegr. (Langen, Heine) | | |
| »Jugend«, Wochenschrift, von der der Jugendstil seinen Namen erhält, erscheint in München | | |
| **1897** | | |
| St. George: Das Jahr der Seele (G.) | Hottentottenaufstand in Deutsch-Südwestafrika niedergeschlagen | J. Brahms gest. |
| A. Daudet gest. | Erster Zionistenkongreß in Basel | J. Burckhardt gest. |
| R. Huch: Erzählungen (3 Bde.) | Karl Lueger Bürgermeister von Wien | Drahtlose Telegraphie erfunden (Marconi) |
| P. Altenberg: Ashantee | Deutscher Caritasverband gegr. (L. Werthmann) | Braunsche Röhre (K. F. Braun) |
| B. Freiherr v. Münchhausen: Gedichte | A. v. Tirpitz Staatssekretär des Reichsmarineamtes | |
| H. Mann: Das Wunderbare und andere Novellen | | |
| Ch. Morgenstern: Horatius tra- | | |

vestitus (G.); Auf vielen Wegen (G.)
O. J. Bierbaum: Stilpe (R.)
L. Thoma: Agricola (En.)
F. Wedekind: Die Fürstin Russalka (Pr. u. G.)

**1898**

C. F. Meyer gest.
G. B. Shaw: Plays Pleasant and Unpleasant (Dr.)
Th. Fontane gest.
K. Hamsun: Victoria (R.)
A. Holz: Phantasus (G.)
Th. Mann: Der kleine Herr Friedemann (Nn.)
H. Mann: Ein Verbrechen und andere Geschichten
F. Nietzsche: Gedichte und Sprüche
Ch. Morgenstern: Ich und die Welt (G.)
St. Mallarmé gest.

E. Zola: J'accuse
Bismarck gest.
Kiautschou von China an das Deutsche Reich verpachtet
Sudan von Lord Kitchener erobert
W. E. Gladstone gest.
Sozialdemokratische Arbeiterpartei Rußlands gegr.
Krieg zwischen Spanien und USA; Spanien verliert Kuba und die Philippinen
Beginn der deutschen Flottengesetzgebung

M. Liebermann gründet Berliner Sezession
H. Lietz gründet erstes Landererziehungsheim
Erste Promotion einer Frau in Deutschland
Radioaktive Elemente Polonium und Radium entdeckt (M. u. P. Curie)
W. Bölsche: Das Liebesleben in der Natur

**1899**

St. George: Der Teppich des Lebens und die Lieder von Traum und Tod (G.)
L. N. Tolstoi: Auferstehung (R.)
A. Holz: Revolution der Lyrik
M. Dauthendey: Reliquien (G.)

Dreyfus begnadigt
Spanien verkauft Karolinen und Marianen an das Deutsche Reich
Burenkrieg zwischen England, Transvaal und Oranjefreistaat
Erste Haager Friedenskonferenz

C. Monet: Die Kathedrale zu Rouen (Gem.)
A. Sisley gest.
J. Strauß (Sohn) gest.
K. Millöcker gest.

| | Literatur | Geschichte / Politik | Kunst / Wissenschaft / Philosophie |
|---|---|---|---|
| | H. v. Hofmannsthal: Das Bergwerk zu Falun (N.)<br>R. Huch: Blütezeit der Romantik<br>»Die Fackel« (Zs.) gegr. (K. Kraus)<br>R. M. Rilke: Mir zur Feier (G.)<br>A. Schnitzler: Der grüne Kakadu (Dr.)<br>G. Hauptmann: Fuhrmann Henschel (Dr.)<br>H. Hesse: Eine Stunde hinter Mitternacht | Verurteilung F. Wedekinds wegen Majestätsbeleidigung | H. St. Chamberlain: Die Grundlagen des 19. Jahrhunderts<br>E. Bernstein: Voraussetzungen des Sozialismus und die Aufgaben der Sozialdemokratie<br>E. Haeckel: Die Welträtsel; Die Kunstformen in der Natur (bis 1904)<br>P. Natorp: Sozialpädagogik |
| 1900 | O. Wilde gest.<br>J. Conrad: Lord Jim (R.)<br>B. Freiherr v. Münchhausen: Juda (G.); Balladen<br>H. v. Hofmannsthal: Der Kaiser und die Hexe (Dr.)<br>H. Mann: Im Schlaraffenland (R.)<br>F. Nietzsche gest.<br>R. M. Rilke: Vom lieben Gott und Anderes (En.)<br>A. Schnitzler: Reigen (Dr.)<br>G. Hauptmann: Michael Kramer (Dr.); Schluck und Jau (Dr.)<br>Ch. Morgenstern: Ein Sommer (G.) | Englische Arbeiterpartei gegr.<br>W. Liebknecht gest.<br>Fürst Bernhard v. Bülow Reichskanzler<br>Umberto I. v. Italien Opfer eines Attentats; Nachfolger Victor Emanuel III.<br>Boxeraufstand in China<br>Gesamtverband d. Christlichen Gewerkschaften Deutschlands gegr. | G. Puccini: Tosca, Madame Butterfly (O.)<br>W. Leibl gest.<br>S. Freud: Die Traumdeutung<br>H. Bergson: Le Rire<br>E. Key: Das Jahrhundert des Kindes<br>E. Mach: Die Analyse der Empfindungen<br>G. Simmel: Die Philosophie des Geldes<br>M. Planck: Quantentheorie<br>Erstes lenkbares Luftschiff (Ferdinand Graf v. Zeppelin) |

| | | |
|---|---|---|
| 1901 | F. Wedekind: Der Marquis von Keith (Dr.) | Königin Victoria v. England gest.; Nachfolger Edward VII. | H. de Toulouse-Lautrec gest. |
| | P. Altenberg: Was der Tag mir zuträgt | W. McKinley, 24. Präsident der USA, ermordet | G. Verdi gest. |
| | Th. Mann: Buddenbrooks (R.) | Boxeraufstand in China niedergeschlagen | A. Böcklin gest. |
| | St. Zweig: Silberne Saiten (G.) | Steglitzer Schülerwandergruppe »Wandervogel« | Siegesallee im Berliner Tiergarten vollendet |
| | F. Nietzsche: Der Wille zur Macht | | H. van de Velde: Innenausstattung des Folkwangmuseums in Hagen |
| | A. Schnitzler: Der Schleier der Beatrice (Dr.); Leutnant Gustl (N.) | | S. Freud: Zur Psychopathologie des Alltagslebens |
| | Eröffnung der »Elf Scharfrichter« in München u. des »Überbrettl« in Berlin | | M. Weber: Die protestantische Ethik und der Geist des Kapitalismus |
| | | | A. Bartels: Geschichte der deutschen Literatur |
| 1902 | É. Zola gest. | Kuba Republik unter Schutzherrschaft der USA | C. Debussy: Pelléas et Mélisande (O.) |
| | A. Strindberg: Ein Traumspiel (Dr.) | Burenkrieg beendet | A. Maillol: Leda (Bronzeplastik) |
| | F. Wedekind: König Nicolo oder So ist das Leben (Dr.); Die Büchse der Pandora (Dr.) | C. Rhodes gest. | R. Steiner: Das Christentum als mystische Tatsache |
| | Nobelpreis f. Literatur an Th. Mommsen | L. D. Trotzki flieht aus sibirischer Verbannung nach London | R. Virchow gest. |
| | Th. Herzl: Altneuland (R.) | Allgemeines Frauenwahlrecht in Australien | W. I. Lenin: Was tun? |
| | H. v. Hofmannsthal: Ein Brief | Abschaffung der Todesstrafe in Norwegen | |
| | R. Huch: Ausbreitung und Verfall der Romantik | | |
| | M. Gorki: Nachtasyl (Dr.) | | |

K. Kraus: Sittlichkeit und Kriminalität (Ess.)
R. M. Rilke: Das Buch der Bilder (G.)
A. Schnitzler: Der blinde Geronimo und sein Bruder (E.)
E. Lasker-Schüler: Styx (G.)
Ch. Morgenstern: Und aber ründet sich ein Kranz (G.)

H. Wolf gest.
E. d'Albert: Tiefland (O.)
P. Gauguin gest.
J. Whistler gest.
Th. Mommsen gest.
Schnelltelegraph (Siemens)
Erster Motorflug (W. u. O. Wright)
Werner Sombart: Der moderne
Kapitalismus (bis 1908); Die
deutsche Volkswirtschaft im
19. Jahrhundert
O. Weininger: Geschlecht und
Charakter; gest. (Selbstmord)
Amundsen entdeckt magnetischen
Nordpol

1903    St. George: Tage und Thaten,
Aufzeichnungen und Skizzen
R. Dehmel: Zwei Menschen (Ep.)
G. Hauptmann: Rose Bernd (Dr.)
D. v. Liliencron: Bunte Beute (G.)
H. v. Hofmannsthal: Das kleine
Welttheater (Dr.); Ausgewählte
Gedichte
Th. Mann: Tristan (Nn.)
H. Mann: Die Göttinnen oder die
drei Romane der Herzogin von
Assy (R.); Die Jagd nach Liebe
(R.)

Reichstagswahlen: 100 Sitze Zen-
trum, 81 SPD
Ausdehnung des britischen Ein-
flusses in Tibet
Kämpfe in Britisch Somaliland
gegen Aufständische
Niederlande unterwerfen Java
König Alexander von Serbien er-
mordet
Leo XIII. gest.; Nachfolger
Pius X.
Panama erklärt Unabhängigkeit
von Kolumbien
Schwere Judenpogrome in Ruß-
land

F. v. Lenbach gest.
A. Dvořák gest.
L. Janáček: Jenufa (O.)

1904    A. P. Tschechow: Der Kirschgar-
ten (Dr.); gest.

Th. Herzl gest.
Hottentotten- und Hereroaufstand
in Deutsch-Südwestafrika

P. Ernst: Der schmale Weg zum Glück (R.)
W. Busch: Zu guter Letzt (G.)
H. Hesse: Peter Camenzind (R.)
A. Holz: Dafnis (G.)
L. Pirandello: Il fu Mattia Pascal (R.)
R. A. Schröder: Sonette an eine Verstorbene
O. Brahm Leiter des Lessingtheaters Berlin
Düsseldorfer Schauspielhaus gegr. (L. Dumont u. G. Lindemann)
F. Wedekind: Die Büchse der Pandora (Dr.)
A. Schnitzler: Der einsame Weg (Dr.)

Russisch-Japanischer Krieg
Tagung der Zweiten Internationale in Amsterdam
Jesuiten in Deutschland als Privatpersonen zugelassen

Berliner Dom vollendet (J. Raschdorf)
R. Steiner: Theosophie
Bildtelegraph erfunden (A. Korn)
Kreiselkompaß erfunden (H. Anschütz-Kaempfe)
Elektronenröhre (J. Ambrose Fleming)
S. Hedin: Scientific Results of a Journey in Central Asia (bis 1908)
Shantung- und Transbaikalbahn vollendet

1905

R. Huch: Seifenblasen (En.)
G. B. Shaw: Major Barbara (Dr.)
J. Verne gest.
M. Reinhardt Leiter d. Deutschen Theaters, Berlin
M. de Unamuno: Vida de Don Quijote y Sancho (Ess.)
E. Stadler: Präludien (G.)
H. Mann: Flöten und Dolche (Nn.); Professor Unrat oder Das Ende eines Tyrannen (R.)

Friedens-Nobelpreis f. B. v. Suttner
Friede v. Portsmouth beendet russisch-japanischen Krieg
Gründung des deutschen Städtetages
Liberale Regierung löst konservative in Großbritannien ab
Irische Sinn Féin-Partei gegr.
Revolution in Rußland

C. Meunier gest.
R. Strauss: Salome (O.)
A. v. Menzel gest.
M. de Falla: La vida breve (O.)
W. Dilthey: Das Erlebnis und die Dichtung
S. Freud: Der Witz und seine Beziehung zum Unbewußten
J. Burckhardt: Weltgeschichtliche Betrachtungen

| | | |
|---|---|---|
| R. M. Rilke: Das Stunden-Buch (G.)<br>Ch. Morgenstern: Galgenlieder (G.)<br>E. Lasker-Schüler: Der siebente Tag (G.)<br>L. Thoma: Lausbubengeschichten (En.); Andreas Vöst (R.) | Norwegen hebt Union mit Schweden auf | G. Dehio: Handbuch der Deutschen Kunstdenkmäler (bis 1912)<br>Medizin-Nobelpreis an R. Koch<br>A. Einstein: Spezielle Relativitätstheorie<br>Syphiliserreger entdeckt (F. R. Schaudinn) |
| **1906** St. George: Maximin. Ein Gedenkbuch (G.)<br>H. Ibsen gest.<br>H. Hesse: Unterm Rad (R.)<br>R. Musil: Die Verwirrungen des Zöglings Törleß (R.)<br>Th. Mann: Fiorenza (Dr.)<br>St. Zweig: Die frühen Kränze (G.)<br>R. M. Rilke: Die Weise von Liebe und Tod des Cornets Christoph Rilke<br>P. Ernst: Der Weg zur Form (Ess.)<br>G. Hauptmann: Und Pippa tanzt (Dr.)<br>Ch. Morgenstern: Melancholie (G.)<br>Uraufführung von »Frühlings Erwachen« | Dreyfus freigesprochen u. rehabilitiert<br>Angriffe M. Hardens gegen Philipp Fürst zu Eulenburg<br>W. Voigt beschlagnahmt Stadtkasse v. Köpenick (»Hauptmann v. Köpenick«)<br>Algericas-Konferenz legt 1. Marokko-Krise bei<br>Auflösung des Reichstags<br>Trennung von Staat u. Kirche in Frankreich (A. Briand) | P. Cézanne gest.<br>A. Schweitzer: Geschichte der Leben-Jesu-Forschung<br>Firma Rolls-Royce gegr.<br>E. v. Hartmann gest.<br>P. Curie gest. |
| **1907** St. George: Der siebente Ring (G.) | Herero-Aufstand in Deutsch-Südwestafrika niedergeworfen | E. Grieg gest.<br>P. Modersohn-Becker gest. |

R. Dehmel: Die Verwandlung der Venus (G.)
R. Huch: Neue Gedichte
O. Kokoschka: Sphinx und Strohmann (Dr.)
A. Miegel: Balladen und Lieder
M. Dauthendey: Singsangbuch (G.)
H. v. Hofmannsthal: Der weiße Fächer (Dr.)
E. Lasker-Schüler: Die Nächte Tino von Bagdads (En.)
F. Wedekind: Die Zensur (Dr.)
R. M. Rilke: Neue Gedichte, I

Oskar II. v. Schweden gest.; Nachfolger Gustav V.
Bauernaufstand in Rumänien
Erste zionistische Kolonie in Palästina gegr., Tel Aviv

J. Joachim gest.
M. Montessori gründet Heim f. Arbeiterkinder
Zeitlupe (Musger)
Hochfrequenzmaschine (Fessenden u. Alexanderson)
Betongußverfahren (Th. A. Edison)

1908
W. Busch gest.
H. Hesse: Nachbarn (En.)
P. Altenberg: Märchen des Lebens
C. Viebig: Das Kreuz im Venn (R.)
K. Kraus: Apokalypse (Ess.)
F. Nietzsche: Ecce Homo
R. M. Rilke: Neue Gedichte, II
A. Schnitzler: Der Weg ins Freie (R.)
F. Wedekind: Oaha (Dr.)

Daily Telegraph-Affäre
Österreich-Ungarn annektiert Bosnien und die Herzegowina
Kongo belgische Kolonie
Karl I. v. Portugal ermordet; Nachfolger Emanuel II.
Ferdinand I erklärt Bulgarien zum unabhängigen Königreich
Pfadfinderbewegung gegr. (Sir R. St. Smyth Baden-Powell)

R. Strauss: Elektra (O.)
P. Picasso u. G. Braque: Kubismus
F. Hodler: Auszug der Jenenser Studenten (Gem.)
C. Monet: Dogenpalast (Gem.)
B. Bartók: Erstes Streichquartett
Pablo Sarasate gest.
N. A. Rimski-Korssakow gest.
Luftschiffbau Zeppelin GmbH. gegr.

1909
D. v. Liliencron gest.
P. Altenberg: Bilderbögen des kleinen Lebens

Th. v. Bethmann Hollweg Reichskanzler (bis 1917)

E. Barlach: Sorgende Frau (Holzplastik)

J. Wassermann: Caspar Hauser oder die Trägheit des Herzens (R.)

E. v. Wildenbruch gest.

Th. Mann: Königliche Hoheit (R.)

H. Mann: Die kleine Stadt (R.)

R. M. Rilke: Die frühen Gedichte

E. Lasker-Schüler: Die Wupper (Dr.)

L. Thoma: Briefwechsel eines bayerischen Landtagsabgeordneten

F. T. Marinetti: Manifesto futurista

F. v. Holstein, die »Graue Eminenz«, gest.

Leopold III. v. Belgien gest.; Nachfolger Albert I.

Demokratische Wahlrechtsreform in Schweden

Anarchistischer Aufstand in Barcelona

A. Stoecker gest.

L. Hofmann: Nach der Schwemme (Gem.)

E. Nolde: Abendmahl (Gem.)

H. Lange: Die Frauenbewegung in ihren modernen Problemen

Überquerung d. Ärmelkanals in einem Flugzeug (L. Blériot)

42 cm-Geschütz (Fa. Krupp)

Kunstkautschuk Buna (F. Hofmann)

J. J. v. Uexküll: Umwelt und Innenwelt der Tiere

1910  L. N. Tolstoi gest.

W. Raabe gest.

O. J. Bierbaum gest.

R. Huch: Der Hahn von Quakenbrück (N.)

Literaturnobelpreis an P. Heyse, seine Erhebung in den Adelsstand

P. Claudel: Cinq grandes odes (G.)

Th. Däubler: Das Nordlicht (Ep.)

H. Eulenberg: Schattenbilder (Biographien)

Edward VII. v. England gest.; Nachfolger Georg V.

Emanuel II. v. Portugal gestürzt

Südafrikanische Union als britisches Dominion gegr.

Japan annektiert Korea

H. Dunant gest.

K. Lueger gest.

F. v. Bodelschwingh gest.

A. Achenbach gest.

I. Strawinski: Der Feuervogel, (Ballett)

H. Rousseau gest.

W. Gropius: Fagus-Werk in Alfeld Glas-Betonbau

R. Koch gest.

G. Radbruch: Einführung in die Rechtswissenschaft

P. Natorp: Die logischen Grundlagen der exakten Wissenschaften

J. Kainz gest.

M. Twain gest.
M. Dauthendey: Die geflügelte Erde (G.)
R. M. Rilke: Die Aufzeichnungen des Malte Laurids Brigge (R.)
Ch. Morgenstern: Palmström (G.)
»Der Sturm« (Zs.) gegr. (H. Walden)

1911   R. Dehmel: Michel Michael (Dr.)
H. Hesse: Unterwegs (G.);
Literatur-Nobelpreis an M. Maeterlinck
M. Dauthendey: Raubmenschen (R.)
G. Heym: Der ewige Tag (G.); Atalanta (Dr.)
C. Sternheim: Die Hose (Dr.)
J. R. Becher: Der Ringende (G.)
R. Musil: Vereinigungen
H. v. Hofmannsthal: Jedermann (Sp.)
St. Zweig: Erstes Erlebnis (En.)
A. Schnitzler: Das weite Land (Dr.)
G. Hauptmann: Die Ratten (Dr.)
O. Loerke: Wanderschaft (G.)
Ch. Morgenstern: Ich und Du (G.)

Republikanische Verfassung in Portugal
Zweite Marokkokrise (»Panthersprung nach Agadir«)
A. v. Tirpitz Großadmiral
W. Churchill Erster Lord der Admiralität
Der russische Ministerpräsident Stolypin erliegt einem Attentat
Revolution in China; Äußere Mongolei erklärt Unabhängigkeit
Rentenversicherungsanstalt f. Angestellte gegr.

G. Mahler: Das Lied von der Erde; gest.
A. Schönberg: Harmonielehre
M. Ravel: L'heure espagnole (O.)
»Blauer Reiter« gegr. (W. Kandinsky, F. Marc)
I. Strawinski: Petruschka (Ballett)
Die Aktion, Zs. gegr. (Franz Pfemfert)
F. Gundolf: Shakespeare und der deutsche Geist
W. Dilthey gest.
Kaiser Wilhelm-Gesellschaft zur Förderung der Wissenschaften gegr.

| | | | |
|---|---|---|---|
| 1912 | A. Strindberg gest.<br>K. May gest.<br>»Werkleute auf Haus Nyland« gegr.<br>E. Barlach: Der tote Tag (Dr.)<br>G. Heym: Umbra Vitae (G.)<br>C. Sternheim: Die Kassette (Dr.)<br>Th. Mann: Der Tod in Venedig (N.)<br>St. Zweig: Das Haus am Meer (Dr.)<br>A. Schnitzler: Professor Bernhardi (Dr.)<br>Literatur-Nobelpreis an G. Hauptmann<br>G. Hauptmann: Gabriel Schillings Flucht (Dr.)<br>R. Huch: Der große Krieg in Deutschland (bis 1914) | Balkanbund gegr. (Bulgarien, Griechenland, Montenegro, Serbien); Erster Balkankrieg gegen die Türkei<br>Untergang des engl. Schnelldampfers »Titanic« (1517 Todesopfer)<br>Italien gewinnt Libyen im Krieg gegen die Türkei<br>Mandschu-Dynastie dankt ab; Sun Yat-Sen gründet Kuomintang<br>Erneuerung des Dreibundes zwischen Österreich, Deutschland u. Italien<br>SPD mit 110 Mandaten stärkste Reichstagsfraktion<br>Russisches Flottenbaugesetz | F. Léger: Frau in Blau (Gem.)<br>J. Massenet gest.<br>R. Strauss: Ariadne auf Naxos (O.)<br>R. F. Scott stirbt auf Südpolexpedition<br>G. Kerschensteiner: Der Begriff der Arbeitsschule |
| 1913 | St. George: Der Stern des Bundes (G.)<br>R. Dehmel: Schöne wilde Welt (G.)<br>G. Trakl: Gedichte<br>C. Sternheim: Bürger Schippel (K.)<br>Klabund: Morgenrot! Klabund! Die Tage dämmern! (G.) | A. Bebel gest., F. Ebert SPD-Vorsitzender<br>Zweiter Balkankrieg beendet<br>Kreta vollzieht Anschluß an Griechenland<br>Heeresvorlage schafft zwei neue deutsche Armeekorps<br>Dreijährige Wehrdienstpflicht in Frankreich | I. Strawinski: Le sacre du printemps (Ballett)<br>M. Reger: Böcklin-Suite<br>S. Freud: Totem und Tabu<br>A. Schweitzer gründet Spital in Lambarene (Gabun)<br>G. Wyneken: Schule und Jugendkultur<br>N. Bohr: Atommodell |

| | | | |
|---|---|---|---|
| | F. von Unruh: Louis Ferdinand, Prinz von Preußen (Dr.)<br>H. Mann: Madame Legros (Dr.)<br>R. M. Rilke: Das Marien-Leben (G.)<br>E. Lasker-Schüler: Hebräische Balladen (G.)<br>F. Kafka: Betrachtungen (En.); Der Heizer (E.-Fragment) | Georg I. v. Griechenland ermordet; Nachfolger Konstantin I.<br>Th. W. Wilson Präsident der USA (bis 1921)<br>Jugendfest auf dem Hohen Meißner | Allgemeine Anthroposophische Gesellschaft gegr. (R. Steiner)<br>E. Husserl: Ideen zu einer reinen Phänomenologie und phänomenologischen Philosophie<br>M. Scheler: Der Formalismus in der Ethik und die materiale Wertethik<br>Einführung des Fließbandes bei Ford |
| 1914 | A. Gide: Les caves du Vatican (R.)<br>H. Hesse: Roßhalde (R.)<br>H. Löns gefallen<br>Ch. Heyse gest.<br>Ch. Morgenstern: Wir fanden einen Pfad (G.); gest.<br>E. Stadler: Der Aufbruch (G.); gest.<br>A. Stramm: Rudimentär (G.); Sancta Susanna (Dr.)<br>C. Sternheim: Der Snob (Dr.)<br>W. Hasenclever: Der Sohn (Dr.)<br>H. Mann: Der Untertan (R.)<br>E. Lasker-Schüler: Der Prinz von Theben (En.)<br>G. Hauptmann: Der Bogen des Odysseus (Dr.) | B. v. Suttner gest.<br>Pius X. gest., Nachfolger Benedikt XV.<br>J. Jaurès ermordet<br>28. Juni Ermordung des österr.-ungar. Thronfolgers Franz Ferdinand in Sarajewo<br>28. Juli Kriegserklärung Österreichs an Serbien<br>3. August Kriegserklärung Deutschlands an Rußland u. Frankreich<br>4. August Kriegserklärung Englands an Deutschland<br>3./4. August Deutscher Einmarsch in Belgien | M. Utrillo: Vorstadtstraße (Gem.)<br>J. Volkelt: System der Ästhetik (seit 1905)<br>Johann Wolfgang-Goethe-Universität in Frankfurt a. M. gegr.<br>Eröffnung des Panamakanals |

# Quellenverzeichnis

*Peter Altenberg*
Wie wunderbar – – –. In: P. A., Wie ich es sehe. Berlin: S. Fischer
⁴1904. S. 210–212.

*Hermann Bahr*
Die Überwindung des Naturalismus. In: H. B., Kulturprofil der Jahrhundertwende. Auswahl u. Einführung von Heinz Kindermann zum
100. Geburtstag des Dichters. Hrsg. vom Land Oberösterreich und von
der Stadt Linz. Wien: Bauer 1962. S. 150–154.

*Walter Benjamin*
Gesellschaft. In: W. B., Berliner Kindheit um Neunzehnhundert. Frankfurt a. M.: Suhrkamp 1970. S. 77–83.

*Otto Julius Bierbaum*
Stilpe. Ein Roman aus der Froschperspektive. Berlin: Schuster und
Loeffler 1897. S. 379–400. (Orthographie und Interpunktion behutsam
modernisiert.)

*Richard Dehmel*
Philosophische und poetische Weltanschauung. Ansprache im Monisten-
bund. In: Gesammelte Werke in drei Bänden. Berlin: S. Fischer 1913.
Bd. 3. S. 133–137.
Denkzettel für den verehrten Leser. Ebenda, Bd. 1, S. 7 f.
Bekenntnis. Ebenda, S. 11 f.
Grundsatz. Ebenda, S. 12.
Ein Märtyrer. Ebenda, S. 151–154.
Der Arbeitsmann. Ebenda, S. 159.

*Sigmund Freud*
Die »kulturelle« Sexualmoral und die moderne Nervosität. In: S. F.,
Studienausgabe. Bd. IX. Fragen der Gesellschaft. Ursprünge der Religion.
Hrsg. von Alexander Mitscherlich, Angela Richards u. James Strachey.
Frankfurt a. M.: S. Fischer 1974. S. 13–32.

*Stefan George*
Einleitungen der Blätter für die Kunst. Erste Folge. Erstes Heft. 1892.
Zweite Folge. Zweites Heft. 1894. In: Georg Peter Landmann (Hrsg.),
Einleitungen und Merksprüche der Blätter für die Kunst. Düsseldorf u.
München: Helmut Küpper, vormals Georg Bondi 1964. S. 7 und S.
10 f.

Jahrestag. In: S. G., Werke. Ausgabe in zwei Bänden. Düsseldorf u. München: Helmut Küpper, vormals Georg Bondi 1968. Bd. 1, S. 65.
Wir schreiten auf und ab im reichen flitter. Ebenda, S. 122.
Wir werden heute nicht zum garten gehen. Ebenda, S. 124.
Der Freund der Fluren. Ebenda, S. 191.
Das Wort. Ebenda, S. 466 f.

*Hermann Hesse*

Die Fiebermuse. In: H. H., Gesammelte Dichtungen. Bd. 1. Frankfurt a. M.: Suhrkamp 1957. S. 29–33.

*Hugo von Hofmannsthal*

Ein Brief. In: H. v. H., Gesammelte Werke in Einzelausgaben. Hrsg. von Herbert Steiner. Prosa II. Frankfurt a. M.: S. Fischer 1951. S. 7 bis 20.
Lebenslied. In: H. v. H., Gesammelte Werke in Einzelausgaben. Hrsg. von Herbert Steiner. Gedichte und lyrische Dramen. Frankfurt a. M.: S. Fischer 1952. S. 12 f.
Vor Tag. Ebenda, S. 9 f.
Ballade des äußeren Lebens. Ebenda, S. 16.
Terzinen. Über Vergänglichkeit. Ebenda, S. 17 f.
Das Märchen der 672. Nacht. In: H. v. H., Gesammelte Werke in Einzelausgaben. Hrsg. von Herbert Steiner. Die Erzählungen. Frankfurt a. M.: S. Fischer 1953. S. 7–28.

*Karl Kraus*

Apokalypse. In: Die Fackel 10 (1908) Nr. 261–262, S. 1–14. (Photomech. Nachdruck. Hrsg. von Heinrich Fischer. München: Kösel 1970. Bd. 14.)

*Thomas Mann*

Enttäuschung. In: Th. M., Ausgewählte Erzählungen. Frankfurt a. M.: S. Fischer 1954. S. 40–46.

*Christian Morgenstern*

Die unmögliche Tatsache. In: Ch. M., Palmström. Berlin: Bruno Cassirer 1910. S. 11 f.
Die Behörde. Ebenda, S. 23 f.
Der Rock. Ebenda, S. 27.
Das Butterbrotpapier. Ebenda, S. 42–44.

*Friedrich Nietzsche*

Warum ich ein Schicksal bin. Aus: Ecce Homo. In: F. N., Werke in drei Bänden. Hrsg. von Karl Schlechta. Bd. 2. München: Hanser [2]1960. S. 1152–59.

*Rainer Maria Rilke*

Herbsttag. In: R. M. R., Sämtliche Werke. Hrsg. vom Rilke-Archiv. In Verbindung mit Ruth Sieber-Rilke. Besorgt durch Ernst Zinn. Bd. 1. Wiesbaden: Insel Verlag 1955. S. 398.
Der Panther. Ebenda, S. 505.
Der Dichter. Ebenda, S. 511.
Archaïscher Torso Apollos. Ebenda, S. 557.
Damen-Bildnis aus den Achtziger-Jahren. Ebenda, S. 623 f.
Die Turnstunde. Ebenda, Bd. 4 (1961), S. 601–609.

*Arthur Schnitzler*

Leutnant Gustl. In: A. S., Gesammelte Werke. Die Erzählenden Schriften. Bd. 1. Frankfurt a. M.: S. Fischer 1961. S. 337–366.
Die junge Frau und der Ehemann. Aus: Reigen. In: A. S., Gesammelte Werke. Die Dramatischen Werke. Bd. 1. Frankfurt a. M.: S. Fischer 1962. S. 347–353.

*Frank Wedekind*

An Kunigunde. In: F. W., Prosa. Dramen. Verse. Bd. 2. München u. Wien: Langen-Müller 1964. S. 841–843.
Im Heiligen Land. Ebenda, Bd. 1 [1954], S. 63 f.
Frühlings Erwachen. Kindertragödie. Nachwort von Georg Hensel. Stuttgart: Reclam 1971 u. ö. (Universal-Bibliothek Nr. 7951.) S. 63–70.

*Otto Weininger*

Männliche und weibliche Psychologie. In: O. W., Geschlecht und Charakter. Eine prinzipielle Untersuchung. Wien u. Leipzig: Braumüller [6]1905. S. 239–245.

*Wilhelm II.*

Hunnenrede. In: Ernst Johann (Hrsg.), Reden des Kaisers. Ansprachen, Predigten und Trinksprüche Wilhelms II. München: Deutscher Taschenbuch Verlag 1966. S. 90 f.

*Stefan Zweig*

Die Welt der Sicherheit. In: S. Z., Die Welt von Gestern. Erinnerungen eines Europäers. Frankfurt a. M. u. Hamburg: S. Fischer 1970. (Fischer Bücherei Nr. 1152.) S. 14–19.
Das Lebenslied. In: S. Z., Silberne Saiten. Gedichte und Nachdichtungen. Hrsg. von Richard Friedenthal. Frankfurt a. M.: S. Fischer 1966. S. 13 bis 15.
Der Dichter. Ebenda, S. 16.
Nocturno. Ebenda, S. 20.
Morgenlicht. Ebenda, S. 25.
Ein Drängen . . . Ebenda, S. 28.
Begehren. Ebenda, S. 22 f.

# Die deutsche Literatur

Ein Abriß in Text und Darstellung in 17 Bänden
Herausgegeben von Otto F. Best und Hans-Jürgen Schmitt

IN RECLAMS UNIVERSAL-BIBLIOTHEK

---

Auch in Kassette erhältlich

---

# Philipp Reclam jun. Stuttgart